OUR ECOLOGICAL FOOTPRINT
Reducing Human Impact on the Earth
Mathis Wackernagel & William E. Rees

エコロジカル・フットプリント

地球環境持続のための実践プランニング・ツール

マティース・ワケナゲル
（グローバル・フットプリント・ネットワーク代表理事）

ウィリアム・リース
（ブリティッシュ・コロンビア大学名誉教授）

和田喜彦＝監訳・解題
（同志社大学経済学部教授）

池田真里＝訳

あなたの「地球」踏みつけ面積は⁉

合同出版

First published New Society Publishers , Gabriola Island , British Columbia , Canada
Copyright©1996 by Mathis Wackernagel and William Rees

Japanese translation rights arranged with
New Society Publishers , Gabriola Island , British Columbia , Canada
through Tuttle-Mori Agency , Inc., Tokyo

もくじ

- 日本の読者のみなさまへ …… 7
- 謝辞 …… 16
- はじめに …… 17

序章 ● 21
1. なぜ持続可能性が問題なのか …… 21
2. 本書で達成したいものは …… 24
3. 視点について …… 25

第1章　エコロジカル・フットプリントの初歩　はじめて学ぶ人に ● 31
1. 自明の、しかし、深遠な事実：私たちは自然に依存している …… 31
2. エコロジカル・フットプリントとは？ …… 34
3. それでは？：地球規模で考えてみると …… 40
   - ■ Dr.Footnote …… 44
   科学の権威／市場の知恵／自由貿易政策／不確かな未来／技術的な解決／楽観主義者のお題目／成長にも限界が
4. 持続可能な未来を設計する …… 56

第2章　エコロジカル・フットプリントと持続可能性 ● 61
1. 持続可能性論争：
   同じシンプルな概念から生まれたはずなのにお互い対立する戦略 …… 61
   持続可能性問題／61
2. 強い持続可能性：持続可能性へ向けての生態学的観点での最重要条件 …… 68
   ブルントラント委員会の対策案／74
3. エコロジカル・フットプリント：持続可能性達成のための計画立案ツール …… 77
   持続可能性の達成度を評価する：すべきこととすべからざること／77
   生態学から学ぶ：人間の環境収容力を再考する／87
   環境収容力をひっくり返す：人類のエコロジカル・フットプリント／92
   エコロジカル・フットプリント分析は、いかにして、持続可能性の向上に役立つか
   ／99

003

もくじ

第3章　楽しいフットプリント　方法と現実社会への応用 ● 107

1. エコロジカル・フットプリントの理論を現実の中で実践する …… 107
2. 計算手順 …… 114
   消費カテゴリー／116
   土地と土地利用カテゴリー／119
   　i) 商業エネルギーに必要な土地／122　ii) 生産能力阻害地を計上する／130
   　iii) 水の供給／131　iv) 廃棄物の吸収／131　v) 生物多様性の保護／132
   消費—土地利用マトリックス／133
3. フットプリントの実際：計算法を使ってフットプリントを出す …… 137
   1) 平均的な北アメリカ人のエコロジカル・フットプリントはどのくらいか？／138
   2) バンクーバー地域のフットプリントの大きさは？／146
   3) フットプリントの世界的な比較：生態学的にみて、地球上のだれもがアメリカ人の現在の生活水準を享受できるか？／147
   4) イギリスのフットプリント／153
   5) ヨーロッパの例：オランダとドイツ、トリール地方のエコロジカル・フットプリント／157
   6) オーストラリアからの地域分析／158
   7) 生態学的依存の大きさを直視し、貿易の意味を再考してみよう／160
   8) 個人のエコロジカル・フットプリントは、所得に比例するか？／166
   9) フットプリントに影響する住まい方／169
   10) 自転車、バス、自動車で移動すると、生態学的生産力ある土地をどれだけ使うことになるか？／173
   11) トマトに足跡があるって、知ってた？／173
   12) 橋のエコロジカル・フットプリント／178
   13) 学校や野外での持続可能性の学習／180
   14) 「環境報告書」／183
   15) 持続可能性を解釈する手法：生態学版"ロールシャッハ・心理テスト"／184
   16) 自分のフットプリントを計算してみよう／189
   17) エコラベル：その製品は持続可能？／191

第4章　持続可能性戦略を求めて ● 199

1. 従来型戦略への疑問 …… 202

もくじ

2. 持続可能性達成へのプロセス …… 212
   持続可能性の二本の柱：生態学的な安定と人間らしい暮らしの質の高さ／213
   社会経済的条件と生態学的条件が両立するための解決策／217
   意思決定における変革の輪／219
   持続可能性の達成のための三つの苦しい闘い／221
3. 持続可能な社会の姿をスケッチする …… 226

第5章　オーバーシュートを回避する ● 241

1. 人々の意識を高める …… 243
2. 持続可能性を発展させる：地域で、地球全体で …… 250

● 用語解説 …… 256

解題　エコロジカル・フットプリントの近年の研究動向および政策への応用 ● 261

1. 本書の意義 …… 261
2. エコロジカル・フットプリント計算の技術的改良 …… 262
3. エコロジカル・フットプリントの世界の研究動向および政策への応用 …… 270
4. 日本での動き …… 274
5. 結語 …… 278

● 邦訳版刊行にあたって …… 280
● ［解題］参考文献・資料 …… 282

＊本文中の［　］は訳注。傍点は監訳者による。

日本の読者のみなさまへ

　今や各国の首相も演説やあいさつの中で、「エコロジカル・フットプリント」という言葉を使っています。
　4万を超えるウェブページで、エコロジカル・フットプリントが取り上げられています(注1)。いくつもの学術研究誌が特集を組み、イギリスの財界寄りの有力誌「ザ・エコノミスト」さえも、エコロジカル・フットプリントの計測結果を掲載しました(注2)。
　初めてエコロジカル・フットプリント関連の論文が書かれてからわずか10年、現在、この評価ツールは持続可能性の評価基準として、世界中の数多くの研究所や団体で使われています。
　私たちは、さらに次の段階に進みたいと思っています。そのために、この本の読者となって下さったみなさんの力をぜひともお借りしたいのです。ともに日本のエコロジカル・フットプリント運動を力強く進めていきましょう。それにより、持続可能な地球へ向かっての歩みを速めることができるのです。
　私たちの目標は、行政機関、政界、産業界にあって意思決定に携わる人々はもちろん、カナダ、アメリカ、ヨーロッパ連合（EU）、ラテン・アメリカ、日本など世界中の国の人々に、地球には限界があるという真実を明らかにすることです。多くの日本人が私たちとともに、この目標に向けて取り組んで下さることを強く信じています。
　日本でこの本が出版され、日本の研究者や第一線で問題解決にあたる人々が、エコロジカル・フットプリント分析をきちんと体系的に理解して下さることをうれしく思っています。
　日本は、経済システムを不断に革新し効率向上を図ってきたことで有名です。世界有数のエネルギー効率、物質効率の高い経済体です。しかし、この「日出づる国」は、膨大な生態学的な赤字を計上し続けている国でもあります。日本ほど、世界にさきがけて国家レベルでエコロジカル・フットプリントを政策

化するのにふさわしく、またそれを実行することで利益を得る国はないと考えています。

　10年前には、エコロジカル・フットプリントという考え方が、これほど速やかに世界に受け入れられ、持続可能性という概念を具体的なものとして示すことに大きな役割を果たすとは、思ってもいませんでした。
　当時、私たちは、世界的な持続可能性問題に対する関心の高まりに力を得て、この仕事に取り組んだのでした。以前は、専門家や少数派の論壇や小さなNGOのものであった環境、社会的公正、開発をめぐる議論が、急速に、世界の人々の前に姿を現してきた時期です。
　折から、1987年、「ブルントラント委員会」が、『地球の未来のために』を発表して大きな反響を呼び、1992年、ブラジル、リオデジャネイロにおける国連環境開発会議（地球サミット）に人類史上最多数の国家元首が集い、環境と開発の対立について検討するなど、持続可能性は、重要な課題として認識されるようになってきていました。
　しかしその一方で、私たちは、この世界的な議論があいまいで、確たる目標がないことを懸念していました。とくに欠けていたのは、人類は、当面たった一つの小さな惑星上だけで暮らすほかなく、長期にわたって、人類の環境収容力（キャリング・キャパシティ）を超えることは、生態学的にいって不可能であり、社会に対しては破壊的に作用する、という認識です。
　そこで、私たちは、エコロジカル・フットプリントという概念をできるだけ多くの読者に届けようと、この本『Our Ecological Footprint』を出版しました。エコロジカル・フットプリントを利用すると、一惑星の簡単明瞭な現実（限界があるということ）が、計測可能になり、行政各レベルと大小さまざまな地域で、この現実をふまえて計画決定を始めることができるようになります。大は、都市計画から国家的政策、全地球的方針決定まで、小は、家計消費にまでも使えます。
　エコロジカル・フットプリント分析で解くのは、

「私たちは"自然"をどれだけ利用しているのか」
「その利用量は、実際に地球上に存在する"自然"の量と比べて大きいのか小さいのか」
という問いです。
　一見簡単そうなこの問いの解答が、政府、企業、コミュニティーが、小さな惑星の実態に見合った将来計画を立てるようになる、大きなきっかけとなるのです。

　もちろん、大勢のすばらしい人々や研究機関や団体の協力がなければ、私たちはエコロジカル・フットプリントという考え方を、世界に広めることはできませんでした。とくに、和田喜彦氏に感謝したいと思います。
　和田氏はエコロジカル・フットプリントの開発の初期段階から一貫して私たちの研究に参加し、とくに彼の日本のエコロジカル・フットプリントに関する博士論文は、研究の深化に貢献しました。さらに、この本の邦訳により、エコロジカル・フットプリント分析の世界への普及にとりわけ大きな貢献をして下さいました。
　この本は8年前に出版され、その主張は、英語で書かれた環境研究の論文を通じて、広く認められてきました。基本的概念には変更はありませんが、その後第一線で問題に取り組む人々と協力して、エコロジカル・フットプリントの算出方法をかなり改良しています[注3]。今般、和田氏が、この邦訳版に、世界自然保護基金（WWF）の『生きている地球レポート』（Living Planet Report）の要約など追加資料を巻末に加えて下さったことを、ありがたく思っています。WWFのレポートは国別エコロジカル・フットプリントの最新の数値を掲載しています。

　エコロジカル・フットプリントというツールが、このように成果を挙げているのは、なぜでしょうか。それは、生物物理学的な事実、政治的に中立な実証データ、厳密な科学的分析に基づく、説得力があり容易に理解できる喩えを

使っているからです。それが、ふつうの人々の地球環境破壊に対する直感に訴え、関心を呼び起こします。中でもWWF、イギリス放送協会（BBC）、アース・デー・ネットワークなどとの協働活動は、エコロジカル・フットプリントの考え方を幅広く普及させるものでした。

これにより、自然界の有限性という、多くの人が触れることを避けてたがるテーマについて、本格的な議論が始まったのです。エコロジカル・フットプリントは、"たった一つの地球"しかないという事実を人々に実感させ、同時にかえがえのない一つの惑星の能力の範囲内で私たちの暮らしをやりくりしていくことによってのみ、持続可能性は実現できると、人々に痛感させたのです。

しかし、エコロジカル・フットプリント分析に批判がないわけではありません。それどころか、私たちの研究成果に反対する研究者は、珍しくありません。経済学者や技術信奉者は、とりわけ富める国の消費者のエコロジカル・フットプリントの数値の大きさに、驚いたようです[注4]。彼らに共通する批判は、さまざまなエコロジカル・フットプリントの化石燃料部分を算出する際に、土地面積で表示されたカーボン・シンク（炭素吸収地）の面積を使うことに向けられています。カーボン・シンクを使う方法は、科学技術の進歩を考慮に入れていないとし、代替エネルギー技術がエコロジカル・フットプリントをかなり小さくしうると主張しています。そのほか総論的批判としては、エコロジカル・フットプリントによって数値を出すことは、統計分析と同様"将来を予測できない"というものがあります。

これらの批判は、どれもエコロジカル・フットプリント分析の体系と方法について誤った認識を持っているという点で一致しています。これまでくりかえし強調してきましたが、エコロジカル・フットプリント理論は、明確に、分析時点における実態そのものを記述することを目的としてつくられています。異なる状況ではどうなるであろうかということを記述しているものではありません。また、予測ツールとしてつくられているわけでもありません。

技術変化を考慮していないという批判に対しては、技術の変化に正確に対応

するものだとお答えしています。産業界を、いつかは枯渇する化石燃料依存から脱却させ、再生可能な代替エネルギーに転換させてみましょう。そして、それが実現した暁のエコロジカル・フットプリントを算出してみましょう。すると、エネルギー利用形態の変化の結果、それに対応するエコロジカル・フットプリント面積が変化します。ただちにフットプリント面積の大きさに反映されるのです。ところが、この場合、常識的な予測とは違って、エネルギー・フットプリントは小さくなるとは限らないのです。驚くかもしれませんが、代替エネルギーによっては、同等能力の化石燃料より、大きなエコロジカル・フットプリントとなってしまうこともありうるのです。

　また、エコロジカル・フットプリント分析は動学モデルではありません。ただし、独創的な研究者が、将来の技術と生活様式の変化に伴う消費量データについての予測数値を、エコロジカル・フットプリントの定式に当てはめてもいっこうに差し支えないのです。つまり、エコロジカル・フットプリントは、将来、技術革新と社会的変化がおこったとして、その変化のもたらした結果を"予測"するための対話型シミュレーション分析として、使うことができるのです。実際、この計算法が要求する正確さのゆえに、いわゆる純然たる動学モデルの場合よりも（仮定条件が少なくてすむため）、思慮深い分析と厳密さを確保できる可能性があります。

　こうして、さまざまな批判にもかかわらず、エコロジカル・フットプリント分析は、直感に訴えるという特徴と根元的理論の適正さによって、人々の関心をとらえ、各国政府でさえその意味を理解するようになってきています。100を越える地方自治体が、自分たちのエコロジカル・フットプリントをすでに算定するか、目下計算するかしています。たとえば、ロンドンは、これまでに3回も算定しています。1回目は、組織に所属しない研究者の手で行われ、2回目は、ロンドン市長が財政支援し、3回目は、市の経済開発審議会の助成によって実施されました。2003年9月、西オーストラリア州政府は、長期的持続可能性達成計画「未来への希望」（Hope for the Future）を発表しましたが、この戦略計画書の中で、州政府は、来たる数十年のうちにエコロジカル・フットプ

リントを削減しなければならないことをはっきりと表明しています。同じく、イギリスのウェールズ政府もエコロジカル・フットプリントを持続可能性指標として採用しました。

以上は、進行中の取り組みのほんの一部にすぎません。

私たちは、これらの成果の上に、エコロジカル・フットプリントをさらに大きく飛躍させようとしています。この延長線上に、現在、グローバル・フットプリント・ネットワーク（www.footprintnetwork.org）の結成にあたっているところです。この協働ネットワークは、目標を共有する他の組織や団体とともに、エコロジカル・フットプリントの考え方を、社会の主流となるまで広めようというものです。このネットワークは、エコロジカル・フットプリントの考

国民エコロジカル・フットプリント勘定
（The National Ecological Footprint Accounts）

エコロジカル・フットプリントアセスメントは、「国民エコロジカル・フットプリント勘定」（National Ecological Footprint Accounts）を基礎としています。「国民エコロジカル・フットプリント勘定」とは、各国のエコロジカル・フットプリントを各国の実態に合わせて実用化するための基礎資料集です。この「国民勘定」は、エコロジカル・フットプリント算定に必要なデータ・ベースと計算の基礎換算率を提供します。換算率とは、消費された資源を、それに対応する生産力のある生態系面積に、換算するために使われる率のことです。

「国民エコロジカル・フットプリント勘定」を使うと、150カ国以上について、細部にわたる計算をすることができます。おもに国連の諸機関が収集・蓄積している膨大なデータ集成から引用された数値により、各項目は、秩序だって様式化されたバランス・シートに記載されています（国連機関のデータももとは、各国の機関から収集したものが多いのですが）。現行のエコロジカル・フットプリント・スプレッドシートには、国別1年毎の1万2,000件以上のデータポイントが掲載され、ある国の国内で利用可能な自然資源量（たとえば耕地、牧場、森林、漁場など）と国外への自然資源の要求量とが記載されています。このように、「国民エコロジカル・フットプリント勘定」は、自然資源と生態系サービス

え方を共有する人々（エコロジカル・フットプリント・コミュニティー）を一つにまとめ、計算方法の標準化を図り、第一線の人々から発せられる共通の声を束ね、エコロジカル・フットプリントを使うすべての人の役に立つよう、このツールを継続的に改良するしくみを形成することを目標にしています。

その改良の一つに、「国民エコロジカル・フットプリント勘定」（National EF Accounts）（BOX-0参照）の整備と強化があります。これは、エコロジカル・フットプリント分析を現実へ適用する際必ずや推進力となるものです[注5]。これにより、エコロジカル・フットプリント・コミュニティーは、相互比較が可能な国別消費量データにアクセスすることができるようになり、個人と個人、都市と都市、国と国の間で比較可能な算定値を得ることができるようになります。さらに、エコロジカル・フットプリント算定に使用される技術的勘定

（ecological service）の生産量と純貿易量を記録することによって、各国の自然に対する総体的要求量に関する、信頼のおける計算結果を提供します。「国民エコロジカル・フットプリント勘定」を利用した算定結果は、各レベルのエコロジカル・フットプリント分析のうち、もっとも精度の高いものとなります。完全な貿易統計は、国レベル以外では存在せず、国レベルのアセスメントは、（誤差が入り込みやすい）消費者行動についてのデータや資源の最終利用のデータは必要としないからです。「国民エコロジカル・フットプリント勘定」は、毎年最新の数値に改訂され、それによって得られたエコロジカル・フットプリントの数値は、WWFの『生きている地球レポート』（Living Planet Report）など多くの場で公開されます。

グローバル・フットプリント・ネットワークは、「国民エコロジカル・フットプリント勘定」の管理・更新を通じて、エコロジカル・フットプリントを活用する人々が、共通の換算率を利用し、入手しうる最も信頼性の高い国レベルのデータを利用して、比較可能な算定を行うことができるように努めます。さらに、エコロジカル・フットプリントを活用する人々が自ら、この「勘定」の改良に参加できるしくみを整えたいと思います。これらの試みを通して、私たちは、フットプリント計算にかかわる人々、持続可能性達成のために日々努力している人々のお役に立てるよう努力を重ねていきます。

(technical accounts)の透明性をより向上させ、より詳細なものに改良していきます。そうすることにより、国民エコロジカル・フットプリント勘定は、政府機関にとって、自然資産への影響や部門別の達成度を把握する分析ツールとしてますます役立つものとなるでしょう。

グローバル・フットプリント・ネットワークは、エコロジカル・フットプリントの科学的側面の向上と算定手法の国際標準化を主導し、質の高い算定を行う者を認める認証制度を確立することなどで、広範なエコロジカル・フットプリント・コミュニティーの声をまとめたいと願っています。大きな目標として、次の三つを考えています。

1, エコロジカル・フットプリントによる評価手法をいっそう効果的に、相互比較可能なものとする。

2, この方法に対する関心を高め、広く受け入れられるようにする。

3, フットプリント算定手法の信頼性を世界的に高める。

私たちが、この目標に向かって真剣に努力をし、成果を上げれば、エコロジカル・フットプリント分析は、持続可能性を真に"地についた"ものとする、もっとも説得力のある理論的・分析的ツールとなることができます。

どうか日本のみなさん。この本を読むだけでなく、私たちとともに世界的なエコロジカル・フットプリント運動を進めましょう。今生きている人々とこれから生まれてくる人々のために、世界中の人が私たちすべてを生かしている"自然"を守るようにしなければならないのです。

Mathis Wackernagel (mathis@footprintnetwork.org)
William E. Rees (wrees@interchange.ubc.ca)

2003年12月

注

(1) エコロジカル・フットプリントという概念は、英語以外の言語にも多く取り入れられています。ドイツ語「ökologische(r) Fußabdruck」でウェブページを検索すると1,000以上、スペイン語「huella ecólogica」では3,000以上、イタリア語「impronta ecologica」は5,000以上にのぼります。

(2) 「ザ・エコノミスト」（*World in Figures 2004*）を参照。

(3) 大きな改良点の一つは、消費と生物生産力（biological capacity）の各国比較が可能なように、計算法を標準化したことです。そのため、最近の研究には、"グローバル・ヘクタール（gha）"という概念が導入されています。したがって、たとえば、世界平均の2倍という高い生産性をもつ土地面積（ヘクタール）は、2グローバル・ヘクタールとして計算されることになります。この変更のため、"Our Ecological Footprint"中の計算結果は、グローバル・ヘクタール導入以降の計算結果と比較対照することはできません［ただし、巻末資料1・2・3に関しては、計算結果をグローバル・ヘクタールで提示しています］。

(4) エコロジカル・フットプリント分析に対する批判者は、「調査対象集団（たとえば、ある国の人口、世界総人口など）が利用可能な長期の環境収容力（キャリング・キャパシティ）をすでに超えてしまった」つまり、「人類は成長の限界を超えようとしている」というエコロジカル・フットプリントが示す事実がほんとうかもしれないと認めるのがいやなだけなのだと思えることがあります。ですから、彼らは、そのほんとうの理由をいわずに、とりつくろった理由で攻撃してくるのです。

(5) ここでいう「国民エコロジカル・フットプリント勘定」とは、エコロジカル・フットプリント算定に使用されるデータと換算率のことで、政府が国内総生産（GDP）など経済指標を推計する際に使用する貨幣タームの"国民勘定(national accounts)"とは区別されるべきものです。

謝辞

　ブリティッシュ・コロンビア大学「健康で持続可能なコミュニティに関するタスク・フォース」の同僚の諸氏、ピーター・ブースロイド、(Peter Boothroyd)、マイク・カー (Mike Carr)、ローレンス・グリーン (Lawrence Green)、クライデ・ハーツマン (Clyde Hertzman)、ジュディ・ライナム (Judy Lynam)、シャロン・マンソン－シンガー (Sharon Manson-Singer)、ジャネット・マッキントッシュ (Janette McIntosh)、アレック・オストレイ (Aleck Ostry)、ロバート・ウラード (Robert Woollard) の協力と励ましに感謝する。このエコロジカル・フットプリントに関する研究（一部は Mathis Wackernagel の博士論文である）は、ブリティッシュ・コロンビア大学に支給されたカナダ連邦政府の三分野研究会議・環境研究助成＊のうちタスク・フォース割当分の一部を充当して行われた。

＊ 三分野研究会議・環境研究助成は、カナダ保健研究機構 (The Canadian Institutes of Health Research)、カナダ自然科学工学研究会議 (The Natural Science and Engneering Research Council of Canada)、カナダ社会・人文科学研究会議 (The Social Science and Humanities Research Council of Canada) の三つの研究機構が合同で拠出する学際研究助成金制度。

はじめに

　何年か前、キノコを食草とする森に住む小さなハチの生態について読んだことがある。

　メスのハチは森をあちこち飛びながら条件にかなったキノコを見つけると、そこに卵を産みつけるという。時を経ず卵はふ化し、幼虫は文字どおり身代（キノコのことだが）をつぶす勢いで食べ始める。

　幼虫の成長は速い。が、そのうちひじょうに奇妙なことがおこる。幼虫の卵巣の中の卵が、未成熟の胎内でふ化するのである。単為生殖で生まれたこの第二世代は、たちまち胎内から自分の親を食いつくし、外皮を破って這い出てくる。そしてキノコを食べて成長を続けるのだ。この気味の悪い過程は、第三世代へと引き継がれることもある。キノコが、うごめく幼虫と排泄物でおおいつくされるのに、そう時間はかからない。

　爆発的に増加したハチの幼虫により、住みか（キノコ）がほとんど食いつくされたと見るや、最も大きく成長し成熟した個体がサナギとなる。どうにか成虫になることができたわずかの個体が、もはや原形をとどめぬ揺籃の地（キノコ）を捨て、この過程を再び始めるために飛び立っていく。

　このハチの異様なライフ・サイクルから、人間は学ぶべきことがあるのではないかと考えている。小さなハチの奇妙な繁殖戦略は、明らかに過度の競争圧力の結果である。条件に適うキノコは、条件に適う惑星を見いだすことと同様、見つけるのは容易でない。それゆえ、競争状態が常態とならないうちに、貴重な資源（キノコ）を専有しきることのできた個体と繁殖特性のみが、生き延びることができる。いわゆる自然淘汰である。

　人間も競争的な側面を持っている。自然淘汰あるいは社会文化的淘汰

により、資源の奪取と自然の富の利用に最も長けた人間が歴史の時間を経て、生き延びてきた。考古学や歴史学で明らかなように、幼虫で埋め尽くされたキノコのごとく、自らの繁栄の重圧のために崩壊した文明の事跡はあまたある。かつて広大な時空を占めたメソポタミア、マヤ、イースター島の人々の社会は、それを存続させる自然の能力を超えて膨張したために滅んだと考えられる。文明人たちは、このハチ同様、自分たちの生きる場をも食いつぶしてしまった。それでも、種としての人類は生き延びてきた。地球上には、人間を生かしてくれる「キノコ」が必ずどこか別の場所に存在したからである。

今日、人類の文明が地球全体をおおっている。それは、競争的拡大という理念によって駆り立てられる文明、地球を征服し食いつくす文明である。しかしハチのようにはいかない。私たちは、いかに肥え太ろうとも残骸と化した住みかを捨てることはできないし、今の住みかである銀河系という森のどこかに、地球のような「キノコ」があるという保証はどこにもないからだ。

幸いなことに、人間はハチとは少し違う。自分自身を見つめ直す能力と理性的な選択をする能力があるのだ。おかれた状況を知ることこそが、変革への契機となり得るのだ。

「環境危機」は、環境の問題、科学技術の問題というよりはむしろ、私たち自身の行動にまつわる問題であり、人間社会の問題であることを認識するところから始まる。環境危機は、私たちの行動と社会的な取り組みなしでは解決されないのである。

地球上の環境収容力（人口扶養能力）には限りがあり、利己的な個人主義が主導する社会のままでは、せいぜいビンにつめ込まれた怒り狂うサソリたちが生き延びる程度の持続性しか達成できないであろう。

たしかに人間は競争的生物であるが、と同時に、協力を尊ぶ社会的存在でもある。考えみてほしい。皮肉に聞こえるかもしれないが経済的に成功し、他国との競争に勝ち残った国々は、国内的には協働を重視し、

文化資本やソーシャル・キャピタルの多くの蓄積を保有している（現在政策アドバイスを行っている識者たちは、このような現実が見えていないように感じられるが……）。

この本では、何よりもまず、私たち人間には「エコロジカル・フットプリント」を縮小するほかに選択の余地はないということを論証しようと思う。さらに、人間の持つ創意工夫する力を信じてやまないというメッセージも伝えたいと思う。私たちには、すばらしい能力が潜んでいて、これを発揮すれば未曾有の人類存続の危機に立ち向かうことができると信じている。

1980年、名著『オーバーシュート』の中で、ウィリアム・キャットン（William Catton）は、次のように述べた。

「すでに地球の環境収容力をオーバーシュートし、崩壊が避けられないとしても、その真の原因を生態学的に理解することができれば、野獣同然になりうる状況においても、人間らしくあり続けることができるだろう」

そのとおりだ。生態学的オーバーシュートという現実に、一致して取り組める能力こそ、動物と異なる人間固有の能力だろう。それを自覚し発揮することで真に人間的になることができると考えている。

この意味で、地球環境の悪化は、地球上にはほんとうに知性のある生命が存在するのだということを証明する最後の好機といえるのかもしれない。

ウィリアム・リース（William Rees）
ゲイブリオラ島にて
1995年　夏

序章

　人類はかつてない困難に直面している。多くの人が認めているように、現在の地球生態系の能力では、経済活動と資源消費水準の引き上げどころか、現状維持も難しいのだ。地球上の経済活動を世界総生産（GWP）でみると、年率4％で成長、およそ18年ごとに倍増している[注1]。

　この要因の一つが1950年に25億人、今日では58億人、21世紀半ば前には100億人となるとみられている世界人口の増加である。生態学的な観点から見てさらに重大なことは、この40年間で、一人当たりのエネルギーおよび資源消費量が人口の伸びを大きく上回って増加し続けていることである。このままの勢いで経済活動が拡大すれば、いずれ生態圏の限界とぶつかり破綻するだろう。

ECOLOGICAL FOOTPRINT

1. なぜ持続可能性が問題なのか

　従来の経済発展モデルは、人類の経済活動の飛躍的な成長におおいに貢献してきた。そして経済成長は、今なお多くの国々の政治的課題の中で最優先の地位を確保している。そこでの長期目標は、生活圏経済と国民経済を、貿易と資本移動が自由に行えるグローバル経済に一体化させることにある。そうすれば、工業生産は増大し、資源消費もいっそうの増大が見込まれるからである。

　一方で、この従来型の経済発展モデルは、その弱点をますますはっきりと露呈しつつある。それは、経済活動によって生産量を増大しても所得格差をなくすことができず、"持てる者"を目に見えて幸福にすることもなく、世界の最貧所得階層にあたる10億の人々の最低限のニーズを満たすこともできていない事実をみれば明らかであろう。

　世界の20％の人々が歴史上前例のない物質的豊かさを享受しているというのに、少なくとも20％の人々は、極貧状態に置かれたままである。

世界人口の20%を占める最富裕所得層は、同じく20%の最貧所得階層のじつに60倍を超える所得を得ており、その格差はこの30年間で倍増している(注2)。

第二次世界大戦後の「ブレトン・ウッズ協定」にはじまる従来の経済発展モデルは、当初から社会的不平等をさらに悪化させるという欠陥を露呈しており、その点に対する批判は絶えることはなかった。

生態系の制約という事態に直面している今日、この批判はさらに厳しくなっている。現在、人類による資源採取と廃棄物発生のスピードは速すぎて、自然の再生浄化能力がそれに追いついていけないのが現状である。スタンフォード大学の生物学者ピーター・ヴィトウセック（Peter

なぜ心配かって？　地球生態系への負荷が過重になっていくにつれ、従来型の経済発展は、自己破壊的で貧困を増幅するものとなっていく。そのあげく、人類の存続を危機に陥れる（Horst Haitzinger［1939年生まれのドイツの風刺漫画家］に倣って）。

Vitousek）らは、1986年に、すでにその段階で"人類は、陸上での光合成による生産量の40％を、直接的あるいは間接的に、自分たちの利用目的のために"収奪している"、つまり、人類は、陸上の生物による生産量全体の40％にのぼる莫大な量を経済システムの中に取り込んで利用している"と試算した。

さらに最近の研究では、人類による大陸棚の水産資源の収奪的利用もこの数字に近づきつつあるという。これに人類が利用している生産以外の自然の働き、たとえば陸地と水域による廃棄物浄化吸収作用や、成層圏オゾン層による有害紫外線からの生命保護などのさまざまな機能を加えて考えると、人類の活動の規模は、すでに地球生態系の持続的能力を超える規模に達している可能性があると容易に想像できるのだ。

このように資源消費を加速させることによって、近年、先進工業国は急速に経済を成長させ物質的な生活水準を向上させてきたが、一方で、地球上の森林、土壌、水、大気、生物多様性の破壊と劣化をもたらしてきた。地球生態系にかかる負荷が過重になるにつれ、従来の経済発展は経済システムを自壊させ、私たちを貧困の道に導くことになるだろう。これまでたどってきたこの道を歩み続ければ、私たち人類の生存さえ危ういと考える学者は多い。にもかかわらず、持続可能性を確保しようとする既存の政策イニシアティブの中には、地球的な環境破壊の克服のために有効なものはほとんどないように思える。そして、生態系と社会の健全さはますます脅かされているのである。

持続可能性の達成のためには、幅広く市民の参加を促し、戦略を評価し、持続可能性への達成状況をモニターする分析ツールを構築するなど、より実効性ある政策イニシアティブの確立が求められているのである。

2. 本書で達成したいものは

　この本の目的は、持続可能性に関する問題意識を具体的な実践行動へとつなげてゆくために大きな役割を演ずる一つのプランニング・ツール（計画立案の手法）について解説を加えることである。このプランニング・ツールを私たちは、「エコロジカル・フットプリント」分析と名づけている。

　エコロジカル・フットプリントとは、ある経済システムに流入し出ていくエネルギーと物質の流れ（フロー）を明らかにし、このフローを"面積"に変換して表す分析手法である。ここでの面積とは、このフローを維持するために、人間が自然界から必要としている土地および水域の面積のことである。

　概念そのものは平明であるが、このツールは対象を包括的に把握する力を持っている。現在における人類の経済活動の持続可能性を計量し評価できるだけでなく、人間社会に新たな環境意識を形成し、意思決定の一助となりうるのだ。つまり、たんに分析的能力に長けているだけでなく、人々の意識啓発にも役立つのである。

　しかしそれは、"状況がどんなに悪いか"を述べたてるためのツールではない。人類は自然へ依存し続ける存在であるということを明示的に示すツールであり、人類が尊厳ある生活を未来にわたって送るためには地球の環境収容力（環境容量）を持続的に保全してゆかねばならないのだが、そのために私たちに何ができるかを明らかにするツールなのである。

　持続可能性へ向けての戦略を、生態系の限界を理解した上で立てれば、はるかに効果的で実行しやすいものになるであろう。エコロジカル・フットプリントの助けを借りれば、私たちは賢明な選択ができるようになるだろう。そのほうが、運命を自然まかせにするよりよいのではないだろうか。

エコロジカル・フットプリントは、生態圏の実体を全体的に如実に浮き彫りにするため、結果的により安定した明るい未来をもたらすという意味で、私たち人類全体にとってはよい知らせ（福音）となるはずだ。逆をいえば、地球という有限な惑星上で人類の経済活動を永久に拡大できるという従来からの夢物語を信じている人たちにとっては、悪い知らせであるかもしれない。この成長至上主義的ビジョンは魅力的に聞こえるかもしれない。しかし、現在のあり方では必ず破綻をきたすにちがいないのだ。そしてその破綻はひじょうに苦痛にみちたものとなるであろう。最初に貧しい者が、続いて富める者もやられ、ついには、人類のおおかたを破壊しつくすのだ。

エコロジカル・フットプリントにより、人類が難題に直面しているという事実を認知し、それを明らかにし、持続可能な生活様式へ向けての行動指針を示す。もちろん、私たちのおかれた状況の明るい面でなく暗い面を認める行為は、多くの場合苦痛を伴うであろう。できれば避けてとおりたいのだが、そこをあえて、"今日の拒絶は、明日の苦しみを大きくするだけである"との主張をこの本で展開したい。

持続可能な世界へ向けての第一歩は、生態圏の実体と、その結果としての社会的および経済的な課題の存在を認めることにほかならない。今日の破壊的な生活様式を永らえさせる"従来どおりの"（つまりは惰性の）戦略はすべて、孫子の世代に害を及ぼすものでしかないのだ。

3．視点について

自然の限界という制約の中で満足できかつ持続可能な生活様式を創りだすためには、人間どうしの、また人間以外の自然との関係を考え直さなければならない。このような考え方を引き出し、発展させることもこの本の目的の一つである。もちろん、同じような目的の本は多いが、類

書にはみられない本書のいくつかの特徴を以下に挙げる。

　第一に、そうした本の著者は（たとえ良質なものであっても）ほとんどが、"環境"を"よそ"のもの、"外にあるもの"、すなわち人々とその営みから切り離されたものとして扱っている。これこそ、現代社会をおおう文化的かつ倫理的価値観そのままを反映したものだ。近代における人間の行動と言語を観察すると、多少の差はあれ、人間社会を自然界から独立したものとみなす傾向にあることがわかる。

　たとえば、経済活動が、予定外に環境を損壊した場合、それを"負の外部性"（外部不経済）と呼んでいる。これは、近代的意識において"環境"が外界におかれていることの表れである。従来の経済発展モデルは、環境をあたかも人間の営みの舞台背景であるかのように扱っている。環境は、その美しさで人々を喜ばせるものかもしれないが、経済的必要が切迫したなら、消費し尽くしてよいものであるとされているのだ。環境の有用な作用や機能、そして構成要素が失われることは望ましくはないが、経済成長の代償としてやむを得ないとみなされているのである。よく"進歩には逆らえない"などといわれるが、これは目下人々を捉えているこのような価値観をよく表している。

　私たちは、こうした考え方とはまったく異なり、人間の（こころの動きも含めた）営みは、自然界と切り離すことはできないという前提を出発点にしている。なぜなら、そのような分離は実際どこにも見出すことはできないからだ。エネルギーと物質の流れ（フロー）という観点でみると、"よそ"などどこにもないのである。人間の経済システムは、生態圏に含まれる"下位システム"すなわち、部分的要素であり、生態圏に完全に依存しているといったほうがいい。

　つまり、人間以外の大型の従属栄養生物[訳注1]が自然界で果たしている役割を調べるのとほぼ同じ方法で、人間が自然界で果たしている役割を調べるべきなのである。人間は他の大型従属栄養生物と異なり、生産―消費―汚染という経済活動の循環によって、地球上のほぼすべての生

エコロジカル・フットプリントは、ある集団が自然に与える"負荷"の計測法の一つである。エコロジカル・フットプリントとは、その集団が現在のレベルの資源消費と廃棄物排出を維持するために必要な土地面積のことである。

態系における主要な種となり、さらには支配的な種となったというだけのことである。

　"人間社会は、生態圏の下位システム（部分的要素）である"、"人間は、自然界に内包される分かちがたい一員である"という前提は、あまりに単純かつ平明であるため、一般に、自明すぎて無意味だとして、見過ごされ、あるいは無視されている。しかし、この"自明"なものの見方を真剣に受け止めさえすれば、これまでとは根源的に異なる世界観と行動様式がもたらされることになる。この自明かつ深遠な生態学的現実を前提に政策をつくるということになれば、それはたんに公害防止策や環境保護の方法を改善するといった小手先の変更にとどまらず、より本質的な政策転換を必要とするであろう。

　従来の環境政策は、人間と自然界が"分離"しているという神話に基づいたものであったが、それでは根本的な問題解決につながらないので

ある。人間が自然界の一部であるなら、"環境"は、たんなる舞台背景ではなく、演じられる劇そのものとなる。生態圏は私たち人類が生存する基盤そのものであり、人類の存続は自然なくしてはありえず、決してその逆ではないのだ。持続可能性を達成するためには、"資源の管理"から"私たち自身の管理"へと、問題意識の重点を移すこと、また、自然界の一員としての私たちの生き方を学ぶことが必要である。この意味で、究極的に経済学は「人間生態学（human ecology）」とならなければならないのだ[訳注2]。

この本は、より持続可能な生活様式が可能であることを立証し、また、持続可能性の達成へ向けて、そこに介在する問題の本質を理解し、戦略を評価し、目的達成状況をモニターするための分析手法と枠組を提示する。さらに、そうした戦略が実効性があるという具体例を示す。持続可能性を達成するには、頭もからだも充分働かさなくてはならないが、この労苦は世界を変革することにつながり、それはとても心踊る体験となるであろう。

これまで、著者たちはさまざまな人々に向けて問題提起し、エコロジカル・フットプリントの有用性について説明を行ってきた経験を持っている。本書についても、どのような関心を持つ人々にも役立つものでありたいと考えている。

第1章では、エコロジカル・フットプリントの概念を説明する。第2章では、持続可能性についての論争との関係でエコロジカル・フットプリントを論じる。第3章では、エコロジカル・フットプリントの計算方法を示し、17の応用例を説明する。最後に、持続可能性達成のさまざまな戦略について検討し、何を教訓として学べるかをまとめることとする。

原注

(1) 世界総生産は、1950年の3兆8,000億ドルから、1993年には19兆3,000億ドルに増加した（1987年を基準年とする実質値。米ドル）。ワールドウォッチ研究所 (Worldwatch Institute), *Vital Signs* 1994 (NY: W. W. Norton, 1994)
(2) 国連開発計画（UNDP）, *Human Development Report* (NY: Oxford University Press, 1992, 1994).

［訳注1］「従属栄養生物」とは、すべての動物、および光合成・化学合成を行えない植物・細菌のように、炭素源を有機物から得ている生物。他養生物のこと（築地書館『生態学事典』増補改訂版、1999年）。原著では、'consumer' とあり、これに対応する生態学上の訳語は、「消費者」である。しかし、経済学における「消費者」と混同されやすいため、ここではほぼ同義語の 'hetrotrophic organism' の訳語である「従属栄養生物」を用いた。

［訳注2］「人間生態学」(human ecology) は、「人類生態学」と訳されることもある。伝統的な生態学 (ecology) は、おもに人間以外の生物種を研究対象としてきたのだが、ここで著者たちは人間と人間がつくる経済システムを、おもに生態学的な手法で研究する学問分野という意味で人間生態学を定義していると考えられる。そこでは人体の生命維持にとって必要なエネルギー物質代謝だけでなく、社会経済活動に必要となるエネルギー物質代謝や汚染物質発生も考慮されている。人間生態学の系譜は、生態学以外からのものもあり、家政学、社会学、文化人類学などからの流れがある。定義や研究手法はそれぞれ異なっている。

エコロジカル・フットプリントの初歩
はじめて学ぶ人に

　私たちの多くは都市に住んでいるので、自然の営みが閉じた循環の輪の中で行われているという事実を忘れがちである。銀行のATMから現金を引き出して店で食品を買い、食べた後の残骸は、家の裏のごみ出し場所に置いておくか、トイレに流すかして処分する。大都市の暮らしは、自然本来が持つ物質循環の輪を断ち切り、自然と私たちとの密接なつながりを気づかせない。

1. 自明の、しかし、深遠な事実
私たちは自然に依存している

　このように自然との関係は疎遠になっているが、私たちは自然と結びついている。それどころか、じつは私たちは自然そのものなのである。食べ、飲み、呼吸するとき、環境と私たちの間では、たえずエネルギーと物質が交換される。

　人体は、たえまなく劣化しては、再生している。驚くことに、ほぼ1年に1回、私たちのからだ中のほとんどすべての細胞が入れ替わっているのだ。私たちのからだを作っているこの原子は、これまでたくさんのさまざまな生物のからだを経てきたものである。人間の体内にある原子は、かつて地球上を徘徊していた恐竜の原子であったかもしれないし、また、シーザーやクレオパトラの原子を持っている人もいるかもしれない。

　自然は、私たちが生きるために必要な基本的な条件を安定的に供給し

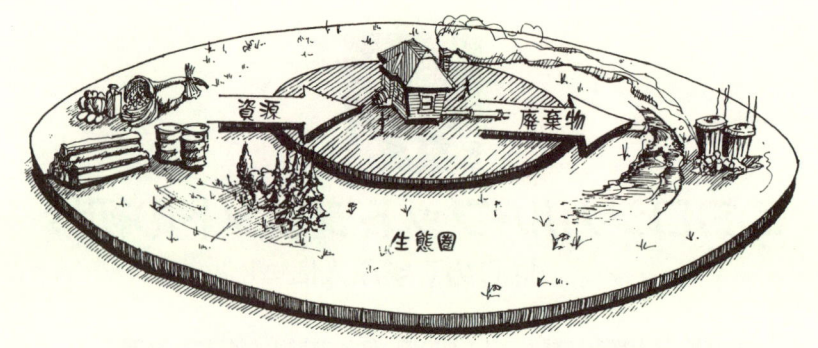

図1-1　私たち人間は、自然界の一部である。自然界は、生命にとって必要な物質を供給し、廃棄物を吸収し、気候安定化などの生命維持サービスを提供する。生命維持サービスのおかげで、地球は私たち人間にとって住みやすい場所になっているのである。

てくれている。私たちは、熱源や移動のためにエネルギーを、住居や紙製品のために木材を、そして健康的な生活のために食物の栄養素と清浄な水を必要としている。植物は光合成によって、太陽光や二酸化炭素、栄養素、水を、化学的エネルギー（果実、野菜など）に換え、私たちをはじめ動物の生命を支えている。食物連鎖は、総じてこの植物が生成した物質を土台として成り立っている。

　自然はまた、私たちの出す廃棄物を吸収し、気候を安定させ、紫外線から守るなど、私たちの生命を維持するサービス（life-support service）を提供している。それだけでなく、自然のすばらしい豊かさと美しさは、私たち人類の喜びと精神的インスピレーションの源泉である。

　図1-1は、ふだん忘れられ、無視されている人間の暮らしと自然との分かちがたい結びつきを示している。私たちの多くは都市に住み、世界各地から輸入される商品を消費しつつ暮らしているため、自然は私たちの命の源泉であり、幸せな人間存在を支える基盤そのものであるという事実を忘れ、たんに商品の集合体としての自然、あるいはレクリエーションの場としての自然しか認識できていないのだ。

　持続可能な暮らしを目指すなら、自然の主要な生産物と機能を、その再生速度を上回らないペースで使うようにすべきである。また、廃棄物

も、自然が吸収する速度を上回らないペースで出すべきである。

ところが、森林破壊や土壌侵食、漁業資源の崩壊、生物種絶滅、温室効果ガス蓄積、オゾン層破壊は加速的に進行し続けている。これらの現象は、私たちが自然をその能力以上に酷使しており、人類の未来世代の幸福な暮らしを危ういものにしていることを端的に表している。このような先行きが見えているにもかかわらず、現代の経済システムは、あたかも自然は経済の従属的な一部門であり、経済成長のためには多少犠牲になってもしかたがないものであるかのように自然を取り扱っているのだ。

たとえば、農業、林業、漁業は、国民経済のたんなる資源採取的部門であると位置づけられている。しかも、このような第一次産業の経済活動は、先進工業国の国民総生産（GNP）にほとんど寄与していないものとして軽視されている。数字という目に見える形でGNPに表れた貢献度は小さいものであっても、自然界がつくり出す生産物は人間の福祉向上には不可欠なものであるということを見落としているのである。

かと思えば、経済と生態系の関係を、人の健康を直接脅かす公害問題（たとえば都市の大気汚染）に矮小化して考える人々もいる。もちろん、公害は重要な問題ではあるが、人間の健康だけを強調しているという点で、生態学的な理解に乏しいといえよう。自然に対する経済活動の要求量が拡大するほど、地球の生命維持機能の崩壊というひじょうに根源的かつ危機的事態がおこりうる。過剰な資源採取や捕獲、廃棄物排出は、将来的には地球の生産力を低下させるだけでなく、生態系の崩壊を招く可能性すらあるのだ。

これまでのところ、このような現象は、局地的あるいは地域的なものにとどまっている（最近の例としては、アフリカ・サヘル地方の砂漠化と北大西洋の底生魚＜タラ・ヒラメなど＞の減少がある）。しかし、地球環境の変化を示す証拠は増加しており、それらは明らかに、人類の活動が地球の生命維持システムを今まさに弱体化させているという警告であ

る。食料生産と海岸沿いの居住地の安全が脅かされるという、予測される気候変動の重大さだけをとってみても、私たち（人間以外の3,000万の生物種はいうまでもなく）の生存を可能たらしめている"環境"に対する傲慢かつ無頓着な態度を改めさせるに充分な理由であるといえよう。

ECOLOGICAL FOOTPRINT
２．エコロジカル・フットプリントとは？

　エコロジカル・フットプリント分析とは、ある一定の人口あるいは経済活動を維持するための資源消費量を生み出す自然界の生産力、および廃棄物処理に必要とされる自然界の処理吸収能力を算定し、生産可能な土地面積に置き換えて表現する計算ツールである。

　たとえば、このツールを使って次のような課題を探究することができる。

　「調査対象人口は、どれだけ"どこか他のところ"から輸入した資源と、グローバル・コモンズ（global commons）の廃棄物処理吸収能力に、依存しているのか」

　「自然の生産力は、次世紀になっても、人口増に伴って増大する人類の物的需要に見合うだけの量を充分に供給することができるだろうか」

　エコロジカル・フットプリントの基礎となる概念は、20年間にわたりウィリアム・リース（William Rees）が、ブリティッシュ・コロンビア大学大学院のコミュニティー地域計画学研究科の大学院生たちに講義してきたものである。それをさらに、1990年以降、マティース・ワケナゲル（Mathis Wackernagel）を筆頭とするリース教授の教え子たちが、学内に設置された「健康的で持続可能なコミュニティーに関するタスクフォース」での研究活動を通して、深化・改良させたものである。

　エコロジカル・フットプリントの分析の背景にある思想に近づくために、文明の頂点ともいえる"都市"とは一体どのようなものなのか考え

てみよう。

　その定義について尋ねると、たいていの人は、"人口の集中"、あるいは"建物や道路、その他人工物で埋められた土地（built environment）"などという。なかには、"境界線で囲まれた土地を、自治的政府が管轄権を持って統治する政治主体（political entity）"と定義する人もいるであろう。さらに、"小さな集落では整備することがかなわない文化的、社会的、教育的施設が集積された場所"と捉える人もいるだろう。経済学的な考え方をする人は、都市とは"個人および企業の間で交換がさかんに行われるところ"また、"生産と経済成長の牽引力（エンジン）"と捉えるだろう。

　いうまでもなく、都市は、文明が成し遂げた最もめざましい功績の一つである。どの国においても、都市は、国民生活における社会的、文化的、コミュニケーション、そして商業の中心地として機能している。しかし、一般的な都市の概念には、何か基本的なものが欠けているのだ。長年、あたりまえのことだとみなされてきたために、もはや自覚的に意識されなくなっているのだ。

　何が欠けているのか。従来の考え方の枠を超えるために、次の二つの簡単な質問で思考実験を行ってみよう。

　まず、政治的境界線で囲まれた地域、人工的構造物であふれる市街地、社会経済活動の集中地などによって定義される近代都市（または都市圏）――たとえば、バンクーバー、フィラデルフィア、ロンドンなど――に光線以外いかなる物質も出入りできないようなガラスまたはプラスチック製の半球体のカプセルをかぶせて密封したとしたら、何がおこるだろうか（アメリカ、アリゾナ州での「バイオスフィア2」実験のような光景を想像してほしい。図1-2）。

　このような人間社会が、健全にまとまりを保って円滑に維持されるかどうかははじめにこの半球カプセルに取り込まれたものに（それが何であれ）、完全に左右されるであろう。ほとんどの人が、このような都市は

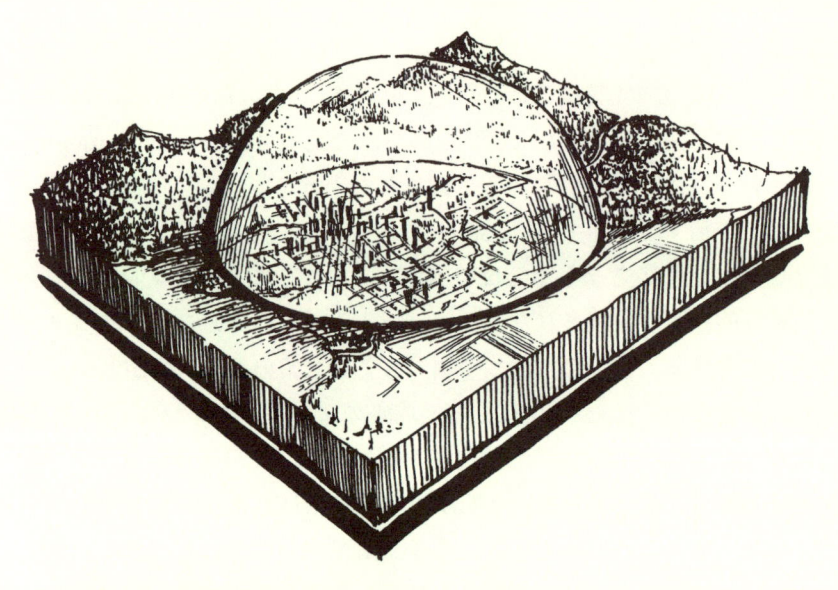

図1-2　ガラス半球に閉じ込められた都市がその中の生態系だけに頼って存続していくためには、ガラス半球はどのくらいの大きさでなければならないだろうか。

2～3日のうちにその機能を停止するばかりか住民や生物たちは死滅すると考えるだろう。カプセル内に閉じ込められた住民と経済は、生命維持に不可欠な資源や廃棄物吸収源から切り離され、飢え、窒息するほかない。

つまり、この想像上のカプセル内の生態系が持っている環境収容力は、中に閉じ込められた人間集団が生態系にかける負荷に耐えるには不充分だということである。このガラス半球の思考モデルによって、私たちは突如、人類が引きずっている生態学的脆弱性に気づかされるのである。

二番目の質問は、この見えない現実をさらに具体的に考えさせるものだ。この仮想カプセルで密封された都市が、多様性に満ちた（農地と牧草地、森林と水系流域など生態学的に見て異なる生産力をもつ土地類型のすべてが、実際に地球上にある割合で存在している）風景の中にあると仮定する。また、現在普及している技術を使って化石燃料を充分利用

し、今日の消費水準を維持することができると仮定する。さらに、この仮想のカプセルの覆いは、弾力性があり、自由に伸び縮みできるものとする。そこで、質問はこうだ。

「カプセル内に閉じ込められた水陸の生態系とエネルギー資源だけを排他的に使って、中心にある都市が永遠に存続し続けるためには、この半球はどれほどの大きさにならなければならないか」

いいかえれば、「この都市に住む人々の日々のさまざまな社会・経済活動を維持するために、生態系の面積がどれだけ必要か」

ここで次の二点に注意してほしい。

生態系の重要な要素である土地は、資源を生産し、廃棄物を吸収浄化し、さまざまな目に見えない生命維持機能を行うために不可欠であるということ。さらにこの土地には、人間へのサービス供給に関係しない、要は人間以外の生物種の生存を支えるために必要な面積は含まれていないということだ（話を簡潔にするためにこのような前提をおくこととする）。

エコロジカル・フットプリントの計算では、初期条件がどのように設定されていたとしても、対象都市が持続的に存在するために必要な水陸面積の妥当な値を算出することができる（既存の研究では初期条件を、現在の人口、一般に普及している物質的消費水準、一般に普及している技術水準を前提に計算を行っている）。定義から必然的に、その都市が存在し続けるために不可欠の生態系面積総計が導き出され、その面積がその都市が地球上に占める"事実上の"エコロジカル・フットプリントとなる。ある都市のエコロジカル・フットプリントが、人口および一人当たりの物質的消費水準、両方に比例することは明らかであろう。

この計算では、近代的工業都市が利用している土地面積は、その都市が物理的に占めている面積に比べ桁違いに大きいものになっている。また、対象人口が必要とするエコロジカル・フットプリントで示される面積は、地球上のどこにあるかには関係なく世界中のありとあらゆる土地

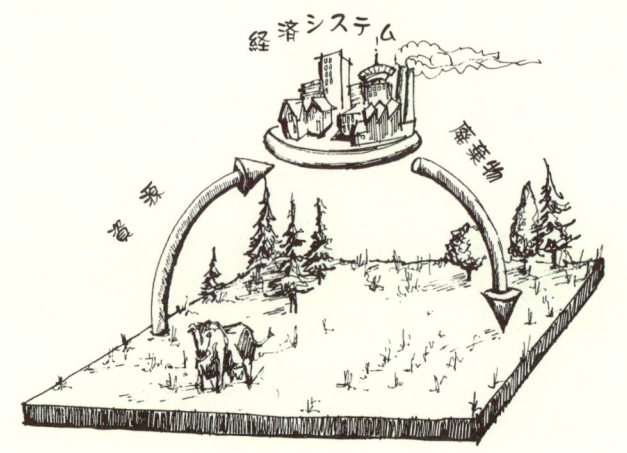

図 1-3 エコロジカル・フットプリントって何？
　　ある経済システムが、生物の代謝機能のような"産業の代謝機能"を持っているとしてみよう。すると、経済システムは、牧場の牛と同じようなものと見なすことができる。経済システムが、資源を"食べる"と、摂取したものすべては最終的に老廃物となり、からだ（経済システム）から外へ出さなくてはならない。
　　そこで、問いはこう立てられる。この経済システムを維持するには（必要な飼料すべてを生産し老廃物すべてを吸収するには）、牧場はどれだけの広さがなければならないか。
　　つまり、ある経済システムの物質的生活水準を現在のレベルに維持し続けるためには、どれだけの土地面積が必要か？

を含んでいる。現在の近代都市および国家は、すべて自然のフローから収奪した、あるいは世界中から通商取引によって輸入された環境財や環境サービスによって存続が可能となっているからである。したがって、ある集団のエコロジカル・フットプリントとは、その集団が国内外から"収奪してきた環境収容力（appropriated carrying capacity）"総計のことである。

　エコロジカル・フットプリントの概念は、ある特定の生活様式を永続的に支えてゆくために必要な土地面積を明確に定量化させることによって、人類は物質的な面で自然界に依存し続けなければならない存在であるという事実を私たちに突きつけるのだ。

　たとえば、表3-3（p140-141）は、平均的カナダ人一人当たりのエコロジカル・フットプリント、つまり典型的な一人の現在の消費量をまかなうために必要な土地面積を示している。これは、およそ4.3ヘクタール、

図1-4　北アメリカに住む平均的住民のフットプリントは、4〜5ヘクタール。これは市街区画（ブロック）が3つプラスもう少し程度に相当する広さだ。

207メートル四方、およそ都市の区画3つ分の面積［東京ドーム約1個分の広さ］にあたる。縦の欄は、さまざまな消費カテゴリーを、横の欄は、各消費カテゴリーが関わる土地利用形態を示している。

　この表で、土地利用形態の一つに挙げられている「A」の"エネルギー地（Energy Land）"とは、人口一人当たりの化石燃料（石炭、石油、天然ガス）消費によって排出される二酸化炭素を吸収するために必要な面積のことである。大気の安定の役割を果たしている炭素吸収源（カーボン・シンク）といえる。また、化石燃料の代替になるエタノールなど最新の生物系（バイオ）燃料の生産に要する耕作地面積として出すこともできる。なお、この計算方式によると、エネルギー地の数値（その消費カテゴリーが必要とするエネルギー地の面積）はもっと高い値となる。

　「B」の"生産能力阻害地（Degraded Land）"とは、舗装されたり建物が建ったりして、もはや自然が生産活動を行えない土地のことである。消費カテゴリー"サービス"の項で、消費される資源の例としては、病院で使用される熱源や銀行の利用明細書を作成するための紙、電気など

がある。

　表3-3を使って、平均的カナダ人一人当たりの食料生産に要する農地を得るには、「1」の"食料"の行が、「「C」"園芸地"」、「D」"耕作地"、「F」"牧草地"の列と交わる項を見る。すると、園芸地、耕作地、牧草地、合計 0.95 ヘクタールが、典型的カナダ人一人に必要なことがわかる。

　注意してほしいのは、表の各項の面積はどれも、固定化した数値でもなければ、必要される数値、あるいは推奨される数値でもないことである。これらは、1990年代における典型的カナダ人の環境に対する需要推計にすぎない。一人ひとりの人間と経済全体のエコロジカル・フットプリントは、消費者行動に影響する収入や物価、個人の価値観、あるいはその時代の支配的な価値観、科学技術の発達度(たとえば、財・サービスの生産過程で消費されるエネルギー量や資源量)によって、さまざまな値になる。

ECOLOGICAL FOOTPRINT

3．それでは？
地球規模で考えてみると

　生命を支える基礎としての自然界の供給能力が衰えている状況の中で、私たちの経済システムは、増え続ける需要量をまかなおうとする。エコロジカル・フットプリントは、ある人間集団の現在の消費量と将来の必要量とを、自然からの供給可能量に照らして計算し、予測される不足量を明らかにするために使うことができる。自然に対し、私たちが何を求めどんな負荷をかけるか、社会としてどのような選択をすべきか検討する際に、役立つのである。

　広い視野で見てみよう。地球上の一人ひとりが"利用できる"、生態学的生産力のある (ecologically productive) 土地は、20世紀の間に着実に減少し (図1-5)、今日では、おそらく利用しようのない未開地を含めて

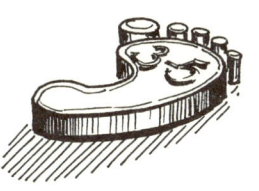

1人当たりエコロジカル・フットプリント面積（先進諸国）

(単位：ha)

1900年　　1950年　　1994年

1人当たりの生態学的に生産可能な土地面積（全世界）

(単位：ha)

4.3　　3　　1.5　平均0.25

図1-5　私たちのエコロジカル・フットプリントは拡張を続けている（上の足型の図）。その一方、私たちは一人当たり公平割当面積（Earthshare）は縮小の一途にある（下の図形の図）。今世紀初め以降、利用可能な生態学的生産力のある土地は減少を続け、一人当たり5ヘクタールを超えていたものが、1995年には1.5ヘクタール未満となった。しかし、逆に平均的北アメリカ人のフットプリントは、4ヘクタールを超えるところまで増大した。利用可能面積とフットプリントの、この相反する二つの動向は、根源的な矛盾の表れである。富める国の平均的市民の生態系面積要求量（ecological demands）は、一人当たり供給量の3倍になっている。このことは、アメリカの物質水準で現在の世界人口58億人を養おうとしても、それは不可能であるということである［この時点で、著者たちは、海洋については計算に入れていない。しかし、後に海洋の重要性に配慮し、エコロジカル・フットプリント計算に加えている］。

も一人当たりわずか1.5ヘクタールしかない。

　一方、富める国々の住民が"収奪"している土地面積は、確実に増加している。平均的アメリカ人一人の現在のエコロジカル・フットプリント（4〜5ヘクタール）は、地球の恵みを公正に分けた場合の3倍にあたる。もしほんとうに、地球上のだれもが平均的カナダ人やアメリカ人のような暮らしをしたら、それを持続可能なものにするには、この惑星が少なくとも3つは必要だということになる（図1-6）。

図1-6　お尋ね者。幽霊惑星２つ。
　　　もし、だれもが、今日のアメリカ人のような暮らしをしたいと思ったら、そのための資源を生産し、廃棄物を吸収し、生命維持機能を持続させるために、少なくとも、あと２つ、地球のような惑星が必要となる。残念ながら、ぴったりの惑星は見つけがたい……。

　さらにまた、世界人口が予測どおりに増え続けたなら、2040年には100億人となる。これ以上土壌侵食が進むことはないと仮定しても、そのとき、一人当たりに割り当てられる生態学的生産力のある土地は、0.9ヘクタールに満たないのである。
　この方法で、ある具体的な地域を地図上から選んで、その地域の人々が実際に"消費"している土地面積と比べると、ひじょうに多くのことが明らかになる。
　たとえば、第３章で詳しく述べることとするが、ブリティッシュ・コ

ロンビア州バンクーバーから東側、ホープにいたるフレーザー河下流域（ローワー・フレーザー・バレー）のエコロジカル・フットプリントを計算してみよう。この盆地には、180万人が住み、人口密度は1ヘクタールあたり4.5人である。結論だけいえば、この地域の面積は、住民が利用する自然資源を供給するために必要な面積にはるかに及ばない。ここ盆地の平均的な人間が4.3ヘクタールの土地の生産物を必要とするとして計算すると（表3-3、p140-141）、ローワー・フレーザー・バレーは、食料、林産物、二酸化炭素吸収能力、エネルギーを得るために、地理的境界線内の面積の19倍もの土地に依存していることになる（図3-5、p148）。

　もう一つ例を挙げよう。オランダの人口は1,500万人で、人口密度はヘクタール当たり4.4人である。オランダ人はアメリカ人より平均的消費量は少ないが、それでも、食料、林産物、エネルギー利用のため、国内の利用可能な土地の約15倍を必要としている（図3-8、BOX3-4、p158-159）。つまり、この二つの典型的な工業地域を実際に支えている生態系は、政治的、地理的境界線を超えて広がっているのである。目には見えないのだが……。

　みんながからだに似合わない大きすぎるエコロジカル・フットプリントで踏みつけたら、世界は持続できない。人類すべてのエコロジカル・フットプリントは、地球上の生態学的な生産力のある面積より小さくなければならないのだ。すべての地域や国が、現在の技術を使って、フレーザー河下流域やオランダの経済のあり方に追随するなら、地球上の全員が、地球環境崩壊の危機にさらされることになるのだ。

　先進工業国の現在の生活様式が、必ずしも、地球上のだれにも勧められるものでないと聞いて、人騒がせだと思う人もいるだろう。しかし、将来の危機をまったく無視して、盲目的に従来の経済成長一辺倒の姿勢を続ければ、生態系の大破局を招き、続いて世界の各地で政治的な大混乱がおこるだろう。すべての人が、現在の先進工業国の人々と同じような暮らしを、することはできないのだという事実を認識することは、貧

しい人々は貧困のままにおかれるべきだと主張することではない。すべてにわたって調整が必要だということ、また、私たちの生態学的分析が正しければ、現在の発展の道程をこのままたどれば、幸福を享受していない人々こそ最も打撃を受けることになること、この二点を主張しているのだ。

　成長主義的な幻想を信仰しても、豊かな社会が実現することはない。それどころか、その幻想は、自然にかなった生き方から私たちを遠ざけてしまう。そして、幻想が破れた先にあるものは、環境と社会の崩壊のみである。

ECOLOGICAL FOOTPRINT
Dr.Footnote
ドクター・フットノート

　もっともらしい理由で、エコロジカル・フットプリント概念を批判する声がある。ここでは、持続可能性カウンセラーのドクター・フットノートが、その批判の一部に答える。

> こんにちは！　とっても簡単だよ、ただ片方の足の前に、もう一つの足を出せばいいだけ…。

科学の権威

分析科学者の見解

　エコロジカル・フットプリントは、はったりだ。

　たとえば、長年の詳細かつ体系的研究にも関わらず、まだ、個々の生物種（細菌であろうとシロナガスクジラであろうと）の生態は完璧にはわかっていないし、まして生物種どうしがどのように関係しあっているのかもわからない。

　われわれ科学者は、モデルを使って理論を深める。しかし、モデルというものは、単純化された骨組みだけだ。しかもわれわれは、それが正しいということは絶対に証明できないのだ。せいぜいそれが間違っているということを証明できるくらいのことだ。良識ある科学者は、自然についておそろしく無知であることを謙虚に認めなくてはならないのだ。

　なのにいったいどうして、人間と自然との間の、これほど複雑な相互作用を「ヘクタール」などという次元に矮小化できるというのだ。

> フットプリント・モデルは、超思い上がり。

ドクター・フットノート

　おっしゃるとおりです！　エコロジカル・フットプリントですべて、説明できるわけではありません。

　多くの科学者たちが絶対的真理を求めて努力することにはそれなりの意味がありますが、より重要なことは、使っている科学的知識が、観察している現象とピッタリ

> モデルは、どんな場合にも使われています。そして、この紙飛行機のように、モデルは、現実を単純にしたものなのです。

適合しているかということです。科学的知識は達成しようとする課題に適合したものでなければなりません。

　たとえば、ニュートンの力学法則は、アインシュタインの相対性理論に照らせば誤りがあったものの、人類を月まで飛行させることができました。対象を完全に理解しきれていないということが、行動をおこさないことの隠れ蓑にしてはなりません。分析の精密さを追求するあまり金縛り状態に陥って何もしないよりは、たとえ間違えたとしても危険を回避する方向に何らかの行動をおこすほうが大切ではないでしょうか。危険性が潜在的であれ察知できるところでは、予防的に警鐘を鳴らし行動をおこすべきです。たとえ、危険がどんな性質のものか、正確にはわからなくても……。

　エコロジカル・フットプリントのモデルは単純すぎるかもしれません。他の生態モデルと同様、考えうるすべての相互作用を示しているわけではありません。それは、ある経済体が必要とする基本的なエネルギーと物質の供給のために必要となる最小土地面積を計算しています。ここでは、二酸化炭素以外の汚染については考慮されていません。したがって、どちらかといえば、現在のエコロジカル・フットプリント計算は、人類の自然に対する依存度を過小評価しています。

　たとえそうであっても、私たちの計算結果は、現在の生活が地球の環境収容力を超過していること、すなわちオーバーシュート（overshoot）していることを示しています。さらにこのオーバーシュートに対し、とくに大きな責任をとらなければならない人々がいることを示しています。

　もちろん、人類のエコロジカル・フットプリントが、地球の大きさに近づくなんてことがあり得るのかという点については疑問に思えて当然です。しかし、地球の環境が悪化している今日、エコロジカル・フットプリントを小さくすることだけが、生態系に回復力をもたらすのです。

　いずれにしても、今日の生態系に対する過重負荷の状態は、今は何とか一時的に可能かもしれませんが、将来には重大な損害、禍根となって私たちに降りかかってくるでしょう。

　自然がどのように機能しているかを正確にはわからなくても、すでに明らかにされている基本的な法則や相互関係の原理を使って、人類の必要としている

ものはどれだけかについての有用な（実際より低めとはいえ）推定値を計算することができるのです。その値は自然を管理できるほどには正確な値ではないかもしれません。しかしエコロジカル・フットプリントは、私たちが環境と社会に対し責任を持って生きるための、そして自らを上手に管理するための指針を提供してくれるのです。困難だけれどやりがいのある挑戦です。

市場の知恵

ビジネスマンの見解

　時代の向かわんとするところははっきりしている。世界の所得は、人口増加を上回る速度で増加し、農業生産も増加し、需要拡大によく応えている。非識字率も減少し、地球上での暮らしは、かつてないほどよくなった。環境問題があるとしたら、所有権が明確でないこと、価格が真のコストを反映していないことこそが原因だ。

　私たちが価格を正しく設定しさえすれば、神の"見えざる手（アダム・スミスの説いた市場原理）"が問題を解決してくれる。モノの価格は、人々になすべきこと、なさざるべきことを示す最も有効な方法であり、政府の干渉は最小限にとどめられるべきだ。人々が、個々の自己利益を追求する過程で、あらゆる社会のニーズは満たされるだろう。

価格を正しく設定すれば、市場がおのずから問題を解決してくれます。

ドクター・フットノート

　ある程度までは、おっしゃるとおりです。しかし、自然の財とサービスが、実際の価値以下の値をつけられると、過剰に、また、誤って使用されます。そのとき、自動的に市場を均衡させると考えられている神の"見えざる手"は、逆に安定化を妨害する神の"見えざる肘鉄"となってしまうのです。

だからこそ、たとえば資源減耗税（depletion taxes）や汚染課徴金（pollution charges）による価格調整は、環境破壊行動を抑制するのに効果があります。

　しかし、見えざるその"手"は、その魔法の威力を発揮させるために、エコロジカル・フットプリントに頼る必要があるでしょう。この分析を使えば、従来の経済分析では見えることがないさまざまな影響が見えるようになり、経済成長がもたらす真の社会的コストを推定することができます。

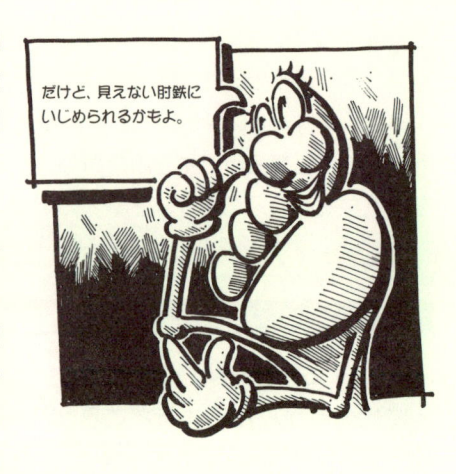

　現実を直視しましょう。"自由な市場"は、問題のすべてを解決してくれる万能薬ではないのです。価値あるものすべてを私有化することはできません。とくに自然の提供するサービスを数量的に正しく計ることは困難です。まして、それらに価格をつけることはもっと難しいのです（安定的で予測可能な正常な気象というものの市場価格はいくらか？ オゾン層はどれだけあれば充分か？──などと考えてみてください）。現実は、住民、資源、生態圏について多くの意思決定は、部分的な科学的知識をもとに、政治的判断に基づいて行われてゆくのです［あなたがおっしゃるように市場原理が万能ではないのです］。市場の機能を使った資源減耗税や排出権取引などの誘導策さえも、政府の介入がなければならないのです。

　ところで、あなたのいう世界経済の趨勢とエコロジカル・フットプリント分析による計測結果の間には、矛盾はありません。所得が高ければ高いほど、資源を手に入れる能力は高くなり、少数の高所得特権階級の人々のエコロジカル・フットプリントは大きくなる、ということです。

　けれども、今日が豊かだからといって、明日の保証があるわけではありません。現在の"所得"の大部分は、自然資本の取り崩し（流動化）によって得られているのです。私たちが立っている大地が縮んでいっているというのに、私

たちのフットプリントは、拡大を続けているのです。

自由貿易政策

パイロットの見解

　エコロジカル・フットプリントは、貿易の効用を疑っているように思える。私は中世に生きたいとは思わないね。貿易は、だれにとっても有益なものだ。

　たとえば、北アメリカでは、コーヒーやバナナはできない。一方で、コーヒーやバナナの生産者は、コンピュータを組み立てたり、小麦を作ったりはできないのだから。また生態学的に最も効率的なところで生産すれば、それが経済的にも効率的なはずだ。冬の寒さが厳しいカナダの人々が冬に暖房つきの温室でトマトをつくるなんて馬鹿げたことをするよりも、温暖なカリフォルニアやメキシコからトマトを輸入するほうが生態学的に見ても経済学的に見ても合理的ではないか。

> 繁栄のためには、自由貿易が必要なのだ。

ドクター・フットノート

　エコロジカル・フットプリント分析は、貿易それ自体に反対してはいません。しかしながら、生態学というレンズを通して貿易を検証し、貿易が環境に与える影響を明らかにします。

　経済学者が、貿易の均衡について語るとき、彼らは、たんに通貨フローにのみ言及し、生態学的フローについては問題にしません。

> だけど、目下支配的な通商関係は、持続可能性をだめにしてしまう。

ところが、現実におこっていることは、ある地域は、つねに生態学的生産力を放棄し、別のある地域は、その生態学的生産力を利用し続けるという事態なのです。

例を挙げると、香港、スイス、日本の貿易収支は黒字ですが、世界の生態学的生産力にはほとんど寄与していません。自国の高い消費水準を維持するために国外から大量に輸入しているばかりです。すべての人が、環境財と環境サービスを"輸出するより多く輸入する"人になれるわけではないのです。地球規模で考えると、どの輸入者にも、それに応ずる輸出者がいなければなりません。こう考えると、たとえ途上国のほとんどが日本、香港、スイスなどの発展に続こうとしても、全員が成功するのは、物理的に不可能だということがわかります。

世界貿易の拡大は、世界的な資源フローの増大をもたらします。それにより、世界総生産は増加しますが、地球の自然資本の減耗は加速します。

他にも問題があります。遠く離れた土地から輸入された財（そして、地球上の全員が共有する気候調整機能のような生態系の"共有"機能）に依存している人々は、自分たちを支えてくれている資源から空間的また心理的に切り離されています。そのような人たちは自分たちの地域の資源を守ろうとする直接的な動機がまったくおこらないうえに、遠く離れた供給源の管理にもまったく関心を示しません。だからこそ、おめでたくも、現在広まっている貿易体制が環境と社会に及ぼしている影響に気づかずにいられるのです。近代的集中生産方式は、農地や森林の荒廃と汚染を加速するだけでなく、生産性向上によって生じた経済的恩恵の分配を偏ったものにしてしまいます。

とくに低所得国では分配の不平等さが顕著になっています。その恩恵を真に必要とする人々は、恩恵を手にするどころか、輸出用作物を栽培するためにその土地から追われ、一方その利益は、おおむねすでに富んでいる人々のところへ流れ込んでいます。

つまり、世界経済が地球の生態学的限界に迫っていて、まだ何十億もの人々が貧困状態にあるような今日のような世界においては、"自由貿易"体制ではなく、自然資本の回復を進め、最も必要とする貧困層の人々にこそ輸出の恩恵をもたらす、そのような貿易体制が必要なのです。

不確かな未来

占い師の見解

　エコロジカル・フットプリントの分析は、未来が見えると主張している。しかし、予測や推定は、つねにはずれるものだ。未来について、唯一わかることは、こうなるだろうという予測ははずれるだろうということだ。私でさえ、この水晶玉をもってしても、未来は見通せないというのに……。

> 未来は霧の中、すべてあやふや。フットプリントが未来を予言できるわけがないわ。

ドクター・フットノート

　エコロジカル・フットプリントの分析は、予言のための道具ではありません。それは、"エコロジカル・カメラ"ともいうべきもので、私たちが現在の自然に求めているものの負荷量のスナップ写真なのです。2040年の予想人口と推定資源フローを見れば、私たちが現在進んでいる経済発展の道の先に、深刻な生物物理学的障害があることが、明らかです。

　しかし、これらの数字からは、状況がどうなるかは予測できません。数字は、安定した未来のために社会が何としても埋めるべき"持続可能性"ギャップを示しているのです。つまり、エコロジカル・フットプリント分析は、持続可能性を達成するために、どれだけ消費量を削減しなければならないか、どれだけ技術を改良しなければならないか、どれだけ行動を変えなければならないかを示すものです。

> フットプリントは予言の道具じゃないさ。ただ生態学的視点からのスナップ写真をとるだけ。

また、今日、豊かな国々と低所得国との間に存在する慢性的な物質的不平等を目に見えるかたちで明らかにすることができます。最も重要なことは、この分析が、社会が持続可能性へ向けての進路変更に取りかかれるような方法をいくつか示していることです。しかも、どの方法が最も優れているかを示唆しています。決して予言のように未来を見通す望遠鏡などではありません。現在の経済社会の動向が生んだ状況を目に見えるかたちにし、持続可能性を達成するための代替シナリオを評価するツールなのです。

技術的な解決

ロボットの見解

　何百年もの間、土地や資源の欠乏が心配されてきた。でもその心配はない。なぜなら、技術革命によって物が豊富に供給されるようになり、結果的に財とサービスの価格が下ったからだ。技術のおかげで、たった一人の農民が、200年前の200人の農民より多くの生産高を挙げている。技術のおかげで、ほんの数百年前には、王侯貴族にとってさえ夢であったような快適で、健康で、安心で、いい食事をとる暮らしを、何百万人ものアメリカ人が送っている。

　はたしてコンピュータ革命を予見したものがいただろうか。遺伝子工学が将来もたらす恩恵をだれが予測できようか。この200年間、科学技術は成長という課題によく応えてきたのだ。人類は、問題に直面しても解決を見いだすであろう。最大の資源は、人類の英知なのだ。そして、技術革新の可能性は無限である。医学、交通、通信における近年の進歩を考えてみたまえ。

　解決できない将来の問題などあるものか。

ドクター・フットノート

エコロジカル・フットプリントの分析は、技術革新の重要性を疑ってはいません。もちろん、技術は、社会をより持続可能なものとするために大きな役割を果たすことでしょう。私たちのほんとうの願いが現在の経済の5倍から10倍もの規模の経済をつくることであるなら（このことは「ブルントラント委員会」の報告書が推奨していますが）、今の5倍から10倍効率的に資源を利用する技術が必要です。このような効率性が極めて高い経済システムをつくる必要性については、すでに「ファクター10経済」という名称を用いて、何人かの経済学者が提唱しています（第4章参照）。

技術進歩が不可欠なことは明らかです。ごく簡単な太陽熱温水器や住宅の断熱法の改良でも、私たちの物質的生活水準を落とさずに、エコロジカル・フットプリントを減らすことができます。ところが、これまでの技術革新の多くは、私たちの資源利用を減らすことには貢献しませんでした。人々の労働に、資本（資源と機械）が取って代わっただけのことでした。

たとえば、近代農業は、伝統的農業に比べて、農民一人当たりの生産高を増やしましたが、単位当たりの作物を生産するために必要なエネルギー量や原材料量、水の量も増加させました（第3章のトマトの例を参照）。また、技術的効率の向上は、消費を増加させます。新技術によってより効率的になった自動車は、より経済的であり、その結果、より多くの人に頻繁に使われることになります。

実際、エネルギー効率の向上にもかかわらず、近年におけるほとんどの先進工業国の総エネルギー消費量は増加しています。この点においても、エコロジカル・フットプリントは、持続可能性を目指すための重要な物差しとして、その価値を発揮します。

はたして新技術は、人間社会の自然に対する需要と負荷を減少させることが

できるでしょうか。できるとすれば、その新技術には次の要件が欠かせません。つまり、効率化によって得た恩恵が、消費の別の形態へと流れないようにする政策手段と一体化させなければならないのです。

楽観主義者のお題目

楽観主義者の見解

　エコロジカル・フットプリントの分析は、気が滅入る。それの目指さんとするところは、暗ーい未来だ。あなたがたのような人々は、よほど終末論的な話が好きとみえる。そんな話は、人類史上、いつの世もつねにあったが、ほんとうになったためしはない。

　どうして人生の明るい面を見ないのか。

　立ち止まり野に咲く美しいバラの香りを楽しもうではないか。

　人生、もっと楽しく生きようではないか！

ドクター・フットノート

　自然は有限であると認識するのは、悲観主義ではなくて、現実主義です。そうすることで、賢明な決定ができます。この自然という基本的制約を無視すれば、未来の安寧は脅かされるのです。

　エコロジカル・フットプリントは、人類が地球の環境収容力の範囲内で暮らすべきだという前提から出発し、賢明にもその選択を行ったなら、

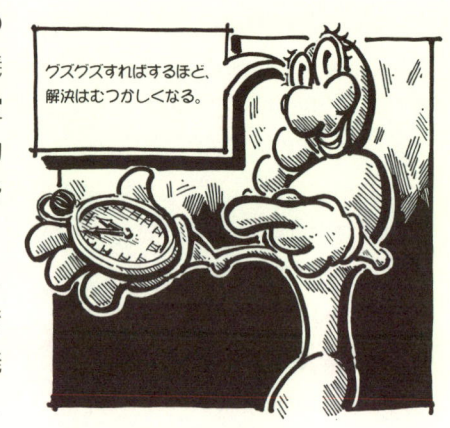

生活の質の向上さえ可能かもしれないといっているだけなのです。現在の暮らし方では、自滅にいたるのではないかと心配しているのです。これは、生態系の制約について学び、持続可能な生活様式の普及を進めるためのツールです。人類が早くこの新しい問題に取り組むほど、解決は容易でしょう。

成長にも限界が

エネルギー生産者の見解

　エネルギーは、人類という事業体の推進力だ。充分なエネルギーがあれば、したいことは何でもできる。環境を浄化することも、砂漠を灌漑化することも、高速交通システムをつくることも、生産力の高い温室をつくることも……。思いつくものは何でもだ。
　現在の自然界での不足は、一時的なものだ。すぐに無限のエネルギー源が開発できる。核融合エネルギーの展望はじつに明るいものだ。すでに従来型の核分裂エネルギーの力を引き出すところまできている。もっと想像力を働かせてみ給え。今は浪費されている潮力や太陽エネルギーを完全に利用することもできるかもしれないのだ。

ドクター・フットノート

　なかには、人類が無限のエネルギーを利用できるようになることを強く願っている人々もいます。しかし、じつのところ私たちはすでに膨大なエネルギー源を手にしているのです。
　たとえば、太陽光は、地球に17万5,000テラワット（10の12乗ワット）も降り注いでいます。これに対し、人間の経済活動が消費している商業エネルギー［市場で取引されるエネルギー、おもに化石燃料］は、わずか10テラワットです。

しかし、無限のエネルギーが賢明に使われず、抑制なく使われたとしたらどうなるか、考えてみてください。私たちは、たった10テラワットで、地球をほとんどだめにしてしまっているのです。人間は、無限の安価なエネルギーによって、新たな、そしておそらくもっと深刻な制限要因にぶつかるまで、エネルギー以外の自然資本を枯渇させながら、ひたすら活動を膨張していくだけでしょう。最大の制限要因となるのは、エネルギー源ではなく、私たちの地球の「廃棄物吸収処理能力」です。

たとえば、私たちは化石燃料の枯渇を心配してきましたが、科学者は、今や二酸化炭素吸収源のほうが、化石燃料よりもっと少ないことを認識しています（吸収源はすでに満杯で、あふれでるばかりです）。

もちろん、相応の注意をもって使えば、技術によって自然資源の枯渇に打ち勝つことができます。なかでも、太陽光利用を基軸にした経済への動きは、エコロジカル・フットプリントを減らすための、最も展望ある戦略でしょう。太陽エネルギーは、必要な設備をすべて入れると、これまでのエネルギー源より高価なものとなるでしょうが、私たちはその分より賢明に利用する方法を編み出すでしょう。そして、太陽光利用経済によってこそ、より質の高い未来の生活を確保することができるのです。

ECOLOGICAL FOOTPRINT

4．持続可能な未来を設計する

エコロジカル・フットプリントは、持続可能性達成のための計画づくりに役立つツールである。たんに生態系の破壊や物質的な不平等などの地球規模の問題を提示するだけでなく、これらの問題を、一人ひとり

の、またさまざまな組織での意思決定へと導くことができるだろう。もちろん計画立案専門家の業務に生かせるものにするには、さらに改良して、このツールを充分発展させなければならない。

しかし、この本で取り上げたものも含め、すでに20件以上のさまざまな適用例を参考にしてほしい。カナダ他数カ国において、また子ども向けの野外環境教育から地方自治体の政策、プロジェクト評価までさまざまに応用され、持続可能性の課題を明らかにし、解決方策を立案するのに役立っているのだ。

生態系破壊と社会的不公正は、なくすことができる——このような主張を掲げる、より安全で安定した世界を作るためのツールや心踊るすば

図1-7：選ぶべき道。
どんな未来を選び、どうやってそこに到達するか？

らしい理論は世の中に数多くある。エコロジカル・フットプリントはその一つであり、これによって、私たちのおかれた状況と政策選択の影響を理解することができる。

また、大きな視野でものごとを見るのにも役立つであろう。

先のイメージ（p36）に戻って述べると、ある都市のフットプリントとは、その都市の住民の消費パターンを維持するために、ガラス製のカプセルの内に入っていなくてはならない土地面積の総計である。数値ではないが、この思考イメージは、重要な事実を明らかにしているのである。つまり、高い人口密度、一人当たりのエネルギーと物質消費量の急増、増大する貿易依存の結果（これらすべては科学技術によって促進される）、"人間居住区の生態学的な意味での「場」は、もはやその地理的な「場」とは一致しない"という事実だ。近代都市と工業地帯の存続と成長は、生態学的生産力のある土地からなる広大な後背地に依存しており、それは全地球に拡大しつつある。

いささか皮肉な話ではあるが、SF作家たちもまた、ドーム・シティを生き生きと描いてきた。しかし、そこで描かれているカプセルは、たいていの場合、人間の居住地を危険な外部環境から隔離し守るための装置として描かれている。これに対し、私たちのカプセル実験では、"環境"と行き来できない区域、つまり"環境"から隔離された人間居住区は、逆に人間の生命や生活を脅かすものであることを如実に表していることになる。

このようなカプセル内都市について考えると、私たちが自然に依存し続けているありようを多方面から考えざるを得なくなるだけでなく、私たちが生態系に及ぼしている悪影響をあらゆる面から減らすことができると考えるようになる。

仮に、あなたの街が、あるいはコミュニティーが、カプセル内都市「人間テラリウム」に閉じ込められたらどうだろう。あなたの街が入っている半球カプセルは、一般的な物質消費水準で現在の人口を維持するのに

ちょうどよい大きさであるとしよう。

　さて、このカプセル内都市での、開発計画と土地利用規制はどのようなかたちになるだろうか？　意思決定過程にはどんなかたちで、だれが参加するだろうか？　現在見過ごされてきているさまざまな矛盾や開発のコストのうち、何がとても重要な問題として浮上してくるだろうか？　個人の利益と公共の利益の均衡を図るためにどんな評価基準が使われることになるだろうか？

　ここで考えられた開発計画、法規制とあなたのコミュニティーで現に実施されているものを比べてみると、もっと面白く具体的になるだろう。その違いはどうして生じたのか？　生態圏は人類全体を包み込む巨大な一個のカプセルにほかならないと考えたとき、やはり同じような違いがあるだろうか？

　ここまでが出発点である。次の章は、これをもとに、エコロジカル・フットプリントの概念が持続可能な社会をつくるためにどのように役立つかを述べる。

原注

（1）Michael Jacobs, *The Green Economy: Environment, Sustainable Development and the Politics of the Future* (Vancouver: U.B.C. Press, 1993)　（初版は1991年 Pluto Press より発行。）

第2章 ECOLOGICAL FOOTPRINT
エコロジカル・フットプリントと持続可能性

　持続可能性の"意味"と"なぜそれが重要か"は混同されて、持続可能性達成への歩みを遅らせてきた。この混同には、作為がなかったとはいいきれない。多くの場合、純粋な不安もあったにしても、意図的に問題点と利害対立があいまいにされたことが原因である。
　この章では、この混同を解消すべく論点を整理していく。そして、持続可能性は（少なくとも、理論的には）平明簡潔な概念であること、また、エコロジカル・フットプリント・モデルの意味を考えれば、少なくとも持続可能な社会へ向けての生態学的な条件は理解することができることを示そう。

ECOLOGICAL FOOTPRINT
1. 持続可能性論争
同じシンプルな概念から生まれたはずなのに互いに対立する戦略

持続可能性問題

　1962年に刊行されたレイチェル・カーソンの『沈黙の春』以来、おびただしい数の書物や論文が裏づけているように、人類の生命維持システムである生態圏の崩壊過程が加速的に進んでいるという懸念は今や現実のものとなった。
　私たちは今これまでの研究成果、人類が根ざし生かされている生命維持システムを危険にさらしているもののリストを手にしている。これを見るとうちのめされる。一部を挙げてみよう。

毎年生態学的生産力のある土地 600 万ヘクタールが砂漠化している。毎年 1,700 万ヘクタールの森林が破壊されている。酸化と侵食によって失われる土壌は、形成される土壌より、年 260 億トン多い。漁場は枯渇しつつある。地球上のいたるところで地下水の枯渇と汚染が加速している。毎年、1 万 7,000 種もの生物種が消滅している。改善努力にもかかわらず、成層圏オゾン層は破壊の一途をたどっている。産業社会は、大気中の二酸化炭素を 28%増加させた。

　これらはすべて、資源の過剰収奪（過剰消費）や廃棄物の過剰排出がもたらしたのである(注1)。私たちが消費するものはすべて、最終的に廃棄物となる。したがって、この状況を簡潔に表現すれば、「人間経済のエネルギーと物質の"スループット（throughput＝流入量）"は、安全な限界点を超えている」といえるだろう。

　一方で、多くの人々は生存に必要な最低限の物質的条件も満たすことができないという現実がある。序文で述べたように、"北"の大多数の人々からなる人類の 20%は、現在、史上例のない富を享受している。にもかかわらず、所得レベルが下から 20%の人々は、所得を全部合わせても世界総所得の 1.4%にも及ばず、慢性的栄養失調に苦しんでいる。

　このギャップは、所得格差に、ジェンダーと民族という要素を加えるといっそう深刻になる。1990 年の世界各国の全閣僚のうち、女性が占める割合はわずか 3.5%であり、とりわけ 93 カ国においては女性閣僚がゼロという事実は、所得の不平等より大きな社会的不平等を明らかにしているといえる(注2)。

　問題意識のある人々は、20 世紀の初めから、生態圏に対して責任ある公正な利用を呼びかけてきた。だが、国連の「環境と開発に関する世界委員会（WCEO）」（ブルントラント委員会）の報告書、『地球の未来を守るために』［以下「報告書」］が、"持続可能な開発"（Sustainable Development）という思想を普及させたのは、1987 年になってからのことである。ここへきてようやく、現在主流となっている"開発"手法が

社会と生態系に及ぼす破壊的な影響を、重大な政治課題として取り上げることとなったのである。ブルントラント委員会［以下「委員会」］の活動は、人類の未来が危機にあるという認識を出発点としている。「報告書」は、次の宣言で始まる。

「地球は一つだが、世界は一つではない。私たちはみな、生命を維持するために生態圏に依存しているのに、コミュニティーや国々はそれぞれ、自らが他に与える影響をかえりみることなく、存続と繁栄を求めて必死であるからである。一部のものたちは、未来の世代にほとんど何も残らないほどの勢いで地球資源を消費している。一方で、ほとんどまったく消費することができない、はるかに多くの人々がいる。その人々にとって、生きるとは、飢餓、不衛生、病気、短命を意味している(注3)」

過剰消費と極度の貧困という問題に同時に取り組むために、「委員会」は、"持続可能な開発"を呼びかけた。ここで、持続可能な開発とは、「未来の世代のニーズを満たすための能力を損なうことなく、現在のニーズを満たす開発」と定義された。

つまり、これまでは"生産の最大化"という経済の側からの要請は至上命令とされてきたのだが、今後は生態圏を守るという環境の側からの要請および、人類の苦しみを最小にするという社会の側からの要請を満たすために、"生産は抑制されるべきだ"ということをこの「報告書」が初めて認めたのだ（ただ、「委員会」の真意を正しく伝えるためには"生産は増加されるべきだ"と述べたにすぎないというべきかもしれない）。

ここで初めて、「環境」と「公平性」は、開発という方程式を構成する因数として明確化された。持続可能な開発は、環境破壊の軽減と、世界の貧困層の物的生活水準の向上とにかかっていると明言されたのだ。

前者は（「環境」）、おもに人類の経済活動の物質とエネルギーのスルー

プット［流入量］の抑制によって、後者は（「公平性」）、生態系の能力を途上国の成長のために使い、また、それによって得る利益が最も必要とされているところに確実に流れるようにすることによって達成されなければならない。

私たちは、ブルントラントの定義を基本とし、理論的には、持続可能性は、"シンプル"な概念であるという立場をとっている。つまり、自然の許す範囲で、物質的に快適に、お互いに平和に生きる、ということだ。しかし、この見かけのシンプルさにもかかわらず、この概念を政策として表現するとどうなるかについては一般的な合意形成はなされていない（BOX2-1 参照）。

持続可能性が危機にあることを認めない人々が多数いる。危機を認めることで波及するであろうさまざまな影響を恐れる人々も多い。しかし環境科学者たちが正しいとすれば（私たちは彼らが正しいと考えているが）、持続可能性へと針路変更することで何がおころうとも、経済活動に物質的な制約があることを認め"ない"で行き着く先のほうが、よほど恐ろしいものになるだろう。現在の消費生活は、自然に対する生物物理学的限界はないかのごとく、ますます世界全体への依存を深め、地球の生命維持機能をひたすら損なっているだけでなく、政治的安定をも脅かしているのだ。

このような状況において、今日、かなり多くの人々が、持続可能性問題をより確実な未来へ向けての第一歩として受け入れているのは、唯一明るい展望である。しかし、経済界、政界の主流は、生物物理学的制約をすこしも認めたようすはない。ましてや開発問題に関わる"公的な"国際機関は、"持続可能性に至る最短距離は、無制限の経済の拡大"との確信をいっそう強めているようである。

つまり、利害の衝突や世界観の対立、分析方法の相違、より高い物質水準を求める風潮、変化への恐れ、これらが原因となって、持続可能性とその実現方法について諸説が乱立しているわけだ。なかなか進展がな

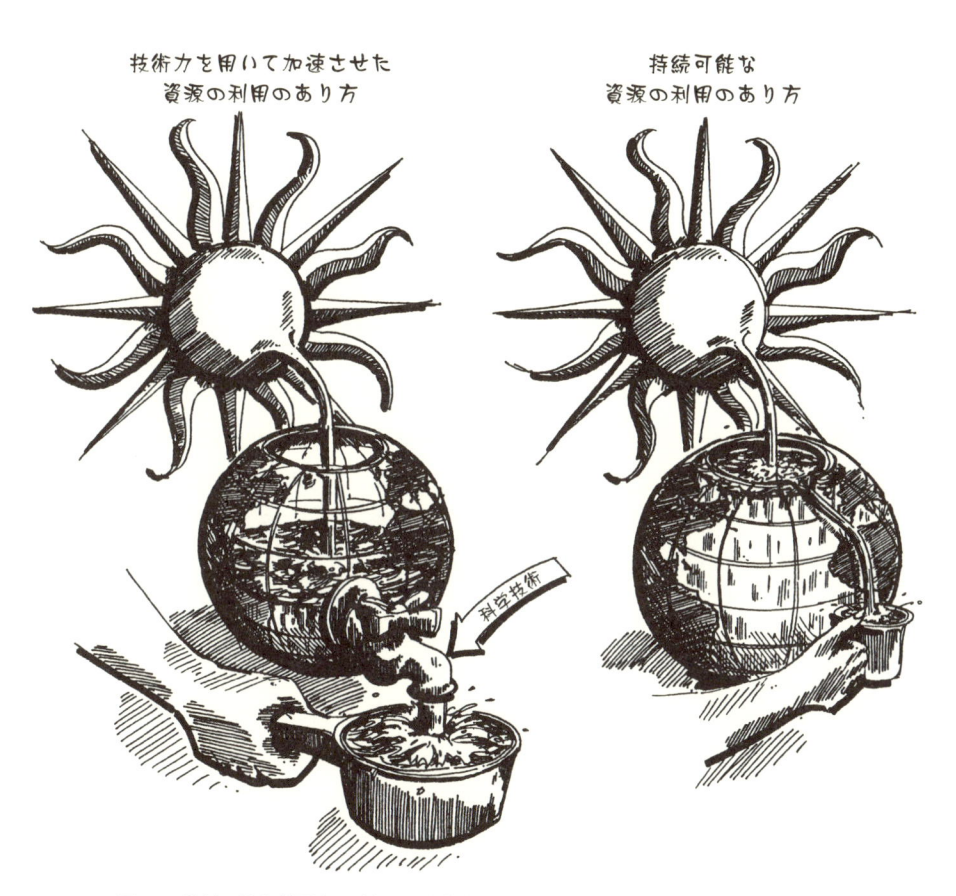

図2-1 持続可能な利用法：バケツのたとえ。
　ある一定の率で水を注がれているバケツを思い浮かべてほしい。バケツの中の水は、蓄積された資本で、これを利用する速さは、バケツに水が注ぎ足される速さと同じでなければならない。この均衡のとれた水の引き出し率は、持続可能な所得（sustainable income）の一形態である（右図）。
　同じように、自然を持続的に太陽によって補充されなければならない"バケツ"であると考える。太陽が補充するものとは、光合成によって作られる生物資本（biological capital）とその他ほとんどの生命体の基礎をなす植物質、また、太陽エネルギーによって引き起こされる気候変動、水循環、その他生物物理学的（biophysical）循環である。
　持続可能性とは、自然資本が、補充される速さと同じ速さで利用される状態を意味する（右図）。ところが、人類は、貿易と科学技術によって、次第に持続可能なレベルを大きく超えて自然を利用することができるようになり、その結果、今日の消費量は、自然所得（natural income）を超えてしまっている（自然所得とは、自然資本の"利子"のこと）。こうして、次世代には、人口が増加し物質水準のレベルアップを求める圧力が強まっているにもかかわらず、減耗した自然資本と低下した生産のみが引き継がれてゆくことになるのだ（左図）。

いのは当然かもしれない。

　ここで最も考えなければいけないのは、持続可能性に関する説が必ずしもすべて等しく正しい事実に基づいているわけではないということである。それぞれの説が依拠している前提と事実を論理的に検証し、経験的な事実に照らして"現実によるチェック"をくりかえし行ったのち初

> **BOX2-1** 持続可能性と持続可能な開発について
> 補足説明（注4）
>
> "持続可能な開発"という定義のほとんどに、人類が自然の能力の範囲内で公正に生きることの必要性が盛り込まれている。「ブルントラント委員会」の"将来世代のニーズを満たす能力を損なうことなく、現世代のニーズを満たすべき"をという提言がそのきっかけとなったのであろう。
>
> 　しかし、環境と社会に顕在化した持続可能性問題の諸症状が広く認識されているわりには、持続可能な開発の解釈とその含意は、「委員会」の報告書においてさえ、矛盾しているのだ。
>
> 　持続可能性の基本的メッセージの解釈がさまざまに対立している理由の一つは、明らかである。"持続可能な開発"という用語がそれ自体、あいまいで解釈を分かれさせる要素を持っているからである。一方では"開発"という側面より"持続可能"という部分に感情移入し、生態系の安定と社会的公正の達成された世界を理想と考え、社会の変革を求める人々が多く存在する。他方、"開発"だけに感情移入し、それを（環境と社会に）優しい成長、たんなる現状の修正版と読み替える人々がいる。
>
> 　シャラチャンドラ・レレ（Sharachchandra Lélé）は、持続可能な開発についてのさまざまな解釈は、理解不足によるのではなく、イデオロギーの違いと込められたメッセージの意味を認めたくない人々が多いためだとしている。ブルントラントの定義にさえ見られるような、持続可能性の概念における意図的なあいまいさは、力による政治と政治的取引の反映であって、学問上の解決不能な理論的対立があるわけではない。
>
> 　マイケル・レッドクリフト（Michael Redclift）は、「開発と環境についての私たち自身の思い込みを問い直し、到達した結論を実際に社会で実現しようという

めて、その説に基づく処方箋を受け入れるべきなのである。

　この観点から、"人類は、自然の与えてくれるものの範囲内で共存して生きることを学ぶべきである"という、私たちの前提を詳しく検証してみよう。

覚悟がなければ、持続不可能な開発という現実は変わらない」と述べている。

　このような、"持続可能な開発"をめぐる混迷のいくぶんかは、真の開発とたんなる成長との違いが一般に明確になっていないことが原因である。

　経済学者、ハーマン・デーリー（Herman Daly）は、"成長"を「物質的増大による規模の増大」と定義し、一方"開発"を「潜在的可能性を力強く100％開花させること」と定義して、違いを明らかにした。つまり、"成長"とは、たんに見かけ上のサイズが大きくなることであり、"開発"とは、質的な充実・改善を意味する。したがって、デーリーが考える"持続可能な開発"とは、環境収容力を超えて成長することを防ぎつつ、社会の質的進歩と向上を実現することを意味するのだ。彼にとって持続可能な"成長"は、無意味な自己矛盾以外の何ものでもない。持続可能性を"発展"させるためには、経済の総スループットを削減することが必要かもしれないし、一方では貧しい人々が今より多く消費できるようになることも必要かもしれない。

　"持続可能な開発"にはまた、以下のようなあいまいさも隠されている。

　　a）持続可能な生活を実現するための必要条件とは何か（何を目標とすべきか、また、どのような生き方が必要なのか）

　　b）目標達成のための社会政治的方法（政策立案・実施のプロセスをどうするか）

　　c）とくに現在の差し迫った問題を解決するための戦略（個別の解決をどう導くか）

　ある文脈の中で、これらの用語（持続可能性、持続可能な開発）がどのように使われているかを明確にしなければ、不毛な誤解を生むだけである。"持続可能性の開発（developing sustainability）"という用語を好む人々もいる。"持続可能な開発（sustainable development）"に比べてあいまいさが少ないと考えているからである。

ECOLOGICAL FOOTPRINT

2．強い持続可能性
持続可能性へ向けての生態学的観点での最重要条件

　地球が人類にとって唯一の住みかであるかぎり、持続可能性を達成するためには、自然の生産能力の範囲内で生きることが必要である。経済にたとえていえば、人類は、残された"自然資本"が生み出す所得の制約範囲内で暮らすことを知るべきである。

　"自然資本"とは、人類の経済活動を維持するために必要なあらゆる資源や廃棄物吸収処理機能だけではない。それには、命あるものにとって必要不可欠な"生命維持サービス"も含むべきである。生命維持機能［植物による酸素やオゾンの生成と成層圏オゾンによる紫外線からの保護、そして水循環による気候安定化など］のような生態圏の構成要素どうしの生物物理学的な相互作用と相互関係もまた"自然資本"なのである（BOX2-2 参照）。

　自然資本の生む利子あるいは所得を上回って消費すれば、生物物理学的な富は減少していく。これは、私たちの未来を損なわせることを意味する。なぜなら、技術がいくら発達しようとも、人類は、生態圏の生産力と生命維持サービスへの"絶対的依存"状態から脱することはできないからである[注6]。このように、生態学的観点からいうと、充分な土地とその土地と結びついた生産力のある自然資本は、地球上での人類存続の基本的要件である。しかも、現在、生産力のある土地の総面積と自然資本のストック（残存量）は一定、もしくは、減少しつつあるというのに、人口および平均的資源消費量は、ともに増加の一途にあるということを忘れてはならない。

　この現在の傾向が、どれだけの量の自然資本があれば充分かという疑問を私たちに想起させるのだ。問題は、今ある自然資本ストックの保全、あるいは増強に努めるべきか［＝**強い持続可能性**］。それとも、多くの経済学者が考えているように、自然資本の減少分と等しい量また

は等価値の"人工資本"で代替して埋め合わせることができるなら、自然資本の減耗をよしとするのか、ということだ[="**弱い持続可能性**"、BOX2-3参照]^(注7)。

たしかに、技術が自然資本に取って代わることのできた事例は数多くある。マイクロ波伝送と光ファイバーの出現で、銅の需要は大きく減少した。しかし、多くの場合、自然資本の代替は難しいといわざるを得ない。すなわち人工資本(たとえば、製材所)は、多くの場合、自然資本(たとえば、森林)がなければ成り立たないのだ。つまり、自然資本が健全であることは人工資本が役立つための"前提条件"なのだ。

他の場合を考えても、近い将来に、技術と人工資本が、非常に重要な自然資本(たとえばオゾン層)に取って代わるなどということはおこり得ないであろう。どんなに有利な条件下にあったとしても、代替可能性を盲目的に信じてその方向に進むことは、危険である。現状の、自然資本のストックが減少する速さと地球環境の悪化の速さを見れば、現存のストックでは、もはや長期的な生態学的安定の確保が不可能であることは明らかだ。

このような状況にあっては、"強い持続可能性"こそが生態学的に持続可能な開発に必要な条件となってくる。より具体的にいえば、各世代が、先行世代から代々受け継いだ生存に不可欠な生物物理学的な資産を、目減りさせることなく次の世代に引き継ぐことができなければ、それは持続可能な開発とはいえないということである(もし、今日の平均的な物質的水準を維持しようとするなら、この"相続"量は、予想される人口増加を考慮にいれ、"一人当たり"の量として計算すべきである)。"強い持続可能性"を支持する私たちの考え方からすれば、自然資本の「資本ストック量を世代を超えて一定に維持しなければならない」というこの条件は、人工資本のストック量とは独立して計算されるべきである(できれば、人工資本も一人当たり一定量を維持すべきであろう)。

"強い持続可能性"の考え方は、環境保護策の手法として画期的なものに感じられるかもしれない。しかし、この概念はまだまだ人間中心的なものであり、概念が及ぼす影響は限られた範囲にとどまっている。つまり、他の生物種については考慮せず、"人類の生存"のために不可欠な最低限の生物物理学的条件に重きをおいた概念にすぎないのだ。――そう、感受性の鋭い学生が気づかせてくれなければ、つい忘れてしまう、自然の味や触感、匂いといった感覚で直に捉えることができる自然の豊かさ――私たちは、これらを"自然資本"として捉えるべきなのだが、残念ながら"強い持続可能性"の概念には入っていないのだ。

　しかし、ここでいう人類にとって不可欠な生物物理学的な資産の保護

BOX2-2　自然資本について(注5)

　自然資本とは、将来にわたって有益な財と価値あるサービスのフローを生み出してくれるあらゆる種類の自然資産ストックのことである。

　たとえば、森林、魚群、帯水層は、林産物や漁獲物、そして湧水などの収穫物を毎年変わらず持続的に提供することができる。この場合、森林と魚群は"自然資本"で、持続可能な収穫とは、"自然所得"である。自然資本はまた、廃棄物吸収処理、侵食・洪水制御、紫外線からの防護など各種サービスも提供してくれる（したがって、オゾン層も自然資本の一形態である）。これらのサービスは、生命維持サービスであるが、これらのサービスもまた自然所得と捉えることができる。生態系からのサービスのフローは、多くの場合、生態系が完全なシステムとして機能することを前提としているので（つまりシステムが損なわれればフローはない）、生態系の構造と多様性は自然資本の重要な構成要素である。

　研究者は、一般に、自然資本を、再生可能、補充可能、再生不可能の三つのカテゴリーに分類する。再生可能な自然資本とは、たとえば生物種や生態系で、太陽光エネルギーと光合成を利用して、自己生産を行い、自己のからだを維持することのできるものである。

　補充可能な自然資本とは、地表水あるいは地下水、成層圏のオゾン層などである。これらのストックは、非生物ではあるが、太陽のエネルギーなどの助けを借

は、そのまま、生態系全体と数多くの重要な生物種の保護を意味している。この保護によって、他の多くの生物も間接的に利益を受けることになる。おそらく、現代社会の人間中心的な価値体系のもとでは、生態学的に正しい知識に基づいて人類が自らの利益を追求することが最善策であろう。そうすることが、生物多様性と自然の豊かさを守る道である。もちろん、人類がもっと生態系を中心とする価値観を持つようになれば、人類の存続は、いっそう確たるものとなるに違いない。自分たち以外の生物種と生態系を、かけがえのないものとして尊重し、保護することができれば、そのことがすなわち確実な人類の生態学的な意味での安全保障となるだろう。

りて、絶えず補充回復される。

これに対し、化石燃料や鉱物などの再生不可能な自然資本は、倉庫にある在庫品のように、使えば使うだけ在庫量が減ってゆく。

自己生産できる再生可能な自然資本と自己補充可能な自然資本の充分なストックは、生命維持に不可欠である（また、一般的に他のもので代替することができない）ため、この二つの自然資本カテゴリーは、再生不可能な自然資本より、持続可能性にとって重要だと考えられる。

地球の"自然資本"は、たんなる工業生産に用いられる資源の在庫という意味合いを超越するものである。自然資本は、生態圏の構成要素とそれらの間の構造的関係性すべてである。そして、システムそのものの継続的な自己生産と自己調節のために、その組織体としての統合性が不可欠である。この高度に進化した構造と機能の統合性があるからこそ、生態圏は貴重な住みやすい"環境"となっているのである。生態圏は、まさにそれを構成している生物によってつくられている。地域気象学的かつ水文学的、生態学的循環は、ただたんに栄養やエネルギーを運び分配しているだけではない。こうした循環は、人類をはじめ生きとし生けるものすべてにとって重要な地球を安定した状態に保つ機能、すなわち自己調整的な恒常性メカニズムの一環（構成要素）として捉えられるべきである。

このようなものすべてが、自然資本なのである。

ここで確認しておかなければならないのは、生態学的な目標が達成されたとしても、それだけでは、持続可能性のための充分条件とはならないということである。短期の行動と長期の政治的な安定のために必要な合意を形成するためには、最低限の社会経済的な条件といったものもまた満たされなければならない。つまるところ持続可能性とは、満足のいく生活の質を万人に保障するという意味なのである。したがって、最も重要なことは──今日、"遠のきつつある"ように思える目標であるが──国内においても国家間においても、物質的な平等と社会的な公正が基本的要件として達成できるよう努めることである。

> **BOX2-3　強い持続可能性か、弱い持続可能性か**
>
> "弱い持続可能性"で充分、と考える経済学者は多い。
> この考え方によれば、社会は、人工資本の残存量（ストック）の合計が減少していかないかぎり、持続可能であるとされる。要するに、減耗した自然資本をそれと等価の人工資本で代替することをよしとしているのである。たとえば、森林が失われ、その森林が生み出したであろう所得が手に入らなくなっても、森林伐採という自然資本の流動化による収益の一部が何かを製造する工場に投資され、等価の所得を稼ぎ出す機会が確保されたならば、何の問題もないとなる。
> これに対し、さまざまな形態の自然資本の働きによる、今だ解明されていない自然サービスと生命維持機能がある可能性を認め、万一、自然資本が回復不能な損害を被った場合のリスクの大きさを認識するのが"強い持続可能性"である（森林は、木質繊維を提供する他に、洪水・土壌流出防止機能、熱分配、気候調整など、非市場的なさまざまな機能と価値を持っているのだ）。
> 強い持続可能性を達成するためには、自然資本のストック量が、人工資本の量とは無関係に一定に保たれることが必要である。また人工資本ストック量も一定に保たれるべきであり、あらゆる種類の資本減耗がおこってはならないと主張する研究者たちもいる。私たちもそうあるべきだと考えている。しかしここでは、生命維持を可能にしている自然資本ストック量を維持することの重要性を主張したい。人口と物質的需要が増大すれば、自然資本ストックは確実に増強されなけ

さらに、私たちは地球という共有財産（グローバル・コモンズ）を保全するという人類共通の責任を一人ひとりが担っていくという決意を持たねばならない。これは競争主義的経済のグローバリゼーションという空疎なレトリックのただなかにあって、なかなか聞き入れられることのない主張である。しかし、これまでに述べた諸条件を満たすことができなければ、地球環境の悪化とそれによって必然的に引きおこされる紛争をお互いに一致団結して防止することは到底不可能であろう。
　以上は、持続可能性のために必要な最重要事項である。これを理解した上で、次にこれらの条件を実現するのにはどうすればいいか、考えねばならないということを思い出してほしい。増やすべきものは、一人当たりの自然資本である。

　"弱い持続可能性"アプローチの弱点は、デービッド・ピアース（David Pearce）とジャイルス・アトキンソン（Giles Atkinson）の研究によって明らかにされている。二人は、自然資本と人工資本は代替可能であるという"弱い持続可能性"を前提としつつ、18カ国の持続可能性を比較した。そして、人工資本と自然資本の減耗量を上回る量（貨幣タームでの）貯蓄増加がある場合には、その経済は持続可能であるとする評価基準を設定した。その結果、日本、オランダ、コスタリカが、持続可能な国のトップにランクされ、最も非持続的とされたのは、アフリカの最貧国に属する国々であった。

　この対比を見れば、"弱い持続可能性"の生態学的な観点からいえば、適切なアプローチではないことがよくわかるだろう。このアプローチには、いわゆる富める国々の貯蓄の大部分は、他の国々の自然資本の減耗と地球共有資産の収奪的利用によってもたらされたものであるという認識が決定的に欠けているのだ。たとえば、日本とオランダの見かけ上の経済的持続可能性は、海外からの大量輸入によって担保されているのだ（BOX3-5参照）。こうした国々の高い物質的水準は、他の国々（この中には"持続不可能"とレッテルを貼られた国）との間で、目には見えにくい生態学的赤字を生み出すことによって可能となっているのである。

ばならない。しかし、具体策を立てるにあたっては充分慎重でなければならない。なぜなら、私たちが現在抱えている問題の多くは、これまでの"急場しのぎ"的対策に原因があったからである。この点では、「ブルントラント委員会」の提案でさえも、科学技術的解決に偏った小手先の対策の域を脱していない。

ブルントラント委員会の対策案

　WCED（環境と開発に関する世界委員会）の"解決策"は、WCED自らの持続可能性定義と矛盾していると批判する人は多い。たしかに、なぜかWCEDは持続可能性の定義の細部の詰めの段で、あいまいな態度をとっている(注8)。「委員会」の「報告書」である『地球の未来を守るために』には、"ニーズ"は、"世界の貧しい人々の生存に必要不可欠なニーズで、最優先されるべきもの"と、定義されている。また、"技術水準と社会的組織のあり方が、（これらニーズを満たすのに）必要な環境の能力を制約している"と述べている（「報告書」邦訳版p66）。環境保護と社会的平等に関心を持つ人々は、この"貧しい人々の生存に必要不可欠のニーズ"と"制約"という言葉を、世界の経済的不公正と物質的成長の限界を政治課題として承認させるための訴えであると受け取った。それがゆえに、この「報告書」は、多くの主要な環境保護グループの支持をしっかりと取りつけることができたのである。

　しかし、これには別の側面があり、まちがいなくどこの企業の重役室でも熱狂的に受け入れられる類の主張としても読み取れるようになっていた。「報告書」は、こう断言して彼らを安堵させている。"持続可能な開発とは、調和状態に静止し続けることではない。資源の利用や技術の開発、制度の改革が、現在のニーズに呼応し、かつ未来とも矛盾しないようなかたちで実施される、変化の過程である"（邦訳版p29）。

　実際、よく読んでみると、委員会が認めている"制約"とは、たんに社会的、技術的限界であることがわかる。したがって、持続可能な開発

の達成は、意思決定過程へのより広範な参加や新たな形の多国間協力、新技術の普及と共有、国際投資の増強、多国籍企業の役割の拡大、"人為的"通商障壁の撤廃、世界貿易の拡大にかかっているということになる。

　要するに、ブルントラント委員会は、"途上国は、経済成長と多角化によって、農村環境への過重な圧力を軽減することができるであろう"という見解のもとに、持続可能な開発と"先進工業国と途上国両者におけるさらに急速な経済成長"とを同一視したのである（邦訳版 p118）。これと同じ解釈で、"世界人口の安定化は21世紀中におこるだろうと予測されているが、そのときには、世界の工業産出高は5倍から10倍になっていると予測される"と述べている（邦訳版 p255）。

　これは、驚くべき成長率のように思えるかもしれないが、今後50年間の平均成長率が毎年3.5〜4.5％程度であるという意味にすぎない。第二次大戦以降の世界経済生産高は5倍になったが、定率にすれば、この程度の成長率がもたらしたものだ。

　「委員会」では、この経済拡大によって環境負荷が増大することを認めて、持続可能な開発の定義に、より物質効率やエネルギー効率のよい資源の利用、環境に優しい新技術、"開発に際し生態系保存の義務を尊重する生産システム"（邦訳版 p91）という意味を持たせたのである。

　「報告書」には、明らかに次の二点がまったく欠落している。貧困と不平等がなぜ発生するのかという原因についての分析、そして、ここで目標とされている経済成長がどんな生産システムのもとでも生物物理学的に持続可能なものとなるかどうかについての分析である。さらに、貿易自由化と現行の効率向上こそが持続可能性達成の障壁となっているのではないかという議論からも目を背けてしまっている（第4章参照）。

　このような理由で、「委員会」を批判する人々は、経済成長ばかりを重視する持続的開発理論を"現社会の多数派に取り込まれ、成長主義理論の最もよくない部分を目新しい装いで生きながらえさせようとする、危

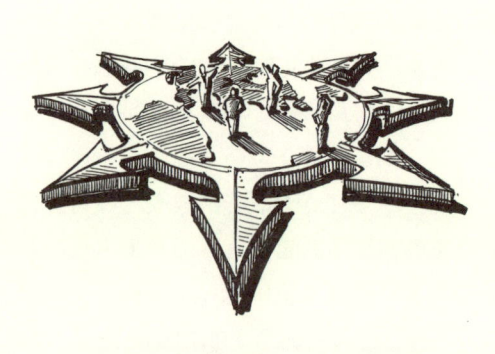

図2-2　平面地球経済学と球体地球経済学。
　従来の経済学は、"平面地球"経済学といってよい。これは、暗黙の前提として、世界を、限界なくあらゆる方向に拡大するもの、かつ経済成長に何ら深刻な制限を課さないものとしている。
　一方、エコロジー経済学は、世界を有限の球体とみなす。資源はすべて地球から生じ、劣化して地球に戻る。外部からの唯一の所得は、太陽エネルギーである。太陽エネルギーによって、物質は循環し、網の目のように連関した地球上の生命はエネルギーを得る。したがって、経済活動は、究極的には生態圏の再生産能力に規定されているのだ。

険なもの"と位置づけている。名の知れた評論家でさえ、"土地を、美化されたゴルフ場や郊外の悲惨なスラム街、垂れ流しのごみ捨て場（いわゆる廃棄物埋立場）に、もっと転用して、際限ない消費をせよと説く、変わりばえのしない古くさい経済思想を隠ぺいするために使われている危険な用語"であるとして、「委員会」の"持続可能な開発"という言葉の用法を批判している(注9)。

　持続可能性の定義をめぐり、さまざまな利害の大きな対立があり、またそれについて人々に大きな失望を与えていることは、以上の理由からすれば、起こるべくして起きたといえよう。今日の物質的成長指向の世界にあっては、政治的によしとされることは、生態学的な観点では大破滅を招くことであり、生態学的な観点で必要とされることは、政治的には実行不可能なことなのである。したがって、生態学的な観点でゆずれない点をふまえた持続可能性達成の方針を立てることができるかどうかは、生態学的な現実性と政治的な現実性をどう一致させるかにかかって

いる。

　ここに、エコロジカル・フットプリントの出番があるのだ。つまり、それは、持続可能性に関する共通の理解を育て、新たな対策が打ち立てられたとき、その影響を予測するのに役立つ。さらには意識啓発のためのツールであると同時に、"強い持続可能性"を開発計画の中に具体的に盛り込むことのできる実用的なツールとして活用できるのである。

ECOLOGICAL FOOTPRINT

3.エコロジカル・フットプリント
持続可能性達成のための計画立案ツール

持続可能性の達成度を評価する：すべきこととすべからざること

　経済の自然資本の必要量を計る単位を見つけることができれば、"強い持続可能性"は説得力を持つことができる。

　「自然の生産力は、将来においても人間の経済活動の需要を無限に満たすことができるだろうか」

　持続可能性を考えるにあたって、この問いが重要であることは火を見るよりも明らかであるが、政府や企業、大学などの政策アナリストたちは、知らぬふりを決め込んでいる。

　問題は、一つには、従来型の経済モデルが、労働、資本、情報などの生産要素をほぼ完全に代替可能であると主張し、より集約的に使えば、確実に生産量が増加するという前提に立っていることにある。また、資源の制約があってもすべて貿易によって解決できるという前提さえある。つまり、従来のモデルは、無限に成長可能な環境収容力を持つ世界を前提としているのである。

　さらなる問題は、従来型の経済分析は、GDP（国内総生産）の算定基準が示しているように、家計・企業間の交換価値の循環（マネーフロー）を基礎としているということにある。自然資本や自然所得、そこに生じ

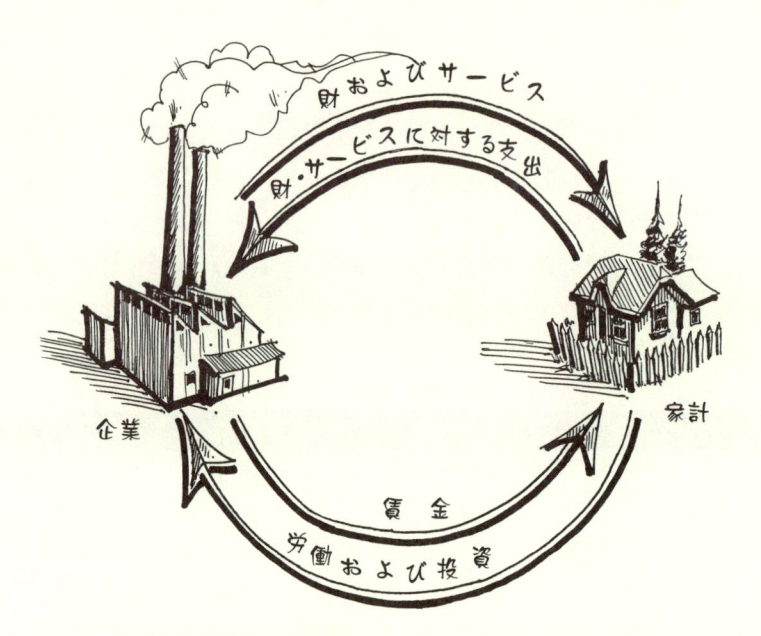

図2-3　経済学的世界観から見た循環。
　従来の経済学は、見かけ上自己再生産をくりかえしているかのようにみえる市場における企業と家計間の循環に重点をおいている。そのため、非市場的労働（たとえば家事やボランティア活動）や自然界が供給するサービス（ecological service）の価値を説明することができない。また、経済を支えている不可逆的でかつ単一方向の物質フローも説明できない。

るエネルギーや物質の循環はまったく分析の対象とされていない点である（図2-3）。現在主流となっている成長モデル・持続可能性モデルは、生物物理学的な意味での"インフラストラクチャー（＝経済の基盤としての生態圏）"や時の流れとともに続く生態圏内の物質循環について、一顧だにしていないのである（図2-4）。これらは、経済活動の基盤であり、生態学的にみて賢明な政策判断のための基礎的かつ極めて重要な情報である。最も重要なのは、熱力学の第二法則（エントロピー増大法則）の近代的解釈についての言及がまったくないことである。この法則は、経済を、生態圏に埋め込まれた、複雑な"エネルギー散逸構造"とみなしている（詳細についてはBOX2-4を参照）。

　このような重大な欠陥ゆえに、現在主流となっている経済分析では、

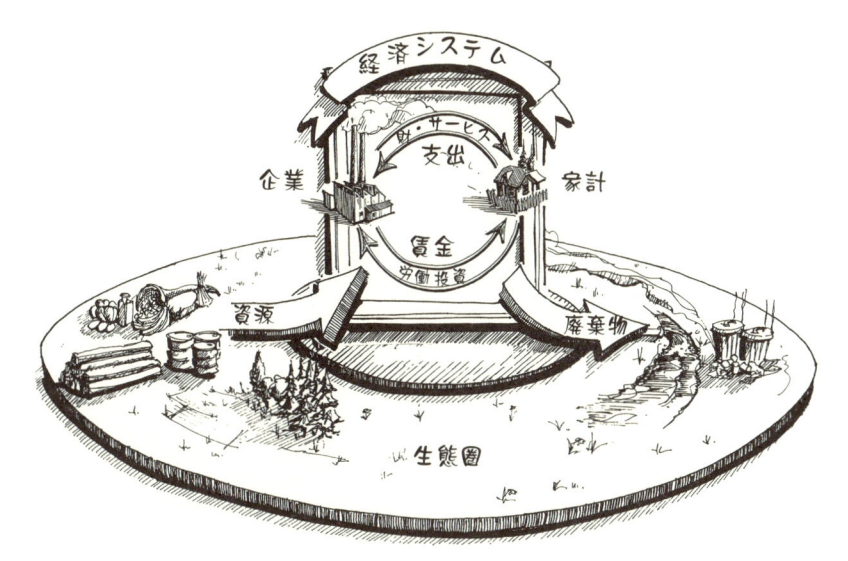

図2-4　生態学的世界観。
　循環は、生態圏から流入し、また生態圏へ戻っていく自然の財とサービスの単一方向のスループット（throughput）によって、維持されている（これは"自然所得"の流れである）。経済を通過していくエネルギーすべてと物質の多くは、恒常的に"環境"中に放散され、再び利用されることはない。

生態学と熱力学から提起された多くの重要な課題を感知できないのである（つまり、主流の経済モデルにとって、これらの問題提起は盲点であるのだ）。環境収容力に対する無関心は、広く使われている経済分析のモデルが優れているからではなく、その概念に弱点があるからである。

　エネルギーや物質、その他のさまざまな自然所得がどれだけ供給されているのかをモニターするためには、自然資本のストックとフローを、"物理的な"測定単位で表示するか、あるいはドルで表示される株価や市場の財・サービスの時価などのように"価格"ベースで表示するかの二つの方法がある。

　いうまでもなく、価格は社会生活において欠かせない役割を果たしている。財務分析は、予算を策定する際に、あるいは学校や病院、劇場を

どのように建てるかを決定する際に重要である。また、経営上の意思決定も、財政分析抜きには考えられないであろう。しかし、私たちは、価格ベースによる分析を、持続可能性に関する問題、すなわち自然資本の制約についての評価をする際に使うには、致命的な欠陥があると考えている。資源の希少性や自然資本の減耗の表示に価格を使うのは、少なくとも以下に挙げるよう、誤りであると考えられる（図2-5）(注10)。

1)「自然資本のストック量を一定に維持する」という条件を価格ベースで表わすと、物理的なストック量が減少しつつあることを見えにくく

BOX2-4 エントロピーの法則と経済と生態圏をめぐる難問

　熱力学の第二法則（エントロピーの法則）では、孤立した系（システム）のエントロピーはつねに増加すると定義している。

　これは孤立系（システム）は、放っておけば自らじょじょに劣化していくということを意味している。利用可能なエネルギーがすべて使われてしまい、すべての物質の濃縮・純度の程度（concentration）がじょじょに拡散してゆき、すべての勾配・傾度［gradients、さまざまな物理的な差、たとえば、温度や湿度、密度の差］が消滅していく。ついには、有用な働きはまったく望めなくなり、孤立システムは完全に劣化し、"乱雑・無秩序な状態"になるということを意味する。

　このことは、持続可能性問題にとってひじょうに重要な意味を持っている。

- 非孤立システム（人間のからだや経済など）は、孤立システム同様、エントロピー的な劣化の法則の支配を受けている。これは内部の秩序と純度を維持するために、つねに高純度のエネルギーと物質を外界から取り入れ、劣化したエネルギーと物質を外界に排出しなければならないことを意味している。実際、このエネルギーおよび物質の"スループット"は、一方向にしか進まず、非可逆的（irreversible）である。
- 熱力学の第二法則を現代風に定義すると、「高度に秩序を保ち、均衡から外れた複雑なシステムは、すべて、必然的に、"階層的に上位のシステム（上位システム）の無秩序を増大させるという犠牲を発生させながら"、自ら発

するおそれがある。

　経済学者の中には、持続可能性を目指して自然資本のストック量を一定に維持するためには、その自然資本の貨幣価値、あるいは、自然資本から得られる所得をほぼ一定に保てば、満たされるはずだと主張するものがいる。

　この新古典派経済理論によれば、次第に希少になっていく資源商品の限界価格は上昇するとしている。この前提が正しいとすれば、物理的な自然資本のストック量が現実には減少しつつあっても、価格上昇によって、ある特定のストックから得られる所得、あるいは、その自然資本の

　展・成長する（自己システム内部の秩序を増大させている）」ということになる*。
- 人間経済システムは、以上のような高度に秩序化された複雑かつ動的なシステムである。一方、生態圏は、物質の出入りのない、拡大しないシステムであるが、人間経済にとっての上位システムである。人間経済は、生態圏の下に位置する"開放的・下位システム"（open sub-system）なのである。したがって、経済は、生態圏の低エントロピー状態のエネルギー物質（essergy）の生産力に依存し、同時に生態圏の廃棄物吸収処理能力に依拠しつつ、自らのシステムを維持、成長、発展していることになる。
- このことは、経済成長（人口の増加や人工資本の蓄積等）が続くときに、ある限界点を超えると、生態圏という上位システムの無秩序・乱雑さ（エントロピー）の増大という犠牲によってのみ経済成長が可能となることを意味する。
- このような事態は、経済による消費量が自然界の生産力を上回るときにおこり、自然資本減耗が加速され、生物多様性の減少、大気・水・土地の汚染、気象変動などの発生を引きおこす。

＊ E. Schneider and J. Kay, 1992. Life as a Manifestation of the Second Law of Thermodynamics. （Advances in Mathematics and Computers in Medicine. （Waterloo, Ont.: University of Waterloo Faculty of Environmental Studies, Working Paper Series の予稿）

図2-5 世界を貨幣単位という尺度で計ると、持続可能性には自然の制約があることが見えなくなる。貨幣による評価の限界を認識すること、それが"弱い持続可能性"（weak sustainability）批判のためのもう一つの論拠となる。すでに述べたように、"弱い持続可能性"は、自然資本と人工資本の間に"代替性"があることを前提としている。すなわち自然資本を同額の人工資本に換算したり、あるいは同額の所得算出能力に換算することで自然資本を人工資本に簡単に代替することを認める立場をとる（代替性は正しくはないのだが……）。これに代わるアプローチは私たち人間がどれだけの自然資本を必要としているかを、生態学、生物物理学の単位で評価しようとするアプローチである。

総価値は一定に保たれることになる。こうした貨幣所得やストック価値が一定であるとする説が、実際には、自然資本の残存量は減少しているというのに、自然資本のストック量は不変であるという誤った認識をもたらすのだ。

　また、市場外の要因や採掘技術の改良などによって、ストック量が減耗しているのに、あたかも資源が過剰であるかのように、価格が下落する場合もあるだろう（近年の鉱物、化石燃料価格の例に見るとおり）。どちらの場合も市場価格が自然資本のストック量の減耗を隠ぺいしてしまうのである。

　2) 生物物理学的な希少性、あるいは自然資本の劣化によるその機能低下は、市場にはほとんど反映されないものだ。一般的に、市場価格は、自然資本のストックの残存量とはまったく無関係であるし、市場価格から、資源量が回復可能な最低臨界点を下回ったかどうかを知ることもできない。

　つまり、価格から、ストックの残存量と、生態系の脆弱性を知ることはできない。そこに見えるのは、ただ商品の市場における短期的な不足だけだ。もっと厳密にいえば、市場価格は、資源の市場での希少性よりも、短期的需要や技術水準（資源採取、加工、取引費用など）、競争の激

図2-6　キャリング・キャパシティは、伝統的には、ある特定の生息環境（habitat）において、永遠に扶養することができる、ある生物種の最大個体数と、定義されている。

しさ、代替品の入手の可能性などに大きく影響される、ということだ。

　たとえば、補助金、低価格燃料、ハイテク冷凍工場化した船によって、トロール漁業を行う大漁業会社は、かつては漁獲不可能だった北大西洋の底生魚資源を漁獲できるようになった。これにより、底生魚資源量は減少し続けていたにもかかわらず、市場への供給は、安定していたのだ（しかも供給安定に伴い低価格であった）。いずれにせよ、魚は、豚肉や鶏肉といった代替品との価格競争にさらされており、たとえ、漁場が枯渇しても、その魚種が暴騰することはない。

　市場価格は、自然資本のストックが希少かどうかを示す指標として不適切だ。それは、自然界が複雑に変化するためである。従来型のモデルは、供給と価格の変化が円滑で可逆的であることを前提としているが、自然のシステムは、タイム・ラグや突然の不可逆的変化（または、ひじょうに長い時間を要する回復過程）など、市場には表れないいくつものシステムの動きにその特徴があるのだ。

　3）「割引」（discounting）という発想を含む価格ベースによる分析は、

意図的に、未来に対し、偏った見方をするものとなってしまう。

　ちょっと考えてみてほしい。人生76年として、ある人が寿命間際に1ドル相当のサービスを自然から受けるものとしよう。割引率が5%だとすると、76年後に受け取る自然のサービス1ドル分の現在価値は、たった約2.5セントということになる。いってみれば、利子率5%で銀行に預けた2.5セントが、76年間でようやく約1ドルに増えるということだ。割引という発想を持つことによって、自然は、時を経るにつれどんどんその価値が下がっていくのである。

　人間の生活は、自然の存続なくては成り立たない。つまり、あたりまえのことだが、一人当たりが必要とする自然が提供する基本的な財とサービスの種類や量は、未来の世代においても、私たちが今日必要としている種類や量とまったく同じなのである。それは、これらの財とサービスの貨幣ベースの割引現在価値にはまったく関係しないのだ。

　にもかかわらず、私たちは日々自然を安売りして開発に走っている。なぜなら、目先の短期的な利益のほうが計算上の将来予定の収益の（割引）現在価値より大きいために、そうなってしまうのだ。

　次の例で考えてみよう。私たちが今、ショッピングセンター建設のために農地をつぶすという行為を行うとしたら、それは、農地の消滅によって失われる自然の生産力の将来価値を知っており、なおかつ、ショッピングセンターのもたらす貨幣ベースの予測収益がこの損失を補ってあまりあるということを前提として考えているからである。

　しかし、今日の不確実な世界にあって、この二つの前提、つまり"自然の生産力の将来価値を知ることができる"という前提と"人工資本のもたらす将来収益が、農地がなくなったことにより減少した便益を上回る"という前提の危険性は、ますます高まっている。ショッピングセンターという人工資本の価値がもたらす将来の金銭的収入を予測することが難しくなってきているのだ。まして、食料という自然所得の明日の需要がどうなるかなど、人工資本の価値からは知ることができない。

今日の市場がどうあれ、環境崩壊が目に見えて差し迫ってくるにつれ、自然資本は、今後ほぼ確実に、人工資本をしのいで人間の暮らしにおける重要性を増すであろう（まったく市場の介在がないのに、成層圏オゾン層の実効価格が、ほんの数年のうちに、ゼロからほぼ無限まで上昇したことがその例として挙げられる）。このように考えると、"自然のサービスを割引く"という従来の経済手法は、体系的に未来に対する危険な偏見を導くものといえよう。

4）市場の大幅な変動という特性を考慮に入れると、貨幣価値を指標とすることの利点は、さらに少なくなると考えられる。

市場が変化することにより、自然資本の価格は変動するかもしれないが、その生態学的な価値および生態系の中での機能は不変である。世界的な価格変動は、地域ごとの事情や地域間の差異とはまったく無関係に発生する。しかし、さまざまな地域の相対的経済力には大きな影響を及ぼす。それにより、各地の自然資本につけられる価値が変動してしまうのだ。その結果、たとえば農地に備わった生産力と長期的食料確保に果たす役割は不変であるのに、貨幣価値（金額）と市場が変動することで、農地保全管理政策が変更を余儀なくされることがある。

5）代替財［銅線と光ファイバーのように、ある目的遂行のためにお互い代替できるもの］と補完財［森林資源とチェーンソーのように、ある目的遂行のためにそれぞれが補完し合っているもの］の違いは、貨幣で表示された価値（金額）からはわからないものだ。

金額ベースの貸借対照表においては、同じ価格の財は人間の暮らしにとって同じ値打ちを持つものであるかのように、どれも同じように足したり引いたりされる。つまり、価格が同じであれば、重要なものもありふれたものも同等の価値があるとされている。しかし、実際にはそうではない。自然の財とサービスの多くは、それなしには生活が成り立たないというほど根本的なものである。したがって、たとえ人工の製品と同じ価格であっても、必ずしも価値は同等とは限らない。

工業用のさまざまな資源には、たしかに代替可能性があるものもある（データ通信において、光ファイバーが銅線に取って代わりつつあるように）。だからといって、すべての自然資本と人工資本の間で機能的等価性が通用するわけではない。いったん自然資本が過剰な利用にさらされてしまうと、どんなに人工財を費やしても、その自然資本の欠損を埋め合わせることができない場合が多くあるのだ。

私たちの食卓に魚がのるためには、魚の群れと漁船がともに必要である。しかし、たとえ漁船と缶詰工場の価値が、貨幣タームで、魚群の価値と同じであったとしても、もし自然のストックであるその魚群が獲りつくされてしまったら、世界中のすべての漁業設備と加工プラントをもってしても、一匹の魚さえ供給することはできない。

つまり、多くの場合、自然資本は、人工資本の価値が発揮されるための（人工資本が意味を持つための）前提条件となっているのだ。逆は成立しない。

6) 貨幣量の増大の可能性は、理論的には無限である。そして、このことが、経済成長には生物物理学的な限界がある可能性を覆い隠してしまう。

ハーマン・デーリー（Herman Daly）の比喩を引用すれば、貨幣ベースでの分析には、船舶の最大積載量を示す満載喫水線（プリムソル標）にあたる概念はない、ということになろう［満載喫水線はプリムソル標ともいう。満載喫水の制限を定めた商船法の成立に尽力したSamuel Plimsollから］。過剰積載（過剰成長）は、ついには船を沈めてしまう。パレート効率（マクロ経済学の経済の健全さの評価基準）は、沈みゆく船が傾かないよう荷物の最適な配置方法を教示するだけである。しかし、最大積載量を超過した過剰積載船はいずれにせよ沈む運命にあるのだ［このようにパレート最適が達成されたとしても、船は"最適"に傾かずに、沈むだけで沈没することには変わらない］。

7) おそらく最も重大な問題点は、成層圏のオゾン層、窒素固定、地

球の熱分散、気候の安定化など、多くの重要な自然資本とその生命維持機能には市場がないということである。自然保護と持続可能性に関する従来の経済的理論は、おもに市場に出すことが可能な資源商品（たとえば木材や製紙原料）の貨幣価値を対象とするのみで、それらを産み出す自然資本（たとえば森林生態系）の無形の（しかし、資源商品より本源的な価値のある）非市場的機能については、把握する術をまったく持っていない。

自然資本の非市場的な生命維持機能は、資源の採取によって破壊されてしまう。それゆえ、今日の経済学者たちが、"自然に価格をつける"ための研究に専心するのも頷ける。しかしながら、よく知られている環境財とサービスでさえ、適正な潜在価格を確定できるものは、ひじょうに少なく、何らかの破壊がおこってから初めて存在が知られるような（また、もともと知ることができないような）多くの機能に対して、正しい潜在価格を決めることなど不可能なのだ。このような状況の下、価格は、資源の希少性を示す指標としてはまったくの失格者である。

以上の七つの理由により、貨幣ベースの分析では、生態系の持続可能性へ向けての必要条件を明らかにすることはできないことがおわかりいただけたと思う。価格ベースの評価手法では、生物物理学的な希少性、社会的公正さ、生態系の持続性、均衡状態からはずれた生態学現象、構造的・機能的な健全性、時間的不連続性を伴う生態系の動き、複雑系の行動などを上手に扱うことができないからである。

生態学から学ぶ：人間の環境収容力を再考する

経済活動に対して自然資本から制約条件が突きつけられているという新たな論点での論議を進めるためには、今一度、"環境収容力"（キャリング・キャパシティ、人口扶養力）という生態学の基本概念に立ち返って考える必要がある[注11]。人間に関する地球の環境収容力という概念は成り立つだろうか。環境収容力は、狩猟区管理に使われ、ふつう次のよ

うに定義されている。
「ある特定の生息環境において、その生息環境の生産力を永久に減じることなく、永続的に養うことができる、ある特定の種の最大個体数」
しかし、この定義は人間にはあてはまらないように思える。人間は、

> **BOX2-5** 人間についての環境収容力(キャリング・キャパシティ)概念小史 (注13)
>
> 人類が文字を持つ何千年も前から、人々は、人間と土地との関係に大きな関心を持ってきた。
> 中国や初期キリスト教の学者たちには、環境破壊を懸念する者も多くいた。プラトンは、以下の言葉に示されているように、人間についての環境収容力（キャリング・キャパシティ、環境容量）について初めて記述した人物だろう。
>
> 「市民人口がどれほどが適切かということは、国土と近隣の国家を考慮せずに決めることはできない。国土は、ある一定の人口を適度の快適さで扶養できるに充分なだけ広くなければならないが、それ以上は必要ない」（『法律』第5巻より）
>
> 英語で書かれた最初の持続可能な営みについての学術書は、1664年に出版されたジョン・エベリン・シルバ（John Evelyn Sylva）の『森林、樹木、伐採林の繁茂』（A Discourse of Forest, Trees and the Propagation of Timber）であろう。人間の要求に対する自然の能力の限界について北アメリカの科学界に論争を巻きおこしたジョージ・パーキンス・マーシュ（George Perkins Marsh）の研究、『人間と自然』（Man and Nature）が出る200年前である。
> 環境収容力の評価の基礎となる生態会計学（ecological accounting）の誕生は、少なくとも、1758年にまで遡ることができる。この年、土地の生産力と富の創出との関係について論じる、フランソワ・ケネー（François Quensney）の『経済表』が出版された。
> 以来、多くの学者が、人間と自然の関係を分析するための概念や手法、計算法を発展させてきた。その中には、人間の活動を支えるために必要なエネルギー・フローに注目するものもいた。
> たとえば、1865年、スタンレー・ジェヴォンズ（Stanley Jevons）は、『石炭

競合する種を駆逐することによって、希少な資源を外部から輸入することによって、また技術によって、自らの力で環境収容力を増加させることができるかのように見えるからだ。事実、人間の環境収容力という概念を一刀のもとに切り捨てるのにいつも使われるのが、貿易と技術とい

> 問題』(The Coal Question)において、大英帝国の経済活動におけるエネルギー資源の重要性を分析している。
>
> 　1800年代後半、セリー・ポドリンスキー(Serhii Podolinsky)は、農業エネルギー論の分野を開拓。その後の年月、優れた物理学者のラドルフ・クラジウス(Rudolf Clausius)とラドウィグ・ボルツマン(Ludwig Boltzman)と後にノーベル賞を授賞するフレデリック・ソディ(Frederick Soddy)は、経済発展におけるエントロピーの法則の意味を考察した。
>
> 　アルフレッド・ロトカ(Alfred Lotka)は、1920年代に生物学にエネルギー分析を導入。1970年代には、経済学者ニコラス・ジョージェスク゠レーゲン(Nicholas Georgescu-Roegen)は熱力学の経済学への応用を試みた。
>
> 　このほか、環境収容力が経済にとっての必要不可欠な要件であることをより明確に検証した人々がいる。
>
> 　1798年に、トーマス・マルサス牧師は、『人口論』において、次第に大きくなる人口を養うには農業の能力に限界があるのではないかという論点を提起した。
>
> 　驚くなかれ、エコロジカル・フットプリントの概念にも先駆者がいる。スタンレー・ジェヴォンズは、上記の『石炭問題』において、次のように述べている。
>
> 「北アメリカとロシアの平原はわれわれ(英国)の小麦畑、シカゴとオデッサは穀物倉、カナダとバルト諸国は木材源の森林、オセアニアは羊の牧場、アルゼンチンと北アメリカのプレーリーは牛の放牧場。ペルーからは銀が、南アフリカとオーストラリアからは金が流れ込む。インド人や中国人からは茶。私たちのコーヒーや砂糖、香辛料を栽培する農園はすべてインド諸国にある。スペインとフランスにはぶどう畑、地中海沿岸には果樹園、そして長い間アメリカ南部を占有していた綿花畑は、今や地球上の温帯のいたるところに広がりつつある」
>
> 　40年後の1902年に、物理学者レオポルド・ファウドラー(Leopold Pfaundler)

う理屈である。

　しかし環境収容力を増大させることができるという、この理論は誤りである。皮肉なことに、近い将来、人間は環境収容力の増大どころか縮小という唯一最大の課題に直面するであろう。なぜそうなるかは、ウィ

は、地球の環境収容力を算出し、自然の生産力が扶養できる人口の上限は、1ha当たり5人と結論づけた。

　北アメリカでは、ウィリアム・ボゴット（William Vogt, 1948）とファーフィールド・オズボーン（Fairfield Osborn, 1953）が、環境収容力の問題に新たな学問的関心を高めるために貢献した。

　ジョージ・ボーグストローム（George Borgstrom）は、1960年代から1970年代初めにかけて多くの書を著し、資源消費を"幽霊面積（ghost acreage）"という用語で分析した。これは、輸入された農産物の環境収容力を指している。

　私たち著者の一人であるリースは、1970年に"地域カプセル"概念を開発した（これが最終的にエコロジカル・フットプリントとなる）。この地域カプセル概念は、学際的な学科であるコミュニティー地域計画学研究科の院生たちに、人類の環境収容力について考えさせるための教育ツールとして活用された。

　1980年、ウィリアム・キャットン（William Catton）は、オーバーシュート（長期的な環境収容力の一時的超過）とそれがもたらす集団の崩壊を論じて、人間の環境収容力論争に新たな次元をつけ加えた。また、G・ヒギンズ（G.Higgins）らは、1983年に国連食糧農業機関（FAO）に、途上国の人口扶養能力を分析した専門的な報告書を提出した。1985年、当時世界銀行にいたレグナー・オーバビー（Regnar Overby）が、環境収容力に対する要求度によって、経済を比較することを提起した。

　さらに1986年、M. A. ハーウェル（M. A.Harwell）とT. C. ハッチンソン（T. C.Hutchinson）は、核戦争後に生じるであろう環境収容力の喪失を分析した。最近では、1993年に、オランダの「地球の友」が、各国の地球の生産力および吸収処理能力の公正な持ち分を算出するために、"エコ・スペース（環境空間、environmental space）"概念を提起している。

　以上は、人類の環境収容力に関する研究のほんの一部である。

（BOX2-5　人間についての環境収容力概念小史）

リアム・キャットン（William Catton）にならい、環境収容力を最大個体数ではなく、人間が生態圏に持続的に課すことができる安全な"負荷"の最大値と定義すると、いっそう明瞭になるだろう。

　人間が与えている負荷は、人口の変数であるだけでなく、一人当たりの資源の消費量の変数でもある。そして、一人当たり資源消費は、皮肉にも貿易と技術の発展のおかげで、人口増をはるかにしのいで増加しているのだ。これを、キャットンは次のように表現している。

　「世界は、より数多くの人々からだけではなく、実質上"より大柄な"人々から扶養義務の履行を求められているのだ」[注12]。

　その結果、環境収容力にかかる負荷圧力は、たんなる人口増による負荷圧力よりもはるかに急増している。このことは、技術的、経済的、文化的に何を達成しようとも、私たち人類は、生態学的存在であるという紛れもない事実を私たちに突きつけているといえる。他のすべての生物種と同じく、私たち人類は、自然から採取されたエネルギーと物質資源に依存して基本的ニーズを満たし、さまざまな製品の生産を行っている。これらのエネルギーと物質のすべては、最終的に、生態圏に廃棄物として還元される。したがって、人類の"生態学的な地位"を正しく把握するには、利用可能なエネルギーおよび物質の経済への流入と、減耗あるいは分解したエネルギーおよび物質（つまり廃棄物）の生態系への還流の全体像の解明が不可欠なのである。

　経済への生物物理学的な"スループット（資源の流入量）"を分析すれば、産業を通して人類は地球上の主要な生態系の大部分を支配する強大な消費者であることがわかる。前述のように、1986年の時点で、何百万もの種のうちの一つである人類は、すでに直接あるいは間接的に陸上の光合成による純生産物の40％を"収奪"している。さらに、最近の研究によれば、豊かな沿岸部海洋の自然環境からの人類の"略奪分"は、

30％近くになっているという[注14]。そして、この数字はおそらく持続可能な漁獲量を超えていると考えられる。それは、漁獲努力を増やしているにもかかわらず、世界の漁獲量は、1989年以降減少していることから見て取れよう。

　このような人類による独占的支配は、生態系の健全さにとって何を意味するのだろうか。その支配を、何ごともなく拡大していくことはできるのだろうか（北部大西洋の底生魚ストックの話を思い出してほしい）。オゾン層破壊と温室効果ガス蓄積など一連の現象は、地球の重要な廃棄物吸収源が飽和状態にあることを示しているのだ。これらのデータすべてから、人類の自然収奪度は今日の段階ですら持続不可能なレベルにあることが理解できる。人類の地球環境への"負荷"は、増幅の一途をたどり、今や総消費量が持続可能な自然所得を上回る域にまで達しているのである。

　生態学的な持続可能性を達成するには、人間社会の経済評価が、生態学や生物物理学的分析に基づき実施されなければならない。あるいは最低限、その分析結果を参照しつつなされるべきである。エコロジー経済学における根本的な問題意識とは次のようなものである。

　「残存する種の個体数、生態系とその生物物理学的な作用［重要な"自然資本"の自己再生力］、そして、生態圏の廃棄物吸収処理能力などが、21世紀に予測される人間経済活動の負荷に耐えることができるであろうか。そして、生態圏の生命維持機能を保護し続けられるだろうか」

　この極めて重要な問題は、生態系の環境収容力という概念の核心だ。しかし、現在の支配的な経済モデルは、このことを実質的に無視している。

環境収容力をひっくり返す：人類のエコロジカル・フットプリント

　ある一定の地域における扶養可能な人口の数値を出すには、まず次の

ような問題がある。

　第一に、人間集団が環境に負わせる負荷の総量は、平均所得水準に左右されるばかりか、物質的欲求水準、エネルギーや物質効率といった技術水準などの要素によっても変化するからだ。つまり、人間についての環境収容力を考えるには、生態系の生産性だけではなく、同時に、文化的・社会的な要素も考慮しなければならないということである。

　第二に、グローバル経済においては、他地域と隔絶して存在する地域はなく、今や世界中の資源を手に入れる手段があるということだ。現に、多くの人々が、地域的な資源不足による成長の限界を、貿易によって克服できると主張しているのは、前述したとおりである。

　環境収容力の問題をさらに複雑にしている要素は、この他にもある。動物と違って、人間による消費量は、生物学だけで計算することはできない。人間の環境への負荷は生物学的物質代謝による負荷に加えて、技術が介在する工業的な物質代謝（indusutrial metabolism）による負荷が加算されているため極めて大きいものとなる。ほとんどの生物種がおおむね食料しか消費しないのに対し、人間の消費の大半は、エネルギーや衣料、自動車など、ひじょうに多くの種類の消費財、つまり非食料工業製品から成っている。

　先進工業国においては、このような物質の消費は、社会に蔓延している消費文化によってますます奨励され、消費者の購買力の減少のみが唯一の歯止めだ。もちろん、個人消費水準は、世界に目を向ければ桁違いの差異が観察される。インドの田舎の農場労働者といった下層階級のそれは極端に低い側の典型であり、多国籍企業の重役といった上流階級の消費水準の高さとは比較にならないほど低い。

　エコロジカル・フットプリントの理論では、一般的な環境収容力をひっくり返す（逆数にする）というじつに簡単な作業によって、"伝統的"な環境収容力が持ついくつかの問題点を克服することができる。それは、"さまざまなエネルギー・物質等の消費および廃棄物の排出は、土

地または水域の一定の面積分の生産力または吸収力を必要としている"という前提から始まる。

　ある集団が行うさまざまな消費活動と廃棄物の排出という行為のために必要とされる土地（水域）面積を合計したものがその集団の地球上につけられたエコロジカル・フットプリントである。この土地水域が、その集団が実際に住んでいる地域の「場」と一致するかどうかは問題ではない。より簡明にいえば、エコロジカル・フットプリントとは、単位面積当たりの人口ではなくて、逆に、一人当たり（あるいは集団当たり）必要な土地面積なのである。

　以下で明らかにするように、従来の環境収容力をただ逆転させただけのこの定義は、持続可能性のはらむジレンマを解明するのに、これまでと比べるとはるかに有効なものである。

　公式化すれば、
ある特定の人口集団の、またはある特定の経済のエコロジカル・フットプリントは、
　a）消費されるすべてのエネルギーおよび物質を供給するために
　b）排出されるすべての廃棄物を吸収するために、通常の技術を持ったその人口集団が、継続的に必要とするさまざまな種類（農地、牧場、森林等）の生態学的生産力のある土地（と水域）の面積（その土地水域が地球上のどこにあろうと問題ではない）
として定義できる。

　計算に入れられるのは、家計や企業、政府による消費である。とくに注意してほしいことだが、エコロジカル・フットプリントは、「自然所得」からのフロー［単位時間当たりの樹木の成長分や漁業ストックの増加分］を分析の基礎概念として着目している。

　次に、対象の人口集団が需要する「自然資本」からのフロー［単位時間当たりの木材や漁業資源の消費量］に注目し、その需要量を提供するために必要な「自然資本」の大きさを土地面積換算で推計するのだ。

エコロジカル・フットプリントの大きさは、固定されたものではなく、所得や社会に浸透している価値観、その他の社会的・文化的要素と技術水準によって変化する。しかし、個別の状況がどうあろうとも、ある一定の人口集団のエコロジカル・フットプリントは、その人口集団によって"排他的に"必要とされる土地面積であるということを忘れてはならない。一つの人口集団が利用する自然所得のフローおよびそのフローを生産する能力は、他の集団が利用することはできない。

エコロジカル・フットプリントの分析を完全なものとするには、あらゆる形態の物質およびエネルギー消費そのものに必要な土地の広さだけでなく、その消費がもたらす間接的影響をも対象としなければならない。すなわち、再生可能資源と生命維持サービス（これもかたちは違うが自然所得である）の供給に必要なさまざまな生態系（自然資本）の面積だけでなく、土壌汚染や放射能による汚染、侵食、塩害、都市のコンクリート化（土地の生態学的生産力を無にする舗装や建物の建設）によって生物的生産力を失った土地面積も考慮しなければならない。さらに、再生不能資源の利用についても、それがエネルギーの加工と利用に伴う汚染の原因であるかぎり、検討対象とすべきである。

しかし、私たちの評価は、当面、限られた種類の消費財と廃棄物フローに、範囲を限定している［その理由はデータ制約等と考えられる］。当然ながら、考慮に入れる要素を増やしていけば、それにつれて現在の推測値はもっと大きくなっていく。たとえば、現在の計算では、森林地や農地などの必要な土地は、持続可能なかたちで利用されていることを前提としている。ところが、この前提も必ずしも正確とはいえない。事実、平均すれば、世界の農耕地は、土壌形成速度の約10倍のスピードで劣化しているのだから。

この前提を考慮すれば、先進工業国および地域のエコロジカル・フットプリントの計算結果が、ひじょうに大きな数字となっていても、実際に必要な土地面積と比べると、かなりの過小評価となっている。し

がって、現時点での計算結果には、このような単純化による過小評価を補うために有効な"持続可能性係数"を乗じてしかるべきなのだ。

"環境収容力をひっくり返す"ことは、この概念を人間に適用することに反対であるとするいくつかの主張に対抗できるはずだ。むろん反対論者たちがいうように、地域の最大扶養可能人口を知るために人間の環境収容力を算出するのは無意味かもしれない。つまり、人間の資源消費は、文化や貿易、技術などの要素によって大きく影響されているため、その土地の生物物理学的な限界との関係が見えにくくなってしまっているからだ。

たとえば、香港は、ひじょうに人口密度が高く、かつひじょうに繁栄している。しかし、香港の土地面積は微小であり、その環境収容力は極めて小さい。一方、香港よりはるかに大きな生物物理学的な環境収容力を持つアフリカ諸国は、飢餓に苦しんでいる。エコロジカル・フットプリントで（人口ではなく）、その人口集団の及ぼす総負荷を計ることにより、この理論上の問題を解決することができるのだ。

貿易や技術によって隠されている部分にも、何らかの影響があるということを明確にすることができる。貿易がその土地の環境収容力を増加させているように見えても、実際はその増加分だけ、"当の貿易によりどこか他のところの環境収容力が減っている"のである。

私たちの手法は、総消費量（総負荷＝人口×一人当たり消費量）を分析し、それを、対応する土地面積に換算することによって、ある一定の人口が自然に与えている影響を簡潔に示すものである。それは、生態系に対する需要（自然資本の需要量）を計る、独自の計量法である。従来の環境収容力と異なり、「純」貿易量を計算に入れ、実際の所得と技術水準を反映させている。

このようにして算出されたエコロジカル・フットプリントを、その人口集団が実際に生活の場としている土地の面積と比較することにより、その土地の環境収容力をどのくらい上回っているか、さらには、どれほ

ど貿易に依存しているかを明らかにできる（一つの人口集団のエコロジカル・フットプリントの部分部分が、世界中に散らばっていることもある）。また、地域間の比較を促し、所得水準と技術の差が環境影響にどのように反映されるかを明らかにしてくれる。環境収容力がひじょうに小さな香港の一人当たりのエコロジカル・フットプリントが、エチオピアの農民一人のエコロジカル・フットプリントよりもはるかに大きい（！）ということは、何ら不思議がないのだ。

　この分析ツールは、他の持続可能性評価にも適用できる。

　たとえば、貿易のエコロジカル・フットプリントを計算して、ある地域への輸入量の中にどれだけの他地域の"環境収容力"が内包されているかを明らかにできる。また、その地域が、輸入代金支払のための輸出品を生産したとすると、そのために自らの土地が持つ環境収容力の中からどれだけ放棄しなければならなかったかを示すことができる。あるいは、個々人の、または一人当たり平均のエコロジカル・フットプリントを(注16)、現時点での公平な"地球持ち分"、すなわち「公平割当面積」（Earthshare）と比較することもできる。「公平割当面積」とは、——他の生物種には申し訳ないが——地球上の一人当たりが利用可能な生態学的生産力のある土地の量である。今日、この量は、1.5ヘクタール（3.7エーカー）、つまり122平方メートルである。このうち、耕作可能な土地は、わずか0.25ヘクタール（0.62エーカー）である（図2-7）。

　エコロジカル・フットプリントの分析は、地球規模での"オーバーシュート状態"と、ある特定の地域や国の"生態学的赤字"の大きさを推計することができるのだ。これはひじょうに重要な点だろう。

　"オーバーシュート"とは、人類のエコロジカル・フットプリント総計が地球の環境収容力と比べどれだけ上回っているかを量的に示したものである（図2-8）。ある次点を超えると、世界経済の物的な拡大成長は、人類すべての生存がかかっている自然資本の減耗と生命維持サービスの衰退という犠牲によってのみ、達成せざるを得なくなる。つまり、経済

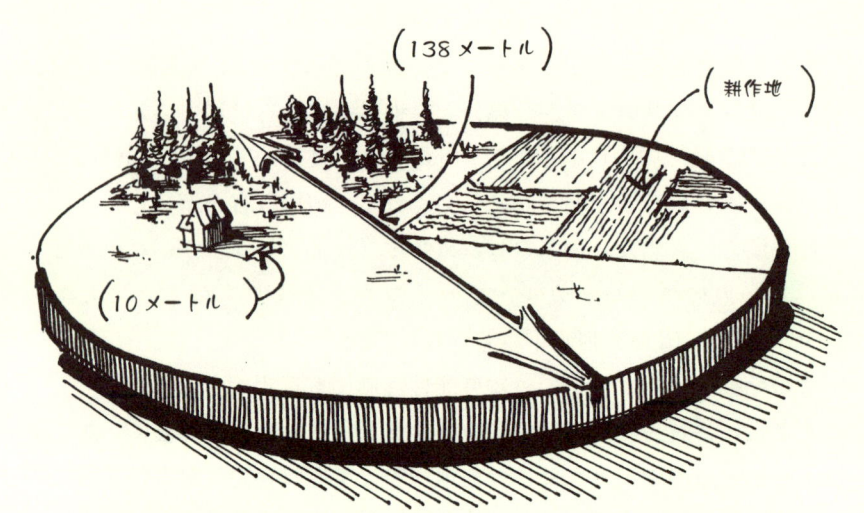

図2-7　公平割当面積（＝公平な地球の持ち分、Earthshare）とは、現在の世界中の人々で、生態学的に生産力のある地球上のすべての土地（ecologically productive land）を公平に分けたとき、一人当たりがもらえる土地の広さである。もし、あなたの現在の地球持ち分を、円形の島だとすると、その直径はちょうど138メートル。その島の6分の1は、耕地で、残りの部分は、牧場、森林、原野、市街地である。人口増加につれ、地球持ち分が減少するのは、明らかである。エコロジカル・フットプリントが、その人の地球持ち分を3倍上回っている場合は（北アメリカに住む人々のように）、地球を持続させるために、3人の人が持ち分のたった3分の1で我慢しなければならない。——どなたかボランティアをかって出る御仁は？

による消費が自然所得を超えると、あるいはオーバーシュート状態になると、環境が悪化する。生態学的赤字あるいは持続可能性の赤字は、"その土地"のオーバーシュートがどの程度であるかを示す尺度となるのだ。

　それは、ある一定の地域内あるいは国内における生態系の土地生産力と、実際のフットプリントの間の差を示している。オーバーシュートは、その地域が、貿易すなわち収奪によって得られた自然資本のフローを通して、どのくらいの域外土地生産力に依存しているかを明らかにすることができる。

　さまざまな事実から、今日、人類のエコロジカル・フットプリントはすでに地球の環境収容力を超えていることは、明白である。このようなオーバーシュートは、可能とはいえ一時的なその場かぎりのもので、将

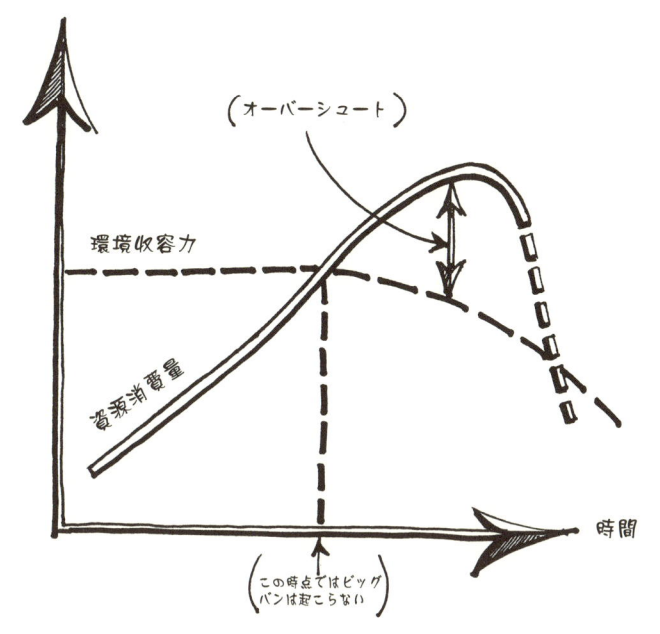

図2-8　オーバーシュートは、環境収容力を超過して成長拡大した状態である。自然資本のストック（残存量）が大量に存在する場合、環境収容力の限界は「ビッグバン」を伴うことなくやすやすと超えられる。収穫量は依然増加を続けることができ、金額表示での収入も増加する。生態系のひずみを示す現象が表れているかもしれないが、そのほかはすべて順調に見えている。しかし自然資本の減少は、ついには生態系の大崩壊と個体数の激減という結果をもたらす可能性がある。

来の世代に大きな損害を与えている。

　今日、経済システムへの物的スループット（流入量）の削減に人類の総力を結集して取り組まなければ、子どもの世代に多大に苦労をかけることは目に見えている。今後、予測される人口増加に伴い、自然の恵みに対するさまざまなニーズは増大することは確実なのに、このままでは、供給元である自然資本がどんどん減少する一方であるからだ。

エコロジカル・フットプリント分析は、いかにして、持続可能性の向上に役立つか

　エコロジカル・フットプリントを使い、さまざまな人類の活動を計る

ことによって、それらが環境に与える影響を比較することもできる。また、従来の"一回限りの"環境影響評価と比較すると、フットプリントによる影響分析は、"累積的な影響"を評価できるのだ。

　すべての経済活動は、生態圏に対し、物質およびエネルギーの供給と廃棄物吸収処理を要求する。そして、食料や繊維、非再生資源、廃棄物吸収処理、都市開発からさらには生物多様性の保護にいたるまでのさまざまな要求が、どのように生態学的空間をめぐって競い合っているかを示している（人類という経済活動体の拡大は、すなわち人類以外の生物種から資源や生息場所を"収奪する"ことを意味する）。

　地球の生産力は驚嘆すべきもので、その巨大な懐で、他の生物種はいうまでもなく、人間たちとその経済を支えている。

　しかし、拡大し続けるグローバル市場は、おびただしい量の財やサービスの生産を誘発しており、結果的に、漁業ストックなどの重要な自己生産的な生態系、いわゆる自然資本の元本を大規模に取り崩し始めている（もちろん、グローバル経済は、持続可能な資源フローについても大量に消費している）。

　エコロジカル・フットプリントという概念を使うと、この差し迫った現実をはっきりと目にすることができるであろう。残念ながら、私たちが日ごろ使う消費財の価格や製品ラベルを見ても、その消費財が自然の蓄えの利子分で生産されたものであるか、それとも自然の蓄えの取り崩し分を使って生産されたものであるか知ることはできないのである。

　エコロジカル・フットプリントの分析は、生産力ある土地面積を測定単位としているが、このことにより、物理学の基本法則、とりわけ質量保存の法則と熱力学の法則との整合性がとれたものとなっている。とくに、「熱力学の第2法則」が、この分析の理論的基礎となっている。

　この法則は、別名「エントロピー増大の法則」と呼ばれているが、これを定義すると、"経済のような、複雑で、かつ自己組織化可能な（self-organizing）システムは、自己の成長および維持のために（すなわち、シ

ステム内部のエントロピー的な劣化を克服するために)、'上位システム'から恒常的にエネルギーおよび物質の投入を受けなければならない"という法則である（BOX2-4参照)。この法則は、現実世界が理解すべき重要な原理であり、これを応用し、人間の経済活動を説明する単位として、エネルギーのフロー（投入量）を利用することはとても有益である。

しかし、それ以上に、土地もしくは生態系の面積を測定することはメリットが大きい。なぜなら、土地・生態系の面積は、人間の経済活動にとって利用可能であるエネルギーと物質の量的および質的の側面の両方を反映しているからである。つまり、人間の経済活動の最大の制約要因は、地球上に降り注ぐ太陽エネルギーの量そのものではない。自然界がそれをどれだけ吸収固定しているかが重要なのである。

たとえば、木がたった1本生えているサハラ砂漠の1ヘクタールは、熱帯林1ヘクタールに比べ、生態学的にも経済学的にも重要度が低いということだ。たとえ、どちらの1ヘクタールも等しい太陽光線を受けているとしても、である。

以上のことから次のことが力説できよう。

"土地"の特性は、熱力学の法則の範囲を超えた事柄を含めることが可能だ。土地面積を使えば、惑星としての地球の有限性が明確に把握できるだけでなく、ガス交換から栄養素の循環まで、重要かつ多様な生命維持機能を土地面積に代表させて表現することができるのだ。さまざまな生命維持機能を持つ自己生産的な自然資本のストックの状態を観察することで、世界の生物物理学的な状態がよく把握できるようになる。

注意してほしいのは、これらのストックとはすなわち、生態圏に蓄積されている生物化学的エネルギーのことを指している。要するに、土地こそが、'光合成'（網の目のように複雑に関係しあった生命体にエネルギーを供給するメカニズム）を育んでいるものなのだ。

この特異な作用である光合成があるからこそ、私たちの惑星は、火星

や木星のような死の惑星とはならずにすんだ。光合成のおかげで、すべての重要な食物連鎖が維持され、生態系の構造的な一体性が保たれている。もともとは人の住めるようなところでなかった地球が、すばらしく豊かで多様な自己生産的、自律的生態圏へと奇跡的に変容していったのは、まさにこの光合成のおかげなのである。

エコロジカル・フットプリントによって、私たちは、技術がどう革新しようとも、人類は環境の財やサービスに依存し続ける存在だということに気づくだろう。また、人口が増え、さらに一人当たりの資源消費量が増加するにつれ、それに見合うだけの財とサービスを、地球上のどこからか入手しなくてはならないということに気づかされるであろう。

前述したように、持続可能性達成のための生態学的な根本課題は、自然資本のストックが将来の需要を充分満たすことができるかというものである。エコロジカル・フットプリントの分析は、この問いに真正面から答えようとするものである。生態圏の生産量を経済の消費量と比較する方法を提供し、それによって、生態圏に経済成長を受け容れる余地があるかどうかといった、生態圏側の状態を明らかにするのだ。

一方で、工業化社会において、その土地の（また世界全体の）環境収容力を超えてはいないかどうかといった、経済の側の状態も明らかにしていく。後者においては、社会が直面する持続可能性のギャップが明らかになる。つまり、分析によって得られた生態学的な制約条件をふまえた上で、オーバーシュートを避ける、あるいは削減するための政策を立案する、また、持続可能性の達成度を測定するということができるのだ。

しかし、何も環境収容力の値で生活することを目標にしろ、というものではない。分析は、どれほど自然の限界近くにきているかという危険度を示すためのものである。生態系の回復力を維持し、かつ人間社会の真の豊かさを確実に持続させるためには、人間が環境に及ぼす総負荷量を、地球の環境収容力"以下"にしっかりととどめることができなけれ

ばならないということを示している。生態学的限界のぎりぎりのところで生活すれば、生態系の順応力、強靭さ、再生能力に対し計り知れないダメージを与えることになる。その結果、他の生物種、全生態系、ひいては人類そのものの存続が危うくなるのだ。

　生物物理学的な限界を認識したならば、人間のさまざまな自然利用が他の生物との間だけでなく人間社会内部で競合的緊張関係を生み出しているという事実を知ったならば、社会的かつ経済的な核心に迫る課題がおのずと浮かび上がってくる。

　たとえば、過剰消費を謳歌している富裕層たちは、自らの贅沢三昧の生活が原因で、貧困者たちの悲惨な状況が発生しているのだということ、この一見見えにくい矛盾にいやおうなく向き合わざるを得なくなる。生物物理学的な限界が事実ならば、物質的不公正さを解消するための手段として、経済活動の果実をどう再分配するかという戦略はますます重要になるべきであり、経済効率の向上策や経済成長のための戦略と同レベルに扱われるべきであろう。

　地球上の人々すべてが現在の北アメリカや欧州の人々と物質的に同水準になることは不可能であろう。もし仮にそれが達成されるならば、地球の生命維持機能の衰えは避けがたい。この事実を多くの人が認識するようになれば、富める者たちに、より大きな説明責任が生じるであろう。また、貧しい者たちは、開発の権利、技術移転、平等実現のためのもろもろのカードを入手するための強力な交渉力を獲得することになるだろう。エコロジカル・フットプリントの分析は、地球共有財産（グローバル・コモンズ）と地球生産力の公正な分かち合いおよび慎重な利用のあり方を定める国際的な協定を締結しようとする主張に対し強い理論的根拠を与えるのだ。

　これまで、徹底して人間中心に話をすすめてきたが、エコロジカル・フットプリントは人間がエネルギーと物質フローおよび生活の場を不相応なまでに収奪しすぎていること、そして他の生物種がそうした自然の

サービスや自然資本を利用する機会を奪っていることを自覚させてくれる。この惑星に生きる何百万もの生物種を犠牲にしてまで、これほど膨大な自然の生産力を収奪する固有の権利を、私たちは持っているのだろうか。エコロジカル・フットプリントはこう問いかけている。

それはエコロジカル・フットプリントの概念を使うことによって、持続可能性はシンプルかつ具体的に表現される。生態学的な持続可能性達成のために何が最も必要かを直感的に、また基本的に把握することができるようになるのである。ここから、広範な議論を喚起し、共通の理解を築き、行動への枠組みを提起するという一連の展開が可能となるのである。持続可能性の問題は透明性の高いもの、つまりだれに対しても開かれたオープンなものとなるのだ。

エコロジカル・フットプリントの分析を使うということは、政策決定者たちが、さまざまな政策決定に際し、物理量的な判断基準を使うということであり、政策、プロジェクト、技術的な選択肢などが環境に与える影響を客観的に評価して優先順位を決定することが可能となるであろう。そして、それぞれの地域で行動をおこすことが、地球規模の切迫した要請であることを私たちに教えてくれるのだ。

過剰消費が環境や社会へ与える影響は、私たちの住む地域を超えてはるか遠くに及んでいるということも意識づけてくれる。これにより、持続可能性の問題をモラルの観点からも考えられるはずだ。人口増加と物質的な消費が地球環境を悪化させる原因であること、この二つの問題に取り組む政策が緊要であることを痛感させてくれであろう。

次の章では、具体例を挙げながら、エコロジカル・フットプリント分析の応用について説明する。

原注

(1) この傾向についての詳細な議論は、ワールド・ウォッチ研究所の年報「*State of the World and Vital Signs*」（NY:W.W.Norton）か、世界資源研究所、UNEP（国連環境計

画)、UNDP（国連開発計画）の半年ごとの報告書「*World Resources*」（NY:Oxford University Press）を参照。
(2) ワールド・ウォッチ研究所「*Vital Signs*」（NY: W.W.Norton,1995）
(3) 環境と開発世界委員会（The World Commission on Environment and Development,WCED）、議長はノルウェー首相、グロ・ハーレム・ブルントラント。冒頭の宣言文は、同委員会報告書「Our Common Future」（邦訳『地球の未来を守るために』）（NY: Oxford University Press,1987）、原著のp27（邦訳では48ページ）、「持続可能な開発」の定義については、原著のp43（邦訳の66ページ）から引用。
(4) 持続可能性の定義をめぐる諸説については、以下を参照。Sharachchandra M. Lélé "Sustainable Development: A Critical Review", *World Development* Vol. 19, No. 6 (1991): 607-621。David Pearce, Ani Markandya, Edward Barbier, Blueprint for a Green Economy (London:Earthscan Publications,1989)の補遺。William E. Rees, *Defining Sustainable Development* (The University of British Columbia, Vancouver: Centre for Human Settlements Publication,1989)。さらに、Robert Costanza編集の " Ecological Economics: The Science and Management of Sustainability (NY: Columbia University Press,1991) 中のHerman E. Daly, "Elements of Environmental Macroeconomics," Lester W. Milbrath, Envisioning a Sustainable Society: Learning Our Way Out (Albany, NY: State University of New York Press, 1989). Michael Redclift, *Sustainable Development: Exploring its Contradictions* (London: Methuen & Co., 1987)。
(5) Robert Costanza, Herman E. Daly, "Natural capital and sustainable development," Conservation Biology Vol.1(1992): 37-45 と William E. Rees, "Achieving Sustainability: Reform or Transformation?," Journal of Planning Literature Vol.9, No.4 (1995) の概要をまとめたもの。
(6) William E. Rees は、"Sustainable Development and the Biosphere: Concepts and Principles," *Teilhard Studies Number 23* (Chambersburg, PA: Anima Books (for American Teilhard Association for the Future of Man) ,1990) の中で、"無条件的依存 or 絶対的依存" について明らかにしている。
(7) この "弱い持続性" あるいは "強い持続性" という区別は、David Pearce らによる上述書（1989）と Herman Daly, John Cobb の For the Common Good (Boston:Beacon Press,1989) が提起した。持続可能性危機について異議を唱えている文献は、Marcus Gee,"Apocalypse deferred:The End Isn't Nigh", *The Globe and Mail*,9 April 1994, D1-3に掲載 と Julian L.Simon, Herman Kahn 編集の The Resourceful Earth: A Response to Global 2000 (NY: B.Blackwell,1984)。David Pearce, Diles Atkinsonの研究は、Ecological Economics Vol.8,No.2(1993):103-108 に掲載の "Capital Theory and the Measurement of Sustainable Development: An Indicator of 'Weak' Sustainability" である。
(8) 続く引用は、*Our Common Future* の p43,9,89,213,65 から。
(9) Duncan M.Taylor,"Disagreeing on the Basics: Environmental Debates reflect Competing Worldviews," in *Alternatives* Vol.18, No.3(1992):26-33 および A.Nikiforuk,"Deconstructing Ecobabble: Notes on an Attempted Corporate Takeover," *This Magazine* Vol. 24, No. 3 (1990):12-18.
(10) 参考書としては、Herman E. Daly, Kenneth N. Townsend 編集の *Valuing the Earth: Economics, Ecology, Ethics* (Cambridge, MA: The MIT Press,1993),Charles A. S. Hall,"Economic Development or Developing Economics: What Are Our Priorities," in Mohan K.Wali, *Ecosystem Rehabilitation, Volume 1:Policy Issues* (The Hague,the Netherlands: SPB Academic Publishing,1992),Colin Price, T*ime, Discounting and Value*(Oxford: Blackwell Publishers,1993), Andrew Stirling, "Environmental Valuation: How Much is the Emperor Wearing?," *The Ecologist* Vol. 23, No. 3(1993): 97-103,Arid Vatn and Daniel W.

Bromley, "Choices without Prices without Apologies, "*Journal of Environmental Economics and Management* 26(1994):129-148. がある。
(11) William E. Rees,"Revisiting Carrying Capacity: Area-Based Indicators of Sustainability," *Population & Environment* (1995, 印刷中)の一部を要約。
(12) William Catton, "Carrying Capacity and the Limits to Freedom," 第九回世界社会学会(1986年8月18日、インド、ニューデリー)の社会生態学部会のために準備された報告。
(13) プラトンについては、David F.Durham," Carrying Capacity Philosophy,"*Focus* Vol.4,No.1(1994):5-7。初期キリスト教神学者と古代中国の学者については、William Ophuls,A.Stephen Boyan Jr., *Ecology and the Politics of Scarcity Revisited*,(NY:W.H.Freeman and Company,1992)(初版は、1977)。John Evelynについては、James Garbarino, *Toward a Sustainable Society: An Economic, Social, and Environmental Agenda for our Children's Future* (Chicago: The Noble Press Inc.,1992), Alfred James Lotka, *Elements of Physical Biology* (Baltimore: Williams & Wilkins,1925), Nicholas Georgescu-Roegen, *The Entropy Law and the Economic Process* (Cambridge, MA: Harvard University Press, 1971)、Leopold Pfaundler, "Die Weltwirtschaft im Lichte der Physik" [物理学の観点から見た世界経済], in *Deutsche Revue*, Richard Fleischer編集, Vol.27, No.2 (April-June 1902):29-38,171-182, William Vogt, *Road to Survival* (NY:William Sloane,1948), Fairfield Osborn,*The Limits of the Earth* (Boston:Little, Brown and Co.,1953), Georg Borgstorm, *Harvesting the Earth* (NY:Abelard-Schuman,1973)、William E. Rees,"An Ecological Framework for Regional and Resource Planning"(The University of British Columbia, Vancouver: UBC School of Community and Regional Planning,1977)、William R. Catton, *Overshoot:The Ecological Basis of Revolutionary Change* (Urbana:University of Illinois Press,1980), G. Higgins,A.H.kassam,L.Naiken,G.Fischer, M.Shah,"Potential Population Supporting Capacities of Lands in the Developing World," FAO,IIASA,UNFPAのプロジェクト(Int/75/P13)の専門報告 *Land Resources for Populations of the Future* (Rome:FAO,1983), Ragnar Overby," The Urban Economic Environmental Challenge: Improvement of Human Welfare by Building and Managing Urban Ecosystems," 都市環境会議POLMET 85(1985年、香港)に提出された。M.A.Harwell and T.C.Hutchinson, *Environmental Consequences of Nuclear War*, Vol.II, SCOPE28(Chichester,UK:John Wiley,1986), *Action Plan Netherlands*, Friends of the Earth (オランダ)。「環境収容力」理論の歴史については、農業経済学者Juan Martinez-Alierの *Ecological Economics:Energy, Environment,and Society* (Oxford:Basil Blackwell,1987) にもその一端が記述されており、Serhii Podolinski, Ludwig Boltzmann,Rudolf Clausius,Frederick Soddy について触れられている。
(14) Peter M. Vitousek, Paul R.Ehrlich, Ann H. Ehrlich, Pamela A.Mateson,"Human Appropriation of the Products of Photosynthesis," *BioSience* Vol.34,No.6 (1986) :368-373、D.Pauly and V.Christensen,"Primary Production Required to Sustain Global Fisheries," *Nature* No.374:255-257 (1995)。
(15) William E. Rees, "Achieving Sustainability: Reform or Transformation?," *Journal of Planning Literature* Vol.9, No.4 343-361(1995):"Revisiting Carrying Capacity:Area-based Indicators of Sustainability," *Population and Environment* (1995, 印刷中)。
(16) 私たちは、以前にこの個人のフットプリントを"個人の小惑星"と定義した (William Rees と Mathis Wackernagel 著、Ecological Footprints and Appropriated Carrying Capacity: Measuring the Natural Capital Requirements of the Human Economy, A-M. Jansson, M.Hammer, C.Folke, R.Costanza 編集の *Investing in Natural Capital: The Ecological Economics Approach to Sustainability* (Washington:Island Press,1994) に掲載したものを参照)。

第3章

楽しいフットプリント
方法と現実社会への応用

プロジェクトや政策、事業、技術などのエコロジカル・フットプリントを計算してみようと思う人は、この章を読んでほしい。現在私たちが使用している計算方法と、実社会への応用例を紹介しよう

ECOLOGICAL FOOTPRINT
1. エコロジカル・フットプリントの理論を現実の中で実践する

理論上は、こうだ。ある集団のエコロジカル・フットプリント（EF）は、論理上次のように定義しよう。すなわち、「その集団が消費するすべての財を生産し、その集団が排出するすべての廃棄物を吸収処理するために持続的に必要とされる土地面積と水域面積を計算することによって得られる」。しかし、あらゆる種類の消費財や廃棄物、生態系の機能をすべて計算に入れようとすると、データが存在しなかったり、たとえ入手できたとしても膨大な手間がかかったりするなどのやっかいな問題が生じる。したがって、"現実世界"を調査するときには、以下のようなシンプルな方法を用いることにする。

- 現在の工業化した収穫・採集活動（農業、漁業など）は持続可能であると仮定して計算する（実際はそうでないことが多いのだが）。
- 自然界のサービスのうち基本的なものだけを考慮する。計算方法が向上していけば、基本的なサービス以外の自然の機能を追加するこ

とは可能だ。

　人間の営みは次のような活動を通して、直接的あるいは間接的に自然界のサービスを利用・収奪（appropriate）している。すなわち、①再生資源の採取・収穫、②非再生資源の採掘、③排出物質の浄化吸収、④舗装で生態系をおおう行為、⑤淡水の取水、⑥土壌の汚染、⑦その他の環境汚染（オゾン層破壊など）。

　現在のところ、私たちのエコロジカル・フットプリント計算は以上のうち、はじめの４つ（①〜④）の基本的な活動のみを対象としている。

- 同じ土地が、二つ以上のサービスを同時に提供している場合、二重に計上しないようにする。たとえば、ある土地が、材木やパルプ材を生産する林地だった場合、同時に家庭用や灌漑用に利用される淡水を蓄える機能も果たしている。この場合、土地面積の大きい材木生産だけをフットプリントに計上する。
- 生態の生産力について、八つの土地（生態系）カテゴリーに大別したシンプルな土地分類を使う。
- 海洋についての考察は、まだ端緒についたばかりである。人類はすでに、重要な海洋生態系を陸地同様、酷使しているが、人類の消費量全体から見ると、その量はごくわずかであり、陸地の生態系ほどに政策や管理の手が及んでいるわけではない（BOX3-1 参照）。

　実際のエコロジカル・フットプリント算出にあたっては、以上のように簡便化した方法をとるが、このうちとくに一番目と二番目に挙げた理由により、人類の土地需要は、過小評価されて出てしまう。現在の土地利用が持続可能なものであることを前提としているので、実際に持続可能な生産に必要な土地面積を大幅に少なく見積もってしまうのだ。

北アメリカにおける高投入型農業［これに対し、低投入持続可能型農業、LISA は、用語としてほぼ確定］は、一般に、土壌が再生する速度より 10 ～ 20 倍の速さで土壌を劣化させていく。つまり、土壌消失を補填するために、農地は、1 年耕すごとに 10 年以上休閑させるべきなのである。もし、この再生期間を計算に入れるならば、農産物生産用に利用しなければならない土地は、少なくとも 10 倍になるだろう。

　今日の林業もまた同じ理由で、持続可能な利用とはいえないかもしれない。現在の伐採方法で、70 年を単位とする計画伐採を 3 ～ 4 回以上もくりかえして、はたして持続的な森林経営を続けることができるとは思われない。想定される収穫量は、病虫害や火事によって森林の生産力がひとたび低下すれば、もはや維持できなくなるだろう[注1]。

　土地の利用とそこでの採集および収穫が持続可能なものと仮定したときに必要となる土地面積の、現行の生産方法のもとで実際に必要な土地面積に対する比率を、"持続可能性係数"（sustainability factor）と名づけている（農業を例とすると、持続可能性係数は 10 ～ 20 となる）。この係数の大きさは、自然資本の減耗率に比例し、現社会の長期的な生産力を維持するために必要となる技術への依存と信頼の度合いを示している（そうした技術は多くの場合、非再生資源に依存している）。

　この意味で、エコロジカル・フットプリントの計算はひじょうに楽観的だという批判が出て当然である。計算結果は、自然資本の減耗と技術の投入を考慮していないため、実際の経済が必要とする土地の広さを著しく過小評価した値となるからだ。したがって、技術など信用しない人たちが、この各計算式に、それぞれ持続可能性係数をかけて、総面積を大幅に増加させたとしても無理のないことかもしれない。

　また、私たちが現在採用しているシンプルな計算方法に対しては、もっと多くの種類の生物物理学的な生命維持サービス、とくに土地を基盤とする再生可能資源の生産とは直接関係のない生命維持サービス［オゾン層の紫外線遮蔽機能など］を考慮に入れるべきだという批判も出

かもしれない。たしかにシンプル化によって、現在の分析範囲は限定されているが、私たちは、これらの限定が、エコロジカル・フットプリント分析の理論的、意識啓発的な価値を損なうものではないと考えている。

　第一に、シンプル化が的確なものであれば、その結果は有効なものとなるからだ。完璧な理論、あるいは完璧なモデルを目指そうとしても、

> ### BOX3-1　海の上につけられた人類のフットプリント(注2)
>
> 　現在のところ、私たちは、人類が自分たちのために収奪している海洋面積をフットプリント計算に入れていないが、それにはいくつか理由がある。
>
> 　第一に、海洋の面積は広大であるが、海洋が供給しているのは人類の直接的消費量のごく一部でしかない。
>
> 　第二に、このように消費量に占める割合が少ないにもかかわらず、海洋は、すでに人類によって開発され尽くしている。
>
> 　第三に、陸上と異なり海洋面は、人間の介入や操作が及ぶ余地が少ないようにみえる。
>
> 　第四に、そしてこれが最大の理由だが、海洋の算入は、フットプリント分析によって人類の総負荷が地球の環境収容力を超えていることを立証するために、必ずしも必須ではないと考えられるからだ。
>
> 　とはいえ、国際比較を容易にし、海洋面積をも含めてフットプリント分析を拡充するために、海産物消費に関する海洋面積を算入する作業は現に行われている。その結果は、陸地のフットプリント分析の成果を裏づけている。以下は、その際考慮すべき点である。
>
> 　淡水および海洋生態系の最大の再生可能資源である魚類ストックは、カロリーベースで人類の食料需要量の2.5%以下を供給している。これは、世界の動物性たんぱく質消費量の約16%に当たる。
>
> 　一方、これら海洋、湖沼、河川からの漁獲高が経済的に大きく拡大する見込みはない。人類が最大の肉食動物として海に君臨して以来、ほとんどの漁場が乱獲されているからである。国連食糧農業機関（FAO）も、世界の総漁獲高は利用価値ある魚種の理論上の最大漁獲量の90%に達しようとしていると推計してい

現実のすべての側面を包含することはできない。そもそもモデルの定義は、より複雑な現実を抽象化したもの、あるいは解釈したものであり、あらゆるモデルはその定義からして必然的に複雑な現実のすべてを内包しているわけではないのだ。モデルが物事の本質を的確に表現したものであるためには、現実〔現物〕の性質や動き方を決定づけている重要不可欠な変数と制約因子（limiting factor）をもれなくモデルの中に組み込

> る。
> 　また、ワールド・ウォッチ研究所のレスター・ブラウン（Lester Brown）は「一人当たり海産物の供給量は、1989年の19kgをピークとして、以後減少しつづけ」、2030年には「11kgまで減少する見込みである」としている。
> 　漁業資源の涸渇は養殖によって克服できると考える人がいるかもしれない。しかしながら、養殖には大量の餌が必要となるため、生態系への負担を別の場所に移すだけで、かえって環境負荷を増加させるだけである。つまり、養殖に必要な餌を生産するための陸上の耕地やペレット飼料用の藻を生産するための水域など他の生態系への負荷が増大するのだ。ストックホルムにあるベイヤー研究所のカール・フォルケ（Carl Folke）の計算によれば、サケの集約的養殖には、海水面のプランクトンによる太陽光の固定が大量に必要であり、そのための面積は養殖場そのものの面積の5万倍なければならないとのことである。
> 　当然、海洋は廃棄物の捨て場として大々的に使われているのだから、この点をフットプリントに算入すべきだ、といった主張もあるだろう。しかし、潮流と湧昇（upwelling）は、世界中のすべての海において重要な物質交換および熱交換の役割を担っており、これらが果たす大規模で、まだよく解明されていない希釈効果を考慮すると、海洋への廃棄物投棄分を収奪面積として明確に換算することは困難である。
> 　ともかく、多くの場合、食物連鎖における有害汚染物質の生体内蓄積が、汚染物質の環境濃度の測定を生態学的に無意味なものにしてしまう。現に、DDTやPCBなどの非分解性有害有機廃棄物や重金属あるいは放射性物質などの無機廃棄物は生態系に蓄積している。生産力が失われるほどに汚染が進み、もはや消費のために利用することができなくなれば、そのことはエコロジカル・フットプリント分析に反映することができる。

んでおく必要がある［たくさんある変数・因子の中から決定的なものを見極めて、それらの重要な因子をもれなくモデルの中に取り込むことが大切なのである］。つまり、優れた理論をつくるためには、複雑さと単純さのバランスがちょうどよいことが重要なのだ。

　さらに、政策の指針となるべくモデルを構築するためには、現実の本質を充分把握しているだけでなく、理解と応用が容易にできる程度のシ

　このような汚染は、その土地の人間が利用可能な"環境収容力"を減少させ、フットプリントを陸上あるいは海上の新たな生産力のある土地へと膨張していかざるを得ないのである。

　人類が海洋につけるフットプリントを海産物消費という観点で考えたい人々は、以下のようにすれば一般論的な手法で当座の近似値を得ることができる。

　まず、漁獲量を生産力ある海洋総面積で割る。海洋の最大持続可能収量は、魚の量にしておよそ年間1億トンである。海洋は地球の表面積の約71%（約3億6,200万 km²）を占めるが、そのうちのわずか8.2%（約2,970km²）で、世界の総漁獲量の96%が挙げられている。

　つまり、年間平均漁穫量は、生産力ある海洋面1ha当たり約33.1kg、魚1kgあたり0.03ha である。したがって、公正な"海洋の割当面積（seashare）"（生産力ある海洋面の面積を世界総人口で割ったもの）は、一人当たり約0.51ha となり、魚の量に換算すると、年間約16.6kg 分に相当する。

　ちなみに、漁業国の一つ、日本は世界の総漁獲量の12%を占め、魚介類の消費量は、一人当たり年間92kg である。この数字で計算すると、平均的日本人一人の海洋フットプリントは約2.8ha となり、海洋の1人当たりの最大持続可能収量の5.4倍になる。全世界が、日本並みに海産物を消費することができないことは疑うまでもない。

　淡水漁業についても同様の推測が可能である。

(BOX3-1　海の上につけられた人類のフットプリント)

シンプルさも兼ね備えたものでなくてはならない。

　たとえば、人間の体温は、健康状態を知るためのよい指標である。摂氏37度を超えると健康でないという理論は、いたってシンプルである。しかし同時に、ひじょうに実用的でもあるのだ。体温はほとんどの場合、病気の指標として"充分"役立つものになっている。同様に、エコロジカル・フットプリント理論は、消費財や廃棄物の種類、生態系の機能をすべて網羅していなくとも、現実を診断する能力を持っているといえよう。

　以上の考え方に従えば、持続可能性の生物物理学的な側面についてのモデルは、潜在する制約因子の解明に焦点をおくべきである。現在のさまざまな傾向を見れば、人間活動に対する最大の制約因子となるのは、ある形態の自然資本とその生命維持機能であるということがわかる。

　1970年代の"成長の限界"論争のもっぱらの関心は、金属鉱石や化石燃料などの非再生な資源の減耗にあった。これに対し、今日それ以上に現実味のある限界は、皮肉なことに、魚群、森林、土壌、水などの"再生可能な"自然資本のストックの減少なのである。

　したがって、エコロジカル・フットプリントの分析においては、経済が必要とする再生可能な自然資本の量に焦点をおき、自然の自己再生能力を、主要な制約因子とする。非再生な資源は、目下のところ、①採掘と加工段階でのエネルギー利用による影響と、②鉱業による直接的な土地占有という点においてのみ、算入することとする。分析をより詳細にすれば、汚染の影響についても考慮すべきであろうが、今のところ除外することとする。化石燃料の利用を土地面積に換算する方法については、本章の途中で述べる。

　多くのものを取り込まず、計算を単純にするもう一つの理由は、生態系機能のうちには、分析という手法に適さないものがあるからである。

　たとえば、地球上の熱分配や生物多様性、気候安定化などの総合的な生命維持サービスの一人当たりのサービス需要量、あるいはこれら生命

維持サービスに関わる生態系面積を数量化することは、極めて困難である。これらの生命維持サービスは、安定した生活に不可欠であり、私たちはみな、これらを"消費している"のだが、現段階ではまだ直接エコロジカル・フットプリントに組み込むことはできない。

2. 計算手順

　以上で解説したように、エコロジカル・フットプリントの概念は、"物質あるいはエネルギーを一回消費するごとに、その消費に関わる資源フローと廃棄物吸収処理機能を供給する一種類ないしそれ以上の生態系カテゴリーの土地面積が必要である"という考えに基づいている。ある消費のパターンを継続するために必要な土地の総面積を得るには、まず、重要な消費カテゴリーがどれだけの土地利用に相当するのかを計算しなくてはならない。何万という消費財それぞれの供給、管理、処分に必要な土地の面積を計算することは不可能なので、実際の計算では、主要なカテゴリーとそのカテゴリー内の主要な個々の財を選択し、それらに絞って計算することとする。

　ある特定の人口のエコロジカル・フットプリントの算出は、段階的に行う。計算法の基本手順を説明しよう。ここでは、資源消費について述べるが、廃棄物の排出と吸収処理のカテゴリーについても同じ論理が適用できる。

　まず、いくつかの品目について、地域別データあるいは全国データの総消費量を人口で割って、平均的な一個人の年間消費量を算出する。こうすれば、個人あるいは一世帯の家計の消費を直接計算するより、より簡単に数値を得ることができる。第一段階に必要なデータの多くは、エネルギーや食料、林産物などの生産と消費に関する政府統計から容易に得ることができる。また、政府統計からは生産ばかりでなく貿易に関す

る数値も得られる場合も多く、貿易を考慮した補正純消費量を出すことができる。

　　貿易量を補正した純消費量＝生産量＋輸入量－輸出量

　次に、各主要消費財'i'の生産のために必要となる一人当たり土地面積（aa）を算出する。これは、先に計算した、その消費財の一人当たり平均年間消費量（'c' kg/capita）を、その財の平均年間土地生産性［単位土地面積当たりの生産量］（'p'' kg/ha）で割って得る。すなわち、

$$aa_i = c_i/p_i$$

　当然のことであるが、衣料品や家具などの消費財の多くは、何種類もの投入材を"内包"している。その点については、重要な投入材により利用される土地面積を個別に算出することで解決した（だからこそ、エコロジカル・フットプリント計算は、その基本概念から受ける印象より、複雑で面白いのである）。
　次に、平均的な個人のエコロジカル・フットプリント（'ef'）、つまり一人当たりフットプリントを求める。これは、一年間にその人の買い物かごに入る消費財またはサービスのうち、購入された品目すべて（n個）がそれぞれ収奪している生態系面積（aa_i）の総計を算出することで得ることができる。すなわち、

$$ef = \sum_{i=1}^{n} aa_i$$

　最後に、以上で求めた一人当たりフットプリントに人口（N）を掛けることによって、調査対象集団のエコロジカル・フットプリント（EFp）

が得られる。すなわち、

$$EFp = N(ef)$$

　全国的な統計資料から、利用された土地の総面積を得ることができる場合には、総面積を人口で割って一人当たりフットプリントを求める。
　私たちは、フットプリント計算をほとんどの場合、全国平均消費量と世界平均土地生産性を用いて行っている。全国平均消費量、あるいは世界平均土地生産性の値を使うのは、地域間や国家間の一般化が可能な比較を行うべく、データ相互の標準化を進めるためである（これらの値を使うことはまた、多国間貿易フローと地球共通資源［グローバル・コモンズ］の収奪に依存を強めつつある多くの国にとって、現実的な選択である）。
　しかし、より精密で詳細な分析を目指すなら、地域毎の消費量や土地生産性に関する統計に基づいてフットプリントを計算することが必要であろう。充分にデータがそろえば、特定の市町村、家計、はては個人のような小さな消費単位毎に、その地域の実情に即したエコロジカル・フットプリント数値がより正確に計算できるだろう。
　私たちは、その土地固有のデータから計測したエコロジカル・フットプリントを、全国平均消費量と世界平均土地生産性のデータを使って推計した"暫定近似値"と比較して、ひじょうに興味深く思うことがしばしばある。このような地域間比較によって、消費パターンや土地生産性、地域都市政策の地域毎の違いが、フットプリントの大きさにどのような影響を与えているかが見えてくるからである。またこうした比較によって、データの欠如、計算の誤りや矛盾を発見し、結果的に排除することができる。

消費カテゴリー

　データ収集をシンプルにするため、私たちは、ほとんどの場合、官公

庁の統計に使用されているデータ分類を採用してきた。そのうえで、消費を、次の五つの主要なカテゴリーに分けると実用的であることがわかった。

1. 食料
2. 住居
3. 交通
4. 消費財
5. サービス

さらに精密な分析をするには、必要に応じてこれらのカテゴリーをさらに細かく分けてサブカテゴリーを作るとよい。たとえば、"食料"は、植物性食品と動物性食品に分けて計算し、後に合算する。"交通"は、公共交通と民営交通に分けて計算する。このようなサブカテゴリーは、政策課題の解決に役立つように、戦略的に決めるべきである。詳細な分析をする場合、消費された一つひとつの財およびサービスに対して、その生産、輸送、使用、廃棄の全過程で投入されたいわば「内包されている」（＝ embodied）資源の消費量を包括的に計算に加える［「内包されている」巻末の用語解説参照。なお、「投入された」「投入」資源、「投入」エネルギー、という言い方も可能であろう］。

ここでいう、ある商品の"内包"エネルギー、"内包"資源とは、その商品のライフ・サイクル（生産、輸送、使用、廃棄）の間に使用されるエネルギーや投入資源の総量のことである。"エネルギー集約度"（energy intensity）とは、単位当たりの財またはサービスに内包されているエネルギー量を意味する。同様に、ある商品についてのエコロジカル・フットプリントを"内包されたエコロジカル・フットプリント"と呼ぶことも可能だ。これは、ある一人の消費者のエコロジカル・フットプリントの中でその商品がどれだけの比重を占めているかを示すものである。

以上の原則と定義は、"財"だけでなく"サービス"についても当ては

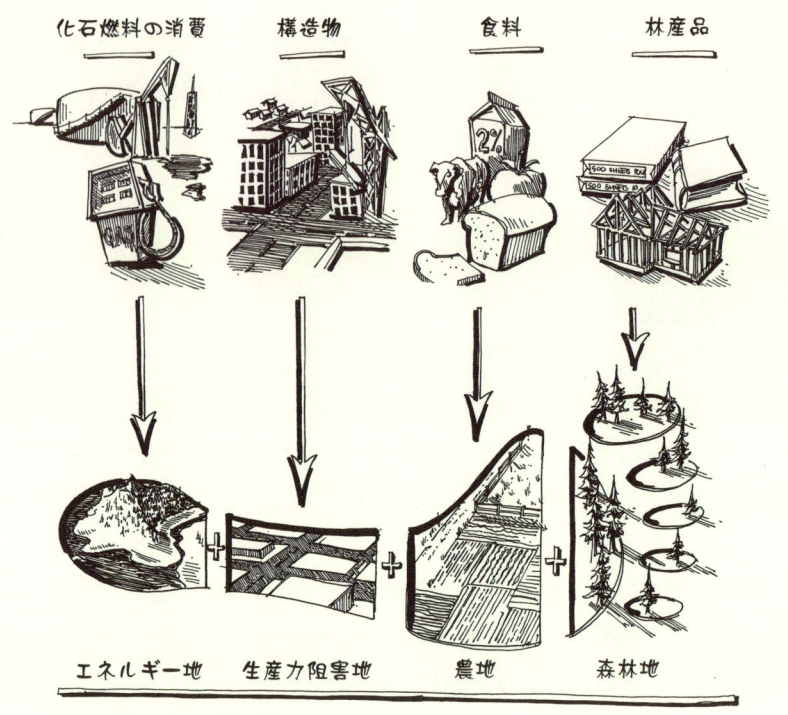

図3-1　消費量を土地面積に換算する。
　　財とサービスの生産と消費はすべて、さまざまな種類の生態学的生産力があってこそ可能なのである。これら生態学的生産力は、それぞれ相当する土地面積に換算できる。ある集団の消費と廃棄の各カテゴリーに対応する、土地面積を合計したものが、その集団のエコロジカル・フットプリントである。

まる。"サービス"は、本質的に"非物質的"であると考えられることが多いが、サービスもまた、エネルギーや物質フローがあってこそ供給可能となっているのである。情報の伝達といえども、エネルギーと紙や電線など物質的な伝達媒体を必要とするし、また、情報にアクセスするためにはスクリーンやラジオなど物質的な媒体が必要だからである。銀行は物質的なものは何も生産しないが、通貨の決済をはじめコンピュータによる計算書の発行から、ビルや施設設備の建設と稼働にいたるその営業活動すべてにおいて、エネルギーと資源を消費している。
　ある消費財またはサービスそのものの消費量と、それに付随する内包

表3-1　フットプリント・アセスメントのための八つの主要な土地・土地利用カテゴリー

Ⅰ）エネルギー地	a. 化石燃料利用によって"収奪された土地"	（エネルギー地または二酸化炭素吸収地）注意：燃料作物を栽培した場合は、カテゴリーc,d,e,fのうちからその栽培面積を引く。
Ⅱ）消耗された土地	b. 構造物	（生産能力阻害地）
Ⅲ）現在利用されている土地	c. 家庭菜園	（復元可能な構築環境）
	d. 耕作地	（耕作系）
	e. 牧草地	（地目改変系）
	f. 森林地	（地目改変系）
Ⅳ）用途が限定されている土地	g. 原生林	（生産力のある自然のままの生態系）
	h. 生産力のない土地	（砂漠、氷雪原）

　資源量の値を得るためには多くのデータソースが利用可能だ。廃棄物動向や家計・政府支出、代謝率、食事構成、貿易、資源フローなどに関する統計値を相互に突き合わせ、チェックすることが可能だ（BOX3-2参照）。

土地と土地利用カテゴリー

　私たちのエコロジカル・フットプリント計算は、以下に挙げる八つの主要な土地カテゴリー（表3-1）に基づいている。この分類は、世界自然保護連合（The World Conservation Union、IUCN）[注3]が使用しているものとほぼ同じである。

　エコロジカル・フットプリントの構成要素の一つである"エネルギー地"の算出方法は複数ある（以下参照）。そのうちのいくつかは、枯渇しつつある化石燃料のストックを代替しうる燃料作物を栽培するために必要な面積を推計するものである。化石燃料は、何百万年も昔、地表を半

ばおおいつくしていた森林と湿地帯のバイオマスの堆積物が変化したもの、すなわち古代の光合成の産物であるということを考えれば、この計算法をこじつけだなどと断言できないだろう。

　ウィリアム・キャットン（William Catton）は、これらの古代の土地を"幽霊のような土地"と呼んでいる。その生態系は、とっくの昔に消えてしまったが、しかし、実際のところ私たちは、古代の生態系（少なくともその土地の生産力）を今日利用しているのでこのような呼び名をつけたのだ[注4]。キャットンによれば、人類はこの古代の生産力を猛烈な

BOX3-2 エコロジカル・フットプリント分析のためのデータソース

　フットプリント分析のためのデータソースは多い。およその比較のためには、アメリカにある世界資源研究所の半年ごとの報告などの概要で充分である。しかし、世界統計は多くの場合、おもに生産と貿易のみを取り扱っていて、消費にふれていないだけでなく、金額ベースなので、利用価値が少ない。フットプリント計算に役立つ多様なデータソースを以下に掲げよう。もし、他によいデータソースを見つけたら知らせてほしい。

世界統計・国内統計
- 国連食糧農業機関（FAO）（The State of Food and Agriculture; FAO Yearbook: Trade; FAO Yearbook:Production, すべて年刊）
- International Road Transportation Union（IRTU）（World Transportation Data, 年刊）
- 国連開発計画（UNDP）（『人間開発報告書』Human Development Report, 年刊）
- 世界銀行（『世界開発報告書』World Development Report, 年刊）
- 世界資源研究所（WRI）（『世界の資源と環境』World Resources, 年2回刊、コンピュータ・ディスクで入手可
- ワールド・ウォッチ研究所（『地球白書』Vital Signs, 2冊とも年1回発行）
- 国連の諸統計

速さで利用しており、その速度は生産力が堆積された速さの数千倍の速さに匹敵し、自然はこの生産力のロスを補充できないという。現在、私たちは陸地における炭素吸収のための留保地の計画的な管理を行っていないため、将来世代に、炭素起源のエネルギーストックの減少、大気中の二酸化炭素濃度の上昇という負担を課してしまっているのだ。私たちは化石燃料と炭素吸収といった二種類の自然所得を消費しつつ、貴重な自然資本を代替も補充もせずにたんに取り崩しているのだ。

生態学的に生産力のある土地はいくつかの土地カテゴリーに分けられ

- 政府統計（消費量、経済生産額、貿易などの諸統計、環境白書、交通、土地利用、住宅、エネルギー、農業と林業）

参考文献および手引き書（ハンドブック）
- 工学、生態学、資源管理、農業に関する手引き書（ハンドブック）
- 農業、生物資源、エネルギー学、化学などに関する専門書
- エネルギー学、ライフサイクル分析（LCA）に関する手引き書
- 生態学的循環、生物学的生産力に関する手引き書（炭素サイクルや純一次生産量など）
- 交通に関する手引き書
- エネルギーの観点でみた住宅、交通、化学反応、技術効率などに関する技術系手引き書
- 家庭における生態学の入門書
- 百科事典、各種年鑑
- 料理の本（食品の栄養成分、調理に要するエネルギーなどを知るため）

論文
- 大衆向け雑誌および科学専門誌に掲載された消費、エネルギー効率、生態学的生産力に関する論文など
- NGO、政府諸機関、研究所などの特集レポート（たとえば、自動車、紙消費などについてのグリーンピースの報告など）

るが、すべてのカテゴリーに人類がアクセスできたり、直接資源を収穫できるわけではない。なかでも、カテゴリー 'g'（人間の手が入っていない原生林）については、気候変動の懸念が高まっている今日、注意して取り扱わなくてはならない。このカテゴリーは、人間が入り込んでいない原生林生態系である。原生林がいったん伐採されると、たとえ（植林をして）生態学的な生産活動が続いたとしても、その後200年間は二酸化炭素の純放出がおこるという研究結果が発表されているのだ[注5]。全体ではないにしろ、原生林の一部には、いまだ炭素を蓄積するものがあり、また生物多様性の保全の役割を果たしており、人類が手をつけるべきでない土地であろう。カテゴリー 'h'（非生産的土地）は、サハラなどの砂漠や南極大陸などの氷原で、人類による利用という観点から見れば、生態学的に非生産的と考えられる土地である。

　残る土地カテゴリーは、商業エネルギーの供給にはじまり、都市として利用される土地、廃棄物吸収処理から生物多様性の保全にいたるまで、人類の活動を支えるためのさまざまな財・サービス（＝自然所得）を提供している。以下に、これらの財やサービスをそれぞれ土地面積に換算する方法を説明しよう。

i）商業エネルギーに必要な土地

　ここでは、化石燃料や水力発電、その他の再生可能エネルギーの消費が、土地"利用"にどのように関連しているかについて議論したい（表3-2）。

　人間生活が依拠しているエネルギーの大部分は、太陽起源のものだ。地球上の生命がその生命活動を維持できるのは、17万5,000テラワットものエネルギーを太陽光から得ているからだ。1テラワットは、1,000,000,000,000ワット＝1兆ワット（＝1兆ジュール／秒）である。1テラワットは、百万トンの物体を秒速100メートルの速さで垂直に持ち上げるために必要なエネルギーを意味する。生命が太陽光の恩恵をいかに大きく受けているかがわかる（ちなみに、一般的な家庭用の電球が発

表3-2　さまざまなエネルギー資源の生産性

エネルギー資源	生産性（単位：ギガジュール／ヘクタール／年）	年間エネルギー消費100ギガジュールに相当するフットプリント（単位：ヘクタール）
化石燃料		
エタノール法	80	1.25
二酸化炭素吸収法	100	1.0
バイオマス置換法	80	1.25
水力発電（平均）	1,000	0.1
下流	150〜500	0.2〜0.67
高地	15,000	0.0067
太陽熱給湯　最高値	40,000	0.0025
太陽光発電	1,000	0.1
風力	12,5000	0.008

※エネルギーのフットプリントは、そのエネルギー資源の生産性に反比例して変化する。つまり、生産力が高いほど、フットプリントは小さくなる。

する熱と光は60ワットだ）。

　それに対して人間の経済活動を維持するために投入される商業エネルギー（石油・天然ガスなど）のフローは"わずか"10テラワットにすぎない。しかし、仮に今、光合成を利用してこの10テラワットの商業エネルギーを生産しなければならないとしたら、膨大な面積の土地が必要となる。17万5,000テラワットの太陽光のうち、光合成によって植物バイオマスに変換されるエネルギー総量（地球全体の"純一次生産力"）は、わずか150テラワットにすぎないからだ。このうちのほんのわずかな部分が収穫され、さらにこのうちのわずかな部分が利用しやすい燃料というかたちに変換されるのだ。

　以下に、1年という期間内に生態学的生産力のある土地1ヘクタールによって、供給される商業エネルギーの量を、エネルギーの土地換算率（energy-to-land ratio）として表そう。単位は、ギガジュール／ヘクター

ル / 年（GJ/ha/year）である。1 ギガジュールは、1,000,000,000 ジュール（＝ 10 億ジュール）のことである。そして、1,000 ギガジュール / 秒は、1 テラワットに等しい。

　私たちは、化石燃料の消費量を土地面積に換算するのに、以下の三つの方法を使った。それぞれ根拠としている理論・理屈は異なるが、結果的に導かれた換算率の値はお互いかなり近いものになった。結論からいえば、「一年に 80 〜 100 ギガジュールの化石燃料を消費するという行為は、生態学的生産力のある土地 1 ヘクタールを利用することに相当する」というものだ。

　第一の方法では、液体化石燃料を現在入手できる生物起源燃料に代替するとして、その生産に必要な土地を算出する。つまり、これは、前出のキャットンによる"幽霊のような土地"を現代に生き返らせるとしたら、どれだけの面積となるかを計算する方法である。持続可能な経済にとっての必要条件は、持続可能なエネルギーの供給であるという考え方によるものだ。すなわち、枯渇の可能性のある化石資源に依存せず、仮に炭素成分の燃料を使うとしても、何百万年もの間油層に滞留し続けている炭素ではなく、生態圏中を活発に循環している炭素を利用すべきだという考え方である。これはまた、大気中の二酸化炭素の量をこれ以上増加させないようにしようという考え方でもあるのだ。

　エタノール（エチル・アルコール）は、技術的にも品質の点においても化石燃料に匹敵する再生可能エネルギーとなる可能性がある。貯蔵と運搬が容易な均質で濃縮された燃料で、化石炭化水素と同じ作用をおこして、人間活動に動力を供給することができる。そのため、すでに、ガソリンへの添加剤としてエタノールを利用している地域もある。化石燃料の消費に対応する土地面積は、その化石燃料をエタノールで代替した場合に必要な土地面積、つまりエタノールを生産するために必要な生産力を有する土地の広さによって表現される。この面積は、エタノール燃料の原料となる植物（バイオマス）の栽培面積だけでなく、燃料製造過

程で必要となるエネルギー源となる植物を栽培するために必要な土地面積も含めて計算する。エタノールの生産性を最も高く見積もると、生態学的生産力のある土地1ヘクタールについて、年間正味80ギガジュールの生産性となる(注6)。

メタノール（メチル・アルコール）もまた、化石燃料代替品としての可能性を持っている。乾留させた木材の1キログラム当たり、10.5〜13.5メガジュールのメタノールを生成できると推計されている（1メガジュールは、100万ジュール、つまり1ギガジュールの1,000分の1に相当する）。ニュージーランドの大植林地は、世界で最も生産性の高い"森林"で、1ヘクタール当たり年間12トンの木材を生産する。エネルギーの対土地比率は、120〜150ギガジュール／ヘクタール／年である。しかし、カナダ、ロシア、スカンジナビアの森林では、通常の生産性は、わずか17〜30ギガジュール／ヘクタール／年に過ぎず、アメリカにおいては、およそ55〜68ギガジュール／ヘクタール／年である(注7)。

第二の方法は、化石燃料の燃焼によって発生する二酸化炭素を吸収固定するために現在必要な土地面積を推計する。この考え方の論拠は、将来の気候変動を防止したいのなら、二酸化炭素のかたちをとった化石炭素は、大気中に蓄積されてはならないというものである。化石燃料を過剰に消費し続けるのなら、その廃棄物の処理に責任をとるべきである。この考え方に基づいて、私たちが大気中に排出している化石燃料起源の二酸化炭素を吸収するために必要な"炭素吸収源"としての土地面積を計算するのである。

森林生態系と泥炭沼は、重要な二酸化炭素純吸収源になりうる生態系である。森林の中でも、とくに青年期から壮年期の森林は、50〜80年にわたって、二酸化炭素を最も多く吸収固定する。温帯、亜寒帯、熱帯の森林の平均的土地生産性のデータによると、森林は、1ヘクタール当たり年間約1.8トンの炭素を吸収することができる(注8)。この数値を使って計算すると、平均すれば世界の森林1ヘクタールは、毎年、化石燃料100ギ

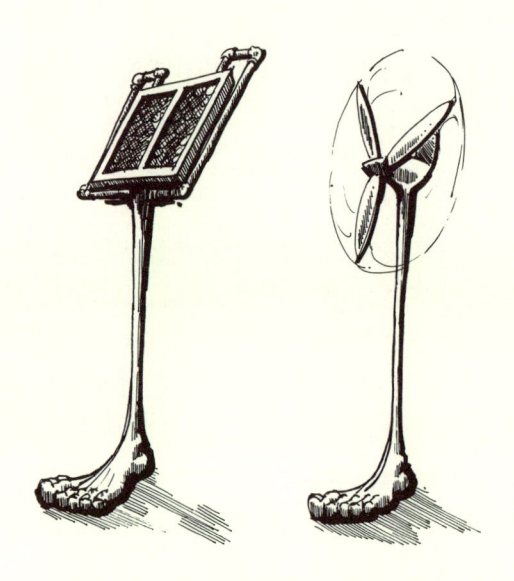

図3-2　再生可能エネルギー資源の利用は、私たちのエコロジカル・フットプリント削減におおいに役立つ。

ガジュールの消費によって発生する二酸化炭素を吸収固定することができるということが導かれた。

　化石燃料の利用を土地面積に換算する第三の方法は、化石燃料の消費速度と同じ速度で自然資本を再生するために必要となる土地面積を求める方法である。これは、世界銀行のエコノミスト、サラ・エル・セラフィ（Salah El Serafy）の以下の発想に基づいている(注9)。すなわち、経済が、貨幣のような実体が必ずしも伴わない富とは違う「正真正銘の富」（すなわち、自然資本）を減耗することを前提として成り立っているのであれば、その社会は持続可能ではないという考え方だ。したがって、非再生資源に依存する社会はすべて、それよって生み出された所得のうち一定の割合を、消費された非再生資源量に等しい価値の「人工資本」、あるいは「再生可能な資本」の形成に投資すべきというものだ。この、消費された資源量を必ず補充するという考え方は、持続可能性の評価基準である「恒常的な資本ストック量」（constant capital stocks）という概念から派生している。この恒常的な資本ストック量概念は、世代間の公正さは持続可能性が前提条件であるという考えに依拠している。これまでの

計算結果によれば、平均的な森林1ヘクタールは、立木の中に年間約80ギガジュールの利用可能なバイオマスエネルギーを蓄積できると考えられる。つまり、減耗した自然資本は必ず補充すべきであるという前提にたてば、エネルギーの土地換算率（land for energy ratio）は、バイオマスエネルギー、80ギガジュール／ヘクタール／年という数値となる（化石燃料の採掘が経済的に見合う鉱区での埋蔵量が底をつき、私たちがエネルギー地から燃料用植物を収穫することになれば、この方法は、第一の方法と同義となろう）。

　以上の三つの方法のうち、第二の方法、すなわち二酸化炭素吸収法（CO_2方式）で計算した場合が、化石燃料の消費に関するエコロジカル・フットプリントの大きさが最も少なくなる。多くの研究者たちは、この計算方法が最も世論の支持を集めることができる方法だろうと評してくれた。この方法は、化石燃料からの根本的な転換を必ずしも求めているわけではないという印象を与える上、一方で、温室ガスの蓄積を抑制する必要性は認めているからである。そこで、このCO_2方式によって、化石燃料起源のエネルギー消費の土地換算率を、"1ヘクタール／年間1.8トンの炭素排出"（＝1ヘクタール／100ギガジュール／年）とする。私たちは、この比率を現在、エコロジカル・フットプリント分析すべてに使用している［2004年時点では、1ヘクタール当たり年間1.42トンの炭素排出（＝1ヘクタール／79ギガジュール／年）という比率を使用する場合が多い］。

　注意してほしいことがある。化石燃料を使って電力が供給される場合、化石燃料の化学エネルギーが電力エネルギーに変換される際の標準的な変換効率は30％である。仮にこの標準効率で発電される場合は、電力として最終的に消費されるエネルギー1単位当たりのエコロジカル・フットプリントは、化石燃料が直接利用された場合の約3.3倍になる、ということに注意してほしい。

　再生可能なエネルギー源は、化石燃料よりずっと生産性が高く、エコ

ロジカル・フットプリントの大きさは小さくなる。水力発電の場合、必要とされる面積は、ダムの上流の湛水区域の面積と高圧電線の下の専有地の面積を合算したものを年間発電量で割って求めることができる。カナダのウィニペグ市にあるマニトバ大学の地理学者バクラブ・スミル（Vaclav Smil）によると、水力発電の生産性は、下流域のダム（50〜200メガワット規模）で、160〜480ギガジュール／ヘクタール／年であり、中・上流域のダムでは、1,500〜5,000ギガジュール／ヘクタール／年であるという。さらに、高緯度地帯のダムは、1万5,000ギガジュール／ヘクタール／年となるとのことだ。

　同様に、オーストラリア、グラーツ工科大学のマイケル・ナロドスラウスキー（Michael Narodoslawsky）らは、標準的な水力発電所の生産性を1,500ギガジュール／ヘクタール／年と推計している。これには電線用地を含めていないが、含めると、約1,000ギガジュール／ヘクタール／年に減少する。これに対し、コーネル大学のデービッド・ピーメンテール（David Pimentel）らは、アメリカの平均的な水力発電の生産性を、わずか47ギガジュール／ヘクタール／年と見積もった。しかし、実際には下流域のダムで4.5ギガジュール／ヘクタール／年であり、高地にあるダムでは7,300ギガジュール／ヘクタール／年と、かなりの開きがある。ピーメンテールらのデータから明らかなことは、バイオ燃料の目安である100ギガジュール／ヘクタール／年に満たない水力発電用ダムは、エネルギー生産という観点からは効率が低いということである。とくに、下流域の氾濫平野は土地生産性が極めて高く農地として最適であるにもかかわらず、その地域特性を犠牲にし、発電用ダムを建設し、土地を水没させることは、愚の骨頂ということであろう[注10]。

　以上のデータから、水力発電の継続発電能力1,000ギガジュール当たり1ヘクタール／年というエネルギーの土地換算率は、一般的なエコロジカル・フットプリントの計算に使うものとして、妥当なものであるといえよう（それでもまだこの値には、漁業に対する影響などその他のマイナ

スの環境影響が計上されていないということを、忘れないでほしい）。これらのフットプリント面積は、「生産能力阻害地」カテゴリーに分類される。しかしながら、高圧電線下の土地（corridor land）が、牧畜に利用できるようになっていて、そのカテゴリーで計上されている場合、このカテゴリーで二重に計上してはならない。

今のところ、私たちは、水力発電によってつくられた電力消費をエコロジカル・フットプリント計算に入れていない。しかし、カナダについての試算では、以下のような結果を得ている。世界資源研究所によると、1991年にカナダは、水力で1,111ペタジュール（11億1,100万ギガジュール）を発電した(注11)。1ヘクタール/1,000ギガジュール/年というエネルギーの土地換算率で計算すると、水力発電により使用された湛水区域と送電線のため、平均的なカナダ人のフットプリントは0.04ヘクタール増えることになる(注12)。

この他の再生可能エネルギー技術も、かなり高い生産力を持つことがわかっている。暫定値ではあるが、大規模太陽光発電は、100〜1,000ギガジュール/ヘクタール/年を発電できるとされ、この数値は、スイスアルプスでの2ヘクタールの太陽光発電所の事例で確認された値だ。この発電所は、稼働初年度に約1,000ギガジュール/ヘクタール/年を送電線に送り込んだ(注13)。

また、アメリカ国内で最も強風が吹き荒れる地域での計測では、250〜500ギガジュール/ヘクタール/年を発電できるようだ。風車そのものが物理的に占めるフットプリントはウィンド・ファーム（風力発電用農場）全体のわずか2%にすぎず、かつその土地は他の用途にも使用することができるということを考慮すれば、風力発電の生産性は、1万2,500〜2万5,000ギガジュール/ヘクタール/年に上昇する。また、性能のよい低温型太陽熱温水器（家庭向け太陽熱湯水器）のエネルギー生産性は、1〜4万ギガジュール/ヘクタール/年に達する。

重要なことは、太陽光、風力、太陽熱などの再生可能なエネルギー源

を利用すれば、多くの地域で現在の化石燃料によるエコロジカル・フットプリントを大幅に削減できるということだけでない。こうしたエネルギー技術は生態学的な生産性のある土地そのものを直接使わずに再生可能エネルギーを供給してくれるということも重要なポイントである。

現在の私たちの分析には、"原子力エネルギー"は入れていない。原子力エネルギーは、見かけ上、土地をほとんど必要としない。ウラン鉱石の採掘から加工、濃縮、燃料成分の製造、使用済み燃料の再処理、放射性廃棄物の貯蔵など、すべての燃料サイクルを含めても、原子力発電所として占有される土地面積1ヘクタール当たりの生産性は年5万ギガジュールを超える（原発事故の発生がゼロであることがあくまでも前提だが……）。つまり、効率よく稼働している原子力発電所の生産性は、エタノールを最大限効率的に利用した場合の生産性を、2～3桁上回る。ただしこれは、"まったく事故がおこらない"と仮定した場合である。原発事故が発生した場合の影響、たとえば、汚染地帯の生物生産性（bioproductivity）の喪失や土壌の放射能汚染などを考慮すれば、話はまったく別となる。

チェルノブイリの原発事故を例にとって事故の環境影響を勘案して試算してみたのだが、事故直後から長期にわたって、エネルギー生産性はかなり下回り、20ギガジュール／ヘクタール／年未満という値が出てきた。こうした事実に加え、原子力の安全性に対する市民レベルでの信頼性の崩壊、平和利用と軍事利用が密接に関係しているという事実、解決の見込みがなく将来世代に対する無責任な遺産である放射性廃棄物問題を考えると、原子力エネルギーの利用は、未来を奪う選択と考えられる。

ii) **生産能力阻害地を計上する**

舗装された土地や建築物が載っている土地、著しく土壌侵食され劣化した土地は、もはや生物的生産力がないため、"消費"されてしまったと見なす。このような土地が増えることは、将来の生物生産性が減少することを意味する。資源需要が拡大するにつれ、この生産性の喪失分を埋

め合わせるために、どこか他のやせた劣等地の生産性を向上させるための努力が必要になるかもしれない(注14)。そうなれば、土地の劣化によって低下した生産性を回復するための投入エネルギーや投入物質、そして時間などを計上する必要が生じるだろう。経済学者たちの多くは、減耗した自然資本およびその機能は人工資本と人間の労働で代替すればよいと論ずるが、その際、経済的生産性の低下というかたちで機会費用がかかることを見過ごしている。代替のために投入された人口資本や労働は他の形態の投資あるいは消費に向けることができないということを見逃すべきではないだろう[舗装されたり劣化した土地を著者たちはbuilt-up land（構造物が積まれた土地）または、degraded land（劣化した土地）と呼んでいるが、日本語では、「生産能力阻害地」と訳したい]。

ⅲ）水の供給

世界の多くの地域では、人間が衛生的な淡水を使うことにより、その水の他の目的のための利用が難しくなるし、水を"集める"ための土地の他の用途の可能性を奪うことにもなる［すなわち機会費用が掛かる］。さらに、この水の輸送には、エネルギーと物質が消費される。したがって、エコロジカル・フットプリント分析においては、この水の水源の種類に応じて、取水にかかる機会費用と輸送にかかるエネルギー費用を計上しなければならない。（ここでは、水源において失われた生態学的生産力を埋め合わせるための新たな土地については、農業部門（耕地と牧草地）のエコロジカル・フットプリントに反映させるものとする。）集水地域面積もまた、集水が集水地域の他の生物経済的な機能から切り離すことができるかぎり、算入されるべきである（切り離せない場合、算入すると二重計上になるので算入しない）。乾燥地帯ほど、これら集水地域面積は、かなりの大きさになる。たとえば、オーストラリアにおいては、都市住民一人につき、約0.27～0.37ヘクタールの土地が集水地域とされる(注15)。

ⅳ）廃棄物の吸収

人間が生み出した廃棄物を吸収する自然の力には限りがある。とはいっても、栄養物や家庭から出る有機系廃棄物の大部分は適切に分配されるなら分解され、生態系で循環する副産物として役立ち、エコロジカル・フットプリントの値を大きくすることはほとんどない（しかし、汚水処理施設の土地面積についてはフットプリント計算に算入する必要がある。処理後の残留物が最終的に分解される水域または陸地は、他の目的上エコロジカル・フットプリントに計上されている）。

　一方、分解されなかったり同化吸収されなかったものは、その土地に蓄積されるか、あるいは水や空気によって運ばれ、海洋や食物連鎖のどこかに蓄積される。土壌や水系、大気の汚染は、生産力を低下させることにつながる場合もある。もっとひどい場合は、生産物が人間にとって消費できないほど有害なものになったりする。このように使いものにならなくなった土地面積、および生産力の損失分に当たる面積を廃棄物処理場のフットプリントとして計上するのが妥当であろう。

　同様に、成層圏のオゾン層の破壊が、結果的に生物生産性を低下させている場合はどうすべきか。オゾン層の破壊は、中波長紫外線の流入の増加をもたらし、光合成が悪影響を受けるため、この損失分もフットプリント計算に算入すべきである。しかし、実際のところ、私たちの計算事例では、最も影響が大きい二酸化炭素排出を吸収固定するための土地のみを計上し、他の廃棄物吸収と汚染被害については計上していない。

v）生物多様性の保護

　すべての大陸において手つかずの自然（wilderness）は回復不可能なまでに破壊され、分断され、生物多様性が脅かされている。生物多様性を充分に確保し、地球生態系の安定性を保つためには、どれほどの規模で、またどのようなかたちで、自然保護区域を設定すべきかについて議論が続いている。生態学者のユージーン・オダム（Eugene Odum）は、生物多様性を保存するために、どの生態系においても全面積の3分の1は保護されるべきであると主張した。また、確固たる根拠はないようだ

が、「ブルントラント委員会」は、地球上の土地面積の少なくとも12%（つまり約20億ヘクタール）は、自然保護区域として保全されるべきと提案した。

　じつのところ、人間以外の種の保全のためにどれだけの生息環境が必要かについては、わからないことだらけであるし、また人類が生態学的な意味での安全を確保するためにどれだけの自然環境が必要かについてもほとんどわかっていないのだ。上手に管理された森林のように、人手が入り利用され尽くした生態系は、どの程度まで生物多様性を保存し、基礎的な生命維持機能を提供しているのだろうか。これについても不明な点が多い。すでに述べたように、土地カテゴリー（g）は、約15億ヘクタールのほぼ未開発の森林生態系である。これらは、重要な炭素貯蔵庫であり、かつ地球上の多くの生物種の生息地となっている[注16]。この15億ヘクタールは、地球上の陸地のわずか9%でしかなく、また、保護されているのはそのうちわずか3分の1である。

　不確定要因の数々と潜在する危険性の大きさを考えると、地球規模の安全保障のために、この土地をそのままにしておくことが、思慮分別ある予防原則に則した選択といえよう。

消費―土地利用マトリックス

　おもな消費カテゴリーと土地利用カテゴリーの中身を決めたら、次には消費カテゴリー毎に必要となる土地面積を、既述の計算法にしたがって計算してゆく。計算数値は、消費（横に伸びる「行」）と土地利用（縦に伸びる「列」）という形式のマトリックス（行列）に整理する（表3-3）。マトリックスの各マスに記載される各数値は、ある消費項目が"収奪している"土地面積を表している。

　行には前に説明した五つの消費カテゴリー、すなわち、「食料」、「住居」、「交通」、「消費財」、「サービス」に分けている。各カテゴリーに対応する数値は、各消費項目が直接占有する土地面積はもちろん、それを

生産し維持管理するために間接的に"消費"される土地面積をも含んでいるということを忘れないでほしい。したがって、このマトリックスは、消費のライフサイクル分析（LCA）を"土地"面積で表現しているものともいえるのだ。

たとえば、住居カテゴリーは、家屋が建っている土地（道路などの都市インフラストラクチャーが占有する土地面積の相当シェア分を含む）、家屋用木材を育林するために必要な土地（あるいは、レンガ製造のためのエネルギー地）、暖房用のエネルギー地を含んでいる。

このマトリックスの列は、表3-1同様、AからFまでのアルファベットをつけた土地利用類型を表している。A列は、「エネルギー地」と名づけているが、各消費項目の化石エネルギー使用量がどれだけの土地面積に相当するのかを表現している。換算には前出のエネルギー量から土地面積への換算率である1ヘクタール/100ギガジュール/年を使う。B列は、「生産能力阻害地」であるが、構造物でふさがれた土地、劣化した土地面積を表す。C列は、「園芸地」。おもに野菜・果物生産のために利用される農耕地面積を示す（通常、この土地の生産力が最も高い）。D列は、「耕作地」C以外の農地を意味する。E列は、「牧草地」である。酪農、食肉、羊毛生産などのために利用される土地である。そしてF列は、「森林地」である。森林産品の供給に関わる土地である。右端の"合計"の列は、各消費カテゴリーによって"収奪"された土地面積の合計である。

表3-3のフットプリント推計値は、生態学的生産性の世界平均値を用いて計算したものだ。前にも述べたが、このことは以下の理由で妥当なことであろう。第一に、私たちの消費が世界各地で行われる生産との結びつきを強めているという、現代の消費と生産の関係の実態を反映しているからである。すなわち、工業が発展した都市に住む人々は、自分たちの土地の生態学的生産力にほとんど依拠していない。都市の消費品目の原材料は、通常、世界各地の遠く離れた地域で生産されたものである。第二に、世界平均値を用いれば、消費の環境影響に関する国際比較が容

易になるからである。第三に、計算が容易になるのに、合計の数値がゆがむことはない。

　もし、世界平均の土地生産性をもとに計算されたある集団のエコロジカル・フットプリントを、その集団が住んでいる地元の土地生産性に基づいて計算した場合と比較したい場合には、土地生産性の値を地元独自の値に置き換えて計算し直すことが必要だ。たとえば、ある地域の農地の生産性が世界平均値の２倍である場合、（生産力からすれば）その地域の土地１ヘクタールは世界の平均的な土地２ヘクタールに相当することになる。したがってその地域の土地生産性を用いてエコロジカル・フットプリントを計算すれば、世界平均値を用いた場合の半分の面積になる。当然のことだが、このように各地域それぞれの土地生産性を用いて算出された面積の総合計は、世界全体の生産可能な土地面積の総合計に等しくなる。

　くりかえしになるが、エコロジカル・フットプリントの概念はシンプル、計算方法はいたって簡単だ。この分析は、個人、あるいはコミュニティーの消費パターンの詳細なデータから出発することもできるが、私たちは通常、国、県、州などの総計データから始める。のちの段階で、必要と用途に応じ、より詳細なデータを用いて、特定のコミュニティーや地域について、また個別の技術などについても、分析を深めることができる。

　また、エコロジカル・フットプリント分析には、人類と生態圏の間の生物物理学的"つながり"の基本的性質と度合いをシンプルにかつ視覚的に伝えるという優れた特長がある。たった一つの指標で、消費を通じてつながっている人類と自然の関係の核心を捉えることができるのだ。第２章で説明したように、エコロジカル・フットプリントの計算は静学分析である。ある時点における経済と土地の関係を生態学的に捉えたスナップショットなのだ。しかし、それを時系列で再構成することによって、その歴史的傾向をも捉えることができる。エコロジカル・フットプ

リントを出発点として、特定の問題領域の分析を、より精密に行い、また持続可能な開発政策について、多角的に検討することが可能となる。

エコロジカル・フットプリントの理論は、技術改良の成果を無視しているという誤った批判をされることがある。批判の要点は、科学技術が天然資源の代替となれるなら、あるいはより少ない資源で同等かそれ以上の物質的水準を享受できるような資源効率の向上が達成できたなら、ある集団のエコロジカル・フットプリントは縮小できるというものである。つまり、これらの技術代替と資源効率の手法のどちらによっても、物質消費総量を削減できるという意見だ。実際、大幅に効率を向上すれば、一人当たりのGDP成長は事実上自然界から"切り離されうる"（デカップル）とまで、主張する人もいる（"エコ効率"についての論文は次々に発表されている。しかし、BOX4-1に記述したのだが、これら効率至上戦略は、直感とは逆の効果をもたらすものだ）。

エコロジカル・フットプリント分析が、変化する状況を映し出す動学分析ではないというのは正しい。だが技術を無視しているというわけではない。むしろ、この分析で、現時点での生態学的逼迫状況と環境的限界を、改良技術が広く普及した場合と比較することが可能となる。

たとえば、化石燃料から太陽エネルギーへの移行がかなりの規模でおこった場合、環境収容力という観点からどのような影響がもたらされるのか、エコロジカル・フットプリントの分析は目に見えるかたちで明らかにしてくれる。また、時系列を使うことによって、変化する状況を動学的な見取り図で示すこともできる。エコロジカル・フットプリントは、ある条件下における経済の自然資本あるいは自然所得への依存度を示す分析だからこそ、改良への動機づけを提供してくれる。その上、持続可能性達成までの残された道のり（＝持続可能性ギャップ）を教えてくれるし、経済が自然への負荷を減らす方向へと進んでいるかを監視するための物差しとしても使うことができるのである。自然への負荷削減は、経済成長と資源消費との技術的"分離"（デカップリング）、あるい

図3-3　フットプリントを算定するのは、楽しい。小型計算機と『世界の資源と環境』のような統計書何冊かを用意して、さあ簡単なフットプリントを計算してみよう。

は価値観の変革によって達成することができ、結果として物質消費量の削減を達成できるのだ。

ECOLOGICAL FOOTPRINT
3. フットプリントの実際
計算法を使ってフットプリントを出す

　理論の次は、行動である。この節では、エコロジカル・フットプリントの概念を実際のデータを使って応用してみる。まず、計算過程をたどりながら平均的なカナダ人のフットプリントを導き出し、その他16の応用例を手短かに紹介する。読者が数字と統計の量に圧倒されないように、できるだけ計算結果や要約だけを示そう。
　エコロジカル・フットプリントの分析はさまざまな規模（個人、世帯、地域、国、世界）に応用できるので、まずはじめに、対象とする集団あるいは経済を画定しなければならない。しかし、ここで求める、ある集

団のエコロジカル・フットプリントの計算結果が最も有効に生かせ、興味深く思えるのは、比較分析においてであるということを忘れないでほしい。たとえば、ある集団のエコロジカル・フットプリントを、実際にその集団の居住地にある土地面積と比べたい、あるいはその集団の生活様式が変化した場合の仮想エコロジカル・フットプリントと比べたい、という場合などである。分析をどのように使いたいかによって、集めるデータの種類が決まる。さあ始めよう。

1）平均的な北アメリカ人のエコロジカル・フットプリントはどのくらいか？

「で、フットプリントの大きさは？」

　エコロジカル・フットプリント概念を紹介したとき、決まって出る最初の質問の一つがこれである。第1章で述べたように、答えは、所得や個人の価値観および行動様式、消費パターン、消費財の生産に使用される技術などによって、変わってくる。したがって、世界の国々や人それぞれによって、さまざまなフットプリントがある。

　この点については、平均的カナダ人のエコロジカル・フットプリントの精密な計算結果（表3-3）と、その結果を他の数カ国と比べてみれば（表3-4）、明らかである。アメリカの消費パターンはカナダの一人当たり総消費量とほぼ同じであるが、アメリカ人の平均エコロジカル・フットプリントのほうが大きいことに注意してほしい。

　平均的カナダ人が利用する自然資源と自然サービスを生産するために必要な生態学的生産力のある土地面積の計算は、短くまとめると以下のような手順で進められる

　まず最初に、消費の五大カテゴリー別の消費量と廃棄物排出量についての年間データを集め、カテゴリー内の項目毎の総計を総人口で割って、一人当たり平均消費値量を求める（消費は次のものからなる：①家計による直接消費、②消費財に"内包された"エネルギーなどの間接的

消費、③企業と政府による消費——これは最終的に家計に便益をもたらしている。サービスとは、学校教育、警察、行政、保健医療などをさす)。

　第二に、これらの平均消費量データ（"生態負荷"）を、その消費が属する生態系別土地カテゴリー毎の生態学的生産性を使って計算し、それぞれ土地面積に換算する。これが消費／廃棄物各カテゴリーにおける必要面積である。

　この必要面積を合計すると、平均的カナダ人のエコロジカル・フットプリントが得られる。この面積は、一人の個人を扶養し生存させるために必要な生産力が地球という惑星の総生産力に占める割合を表しているので、これを平均的"個人の小惑星"と呼ぶことがある。これらの計算結果は、表3-3、消費量／土地利用マトリックスにまとめている。

　カナダ人は、恐るべき消費者のようだ！　たとえば、毎日、平均3,450カロリー分の食事をとる。うち、動物性食品は1,125カロリーである。これら食料の大部分は、エネルギー集約的な農業によって生産され、食卓に届くまでに高度に加工されている。世界資源研究所によると、カナダ人の居住地域は、約5万5,000平方キロメートル、一人当たりにすると0.2ヘクタールになる。しかも、このような土地利用は、主として農地に適したところでなされている。カナダ人は、年平均1万8,000キロメートル車を運転し、約200キログラムの容器・包装材を使用し、2,700ドルを消費財に、2,000ドルをサービスに支出している。カナダ人のエネルギーおよび物質消費量は、一般的に世界平均の4〜5倍である。さらに、アメリカ人の平均的消費量は、ほとんどのカテゴリーにおいて、カナダ人の平均値を上回っている（表3-4参照）。

　北アメリカに住むカナダ人やアメリカ人の平均的な人々の日々の活動を支えるためには、消費財およびサービスに投入されたエネルギーも含めて、毎年約320ギガジュールの商業エネルギーが必要である。これは、ガソリン10立方メートル分のエネルギー量に相当する。さらに、このエネルギーの大部分は非再生可能な化石燃料である。

表3-3 消費量──平均的カナダ人の消費量・土地利用マトリックス（1991年データ）

各項の数値は生態学的生産力のある土地面積（単位：ヘクタール/1人）

	A エネルギー地	B 生産能力阻害地	C 園芸地	D 耕作地	E 牧草地	F 森林地	合計
1 食料	0.33		0.02	0.6	0.33	0.02	1.30
11 果物、野菜、穀物	0.14		0.02	0.18		0.01?	
12 動物性食品	0.19			0.42	0.33	0.01?	
2 住宅	0.41	0.08	0.002?			0.4	0.89
21 建築・維持管理	0.06					0.35	
22 運用	0.35					0.05	
3 交通	0.79	0.10					0.89
31 自家用車・バイク	0.60						
32 公共交通機関	0.07						
33 貨物輸送	0.12						
4 消費財	0.52	0.01		0.06	0.13	0.17	0.89
40 包装材	0.10					0.04	
41 衣料	0.11			0.02	0.13		
42 家具・電気器具	0.06					0.03?	
43 書籍・雑誌	0.06					0.10	
44 タバコ・アルコール類	0.06			0.04			
45 身の回り雑貨	0.03						
46 レクリエーション用品	0.10						
47 その他の消費財	0.00						

140

CHAPTER THREE

5 サービス	0.29		0.01				0.30
51 政府（軍を含む）	0.06						
52 教育	0.08						
53 保健医療	0.08						
54 社会事業・福祉	0.00						
55 観光	0.01						
56 娯楽	0.01						
57 銀行・保険	0.00						
58 その他のサービス	0.05						
合　計	2.34	0.20	0.02	0.66	0.46	0.59	4.27

(0.00-0.005ヘクタール（50平方メートル）未満；空欄=無視しうる値；?=データ入手不能)

省略形
a) エネルギー地　=消費された化石燃料。発生した二酸化炭素吸収に必要な土地面積として計上する。
b) 生産能力阻害地=生産能力を失った土地、構造物でおおわれている環境。
c) 園芸地　　　　=野菜・果物生産のための農地。
d) 耕作地　　　　=穀物、飼料などの生産のための農地。
e) 牧草地　　　　=酪農製品、食肉製品、羊毛の生産のための**牧草地**。
f) 森林地　　　　=優良森林地。平均的丸太材収量は、70年の伐期を想定し、1ヘクタール当たり163立方メートルと仮定。

表3-4　一人当たり平均消費量の比較 ──アメリカ、カナダ、インド、世界全体

一人当たり消費量	カナダ	アメリカ	インド	世界
二酸化炭素排出（単位：トン/年）	15.2	19.5	0.81	4.2
購買力（単位：米ドル）	19,320	22,130	1,150	3,800
自動車保有台数（人口100人当たり）	46	57	0.2	10
紙消費量（単位：キログラム/年）	247	317	2	44
化石燃料使用量（単位：ギガジュール/年）	250(234)	287	5	56
淡水取水量（単位：立方メートル/年）	1,688	1,868	612	644
エコロジカル・フットプリント（ヘクタール/1人）	4.3	5.1	0.4	1.8

　世界資源研究所によると、一人当たり一年間に、アメリカ人は287ギガジュール、カナダ人は250ギガジュールの化石燃料を使用しているという（カナダでは、化石燃料より水力発電の割合のほうが高い）[注18]。表3-3には、商業エネルギー消費量のうち化石燃料部分だけが計上されている。

　政府統計から、経済セクター別のエネルギー消費内訳を得ることができる。しかし、これらの統計を直接フットプリント計算に利用すると、家計レベルでのエネルギー消費の実像を歪める恐れがある。商品には、投入された内包エネルギーが含まれているからである。輸出品に投入された内包エネルギーは国内消費に入れてはならないし、一方、輸入品に投入されている内包エネルギーは、国内消費に加えられるべきである。この修正をほどこすと、カナダは、国際貿易の結果、商品に内包されている二酸化炭素の排出量（したがって投入された内包エネルギー）の純輸出国である[注19]。

　じつのところ、本書に紹介する事例は、森林、農業、商業エネルギー部門の第一次製品についてのみ、輸出入バランスを修正した。製造業や

サービス産業などその他の部門については、生態学的にバランスのとれた貿易が行われていると仮定した。すなわち、輸出品に投入された内包エネルギー量および内包資源量は、輸入品に投入された内包エネルギー量と内包資源量に等しいということだ。しかし、さらに分析を深化させたい場合は、データが許すかぎり、すべての生態学的貿易バランス（輸入品フットプリント―輸出品フットプリント）についてきちんと計算を行うべきである。

分析の第二段階は、各消費カテゴリーについて、それぞれの消費量をそれぞれに対応する土地面積に換算する。これには、各土地利用カテゴリーの生態学的生産性を把握しておく必要がある。農地については、国連食糧農業機関（FAO）による貿易と土地生産性に関する数値から世界平均土地生産性の値を得ることができる。牧草地の土地生産性と環境収容力は、農学便覧やハンドブックのような専門書から得られる。平均的な森林の土地生産性として、2.3立方メートル／ヘクタール／年という数値を採用したが、これは、年間1ヘクタールの森林は、木質繊維質2.3立方メートル生産できるという意味だ。これは、カナダの温帯林の平均土地生産性[注20]に等しい。また、環境NGOの「地球の友・オランダ」が地球の環境収容力の限界を分析するのに利用している、2立方メートル／ヘクタール／年という数値に近いので妥当と考えられる[注21]。

前述したように、化石燃料の燃焼による二酸化炭素の固定吸収は、土地―エネルギー換算率、1ヘクタール／100ギガジュールを使って計算する（現在のところ、二酸化炭素以外の廃棄物と汚染の吸収に必要な土地面積は含めていない。したがって、この計算結果は、消費サイクルにおける実際の土地要求面積を過小評価しているといえる）。カナダ人の土地"消費"の試算は、BOX3-3に述べている。

表3-3をもう一度見てほしい。これが、平均的カナダ人一人が現在の生活様式を行うために必要な土地面積だ。たとえば、43行目の"書籍／雑誌"と"F―森林"列の交わるデータを読むと、森林0.1ヘクタールが、

読み物を供給する土地として必要だということがわかる。さらに、書籍／雑誌を製造するための内包エネルギー地、"A-エネルギー"は、0.06ヘクタールである。このことから、平均0.16ヘクタールの土地が、カナダ人一人当たりの書籍／雑誌などの供給のために必要だということがわかる。

マトリックスの最下段右端には、平均的カナダ人一人が必要とする総

BOX3-3　消費量を土地面積に換算してみよう

例題1：化石燃料の消費量と炭素吸収地シンク

Q：平均的カナダ人の化石エネルギー消費によって排出される二酸化炭素［CO_2］を全量固定吸収するために必要な生態学的生産力のある土地（炭素吸収用の森林）の面積はどれだけか？（消費量－土地利用マトリックス［表3-3］のA列の"合計"参照）。

世界資源研究所の報告によると、1991年のカナダの商業エネルギー総消費量は、8,779ペタジュール（PJ）（1PJは100万ギガジュール（GJ））である。このうち、原子力発電により926PJ、水力発電により1,111PJが供給された。したがって、化石燃料の消費は、6,742PJ（＝8,779－926－1,111）である。カナダの1991年の人工は、27,000,000人であった。

ゆえに、1991年のカナダ人一人当たり化石燃料消費量は、

$$\frac{6,742,000,000 \,[GJ/年]}{27,000,000 \,[人]} = 250 \,[GJ/年]$$

しかし、カナダ統計局の報告によれば、一人当たり消費量は年234GJである。さてどちらのデータを採用したらよいか。万一、間違えるとすれば、少ない方に間違える方が安全であるので、カナダ統計局のデータを採用することとする。化石エネルギーと土地の換算比を100GJ/ha［ヘクタール］/年とするから、平均的カナダ人の化石燃料の消費によって放出されたCO_2固定に必要な土地面積は、

$$\frac{234 \,[GJ/人/年]}{100 \,[GJ/ha/年]} = 2.34 \,[ha/人] \text{となる。}$$

土地面積（一人当たりエコロジカル・フットプリント）は4.27ヘクタールであると出ている。このうち二酸化炭素の吸収のためだけに2.34ヘクタールも必要であることが最下段左端の数値からわかる。表3-4に見るように、アメリカ人は、消費量／廃棄量がそれぞれカナダ人より多いため、一人当たりフットプリントは、5.1ヘクタールとなっている。

例題2：製紙用木材を生産する森林

Q：平均的カナダ人が消費する紙を生産するために、どれだけの森林面積がパルプ用材生産に使われているか？（これは表3-3の"F1"（食品包装紙）、"F40"（容器・包装材）、"F43"（書籍・雑誌類）、"F2"（家庭用紙製品と建築に用いられる紙製品）。

カナダ人は、一人当たり年間約244kgの紙を消費する。リサイクルされて生産プロセスに流入する古紙の他に、カナダでは紙生産1t当たり1.8m³の木材が必要である。エコロジカル・フットプリント分析では、森林の平均木材生産力の平均値を2.3［m³/ha/年］としている。したがって、下の式から平均的カナダ人に継続的に紙を供給するためには、一人当たり0.19haの森林が必要であることがわかる。

$$\frac{244\,[kg/人/年] \times 1.8\,[m^3/t]}{1,000\,[kg/t] \times 2.3\,[m^3/ha\,年]} = 0.19\,[ha/人]$$

例題3：都市環境

Q：平均的カナダ人は一人当たりどれだけの"生産能力阻害地"を使っているか？（生産能力阻害地とは、道路、住宅地、商業・工業地域、公園など。表3-3のB列の合計を参照）。

世界資源研究所によると、カナダの市街地は5,500,000haである。したがって、平均的カナダ人は一人当たり0.20haの生産能力阻害地を利用している。

$$\frac{5,500,000\,[ha]}{27,000,000\,[人]} = 0.20\,[ha/人]$$

図3-4 平均的カナダ人一人あたりのフットプリントは、多くの土地カテゴリーに及んでおり、4ヘクタールを超えている。

2) バンクーバー地域のフットプリントの大きさは？

　以上のような、一人当たりのフットプリント・データを使って、典型的な工業地域の住民が、彼らの誇る物質的消費水準を維持するために、どれだけ地球上の土地を収奪しているかを算出することができる。ここではまず、ブリティッシュ・コロンビア州バンクーバーから東へ144キロメートルまでの広がりをもつローワー・フレーザー・バレー（フレーザー河下流域）を取り上げよう。

　この都市近郊型の農業地域は、南をアメリカ国境に接している。北部は山地で囲まれており、約4,000平方キロメートル（40万ヘクタール）の居住に適した河川下流域に、180万人が暮らしている。人口密度は4.3人／ヘクタールである。平均的カナダ人の消費パターンを仮定して、その消費に必要な土地面積を算出すると、この地域の住民のエコロジカル・フットプリントは、じつに7万7,000平方キロメートル（770万ヘクタール）となる。つまり、ローワー・フレーザー・バレーの住民は、現

在の消費内容での生活様式を維持するために、実際住んでいる地域の19倍の面積を必要としているのだ。

　内訳は、食料生産に2万3,000平方キロメートル、林産品生産に1万1,000平方キロメートル、エネルギー利用のために4万2,000平方キロメートルである（図3-5）。これらの数字は、この地域の、世界の他の地域に対する"生態学的赤字"（ecological deficit）を表している。

　たとえローワー・フレーザー・バレーの土地生産性が、世界平均の2倍であったとしても、なお、ここの住民は、地元の利用可能な土地の9倍の広さの生態学的生産力を必要としているのだ。実際、研究グループの和田喜彦による地域生産力の分析によれば、バレーの農業生産力はカナダでも最高の水準であり、世界平均の2倍以上あるとしている。この地域より少し広い地域区分であるローワー・メインランド地域について、その平均的森林の土地生産性を見ると、世界平均にほぼ等しいことがわかっている。

3) フットプリントの世界的な比較——生態学的に見て、地球上のだれもがアメリカ人の現在の生活水準を享受できるか？

　さまざまな生産物の消費量が地域内の生産量を上回ったとしても、地球上の他の地域に生態学的生産力のある土地が充分にあるかぎり、他の地域の余剰生産物を"輸入"することにより、必要な生産物の持続的な確保は可能である。とすると当然、次のような問いが生じる。

「この惑星上にいったいどれだけの生態学的生産力の余剰があるのだろうか？」

　これに答えるためにはまず、どれだけの土地があるか把握しなければならない。地球という惑星は、表面積510億ヘクタール、うち131億ヘクタールが、氷や淡水でおおわれていない陸地である。そのうち、わずか89億ヘクタールに満たない面積が生態学的生産力のある土地、すなわち耕作地、永久牧草地、森林地である。残り42億ヘクタールのうち、15

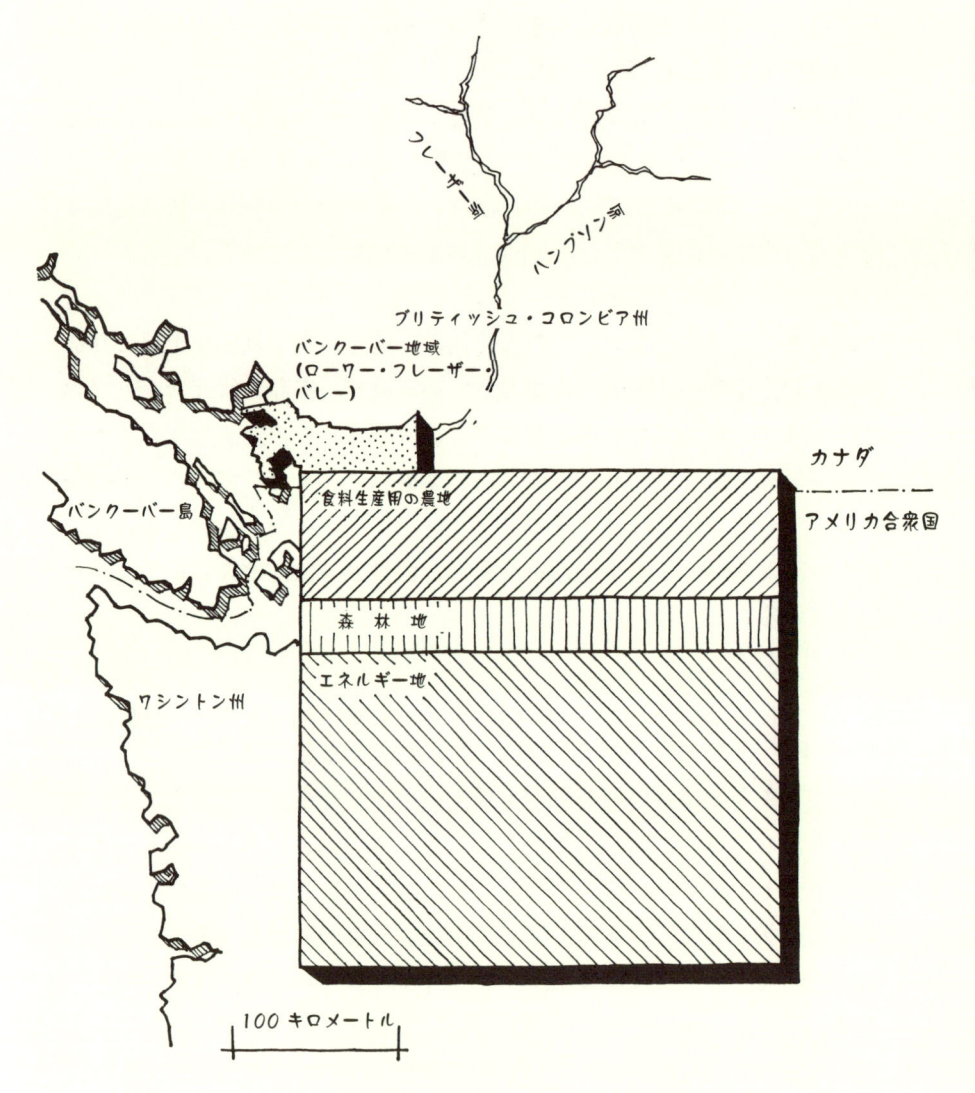

図3-5　ローワー・フレーザー・バレーのエコロジカル・フットプリント。
　ブリティッシュ・コロンビア州の中で最も人口が多く、生態学的に生産力の高いこの地域（点で塗りつぶした地域）の住民は、貿易と自然な生態学的フローによって、地域面積の19倍の広さの土地面積（斜線の部分）を「収奪」している。この広大な面積土地のおかげで、彼らは食料、森林生産物、化石燃料を高い消費水準で享受しているわけだ。

億ヘクタールは広大な砂漠（南極大陸を除く）で占められ、12億ヘクタールは半乾燥地帯である。残り15億ヘクタールは、牧草には利用できない草地や荒れ地、そして2億ヘクタール（一人当たり0.03ヘクタール）の市街地と道路（生産能力阻害地）である。

　したがって、人類が利用できる可能性のある土地は約89億ヘクタールと考えられる。しかし、うち約15億ヘクタールは、"手つかずの自然"（wilderness）で、原始に近い状態にとどめおくべきものである。大部分が森林であるこの地域は、すでにさまざまな生命維持サービス提供に重要な役割を果たしており、他の用途に利用すべきではない。なかでも、生物多様性を保護し、気候を調節し、炭素を貯蔵する働きは大きい（前にも述べたが、手つかずの原生林をもし伐採すれば、二酸化炭素の純排出量をプラスにしてしまうのだ）。すなわち、人類が、生命維持サービスを享受するだけでなく積極的に利用できるのは、生態学的生産力ある土地89億ヘクタールのうちわずか74億ヘクタールでしかないということになる[注22]。

　地球上に"残っている"一人当たりの生態系面積は、20世紀初めの5〜6ヘクタールから今日、わずか1.5ヘクタールまで減少している。一方、物質的には豊かになったので、先進工業国に住む人々のエコロジカル・フットプリントは、4ヘクタールを上回る大きさまで拡大している（図1-5参照）。相反するこの二つの動向は、今日、人類に突きつけられた根源的なジレンマと、持続可能性達成に向けての困難な課題の核心を象徴的に示しているといえよう。

　富める国の一般的市民のエコロジカル・フットプリントが、"公平割当面積"（公正な地球の割当分、fair Eearthshare）を2倍から3倍、超過しているのである。もし、地球上のすべての人が、北アメリカ人と同じ水準で生態利用の成果を享受すれば、現在の技術水準のもとで物質的な需要の総量を満たすためには、地球が3つ必要だということになる。驚くべき数値のようだが、エコロジカル・フットプリントの分析の基礎と

海洋

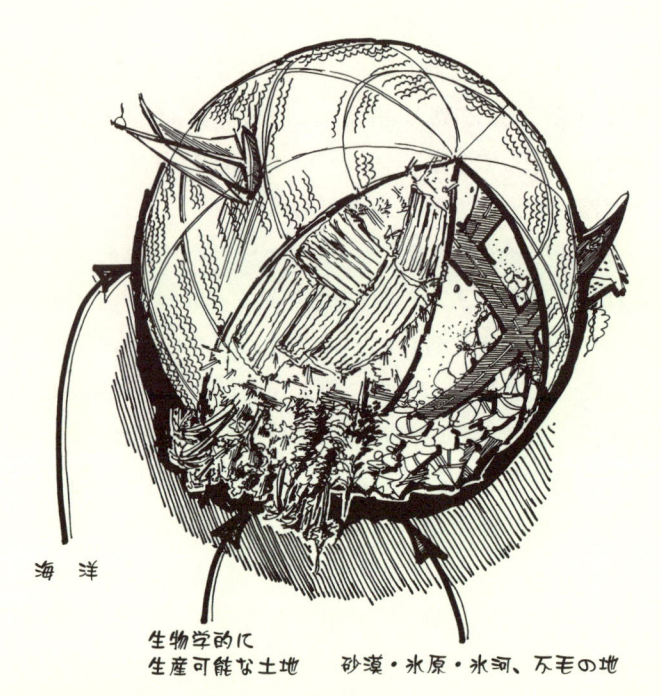

生物学的に
生産可能な土地　　砂漠・氷原・氷河、不毛の地

図3-6　人類の活動に欠くことのできない機能を果たすことができる土地はどのくらいあるか。地球の表面積は510億ヘクタール、うち145億ヘクタールは陸地である。しかし、そのうち生態学的な生産力があるのは、わずか89億ヘクタールである。残る56億ヘクタールは、生産性が極端に低いかゼロであるため、人類の利用には適さない（うち14億ヘクタールは氷におおわれている）。

なる前提と実証的証拠から考えると、算出されたフットプリント面積は、これでもかなりの過小評価なのである。このように、たとえ物質的な成長を続けようにも、厳然たる生物物理学的な制約が実在していて、成長は困難に直面しているといえよう。現在の世界人口58億人でさえ、北アメリカ人の物質的生活水準を達成しようとすれば、確実に生態圏を破壊し人類の崩壊を早める。ましてや、2040年の予測世界人口、100億人となればどうだろうか。

　このような新たな認識は、さらに次のような問いを導き出す。
「この生態圏に住む人々の現在の総需要は、どれほどか？」
　人間の四つの主要な需要（耕作地、牧草地、森林、炭素吸収源用地）

図3-7 人類のエコロジカル・フットプリントは長期的に自然が扶養しうる大きさを30％も上回っている。つまり、現在の人類全体としての消費量は、自然所得を30％上回っているということだ。過剰となっている分は、自然資本を減耗させることで補っているのである。富める人々が今日ぜいたく三昧しているつけは、明日、みんなの肩に重くのしかかってくるだろう。

について概算したところでは、現在の自然資源／サービスの収奪状況は、すでに地球の長期的な環境収容力を超過している。農業は、15億ヘクタールの耕作地、33億ヘクタールの牧草地を占めている。現在の丸木伐採（薪炭を含む）を持続可能な生産をしようとすると、17億ヘクタールの生産的森林が必要なのだ。化石燃料の燃焼による二酸化炭素の超過排出を吸収するためには、さらに30億ヘクタールの炭素吸収源用の土地を確保しておかなければならない。これを合計すると、96億ヘクタール必要となるが、実際には、これらの用途として利用できる生態学的生産力のある土地は74億ヘクタールしかない。この四つの目的だけで残存している環境収容力を30％近くも上回るということだ（たとえ、手をつけてはならないはずの原生森林地15億ヘクタールを含めた生態学的に生産可能な土地89億ヘクタールすべてを動員したとしても[注23] 現在の需要量は、10％も"オーバーシュート"していることになる）。

フットプリントを通して観察し想像を働かせると、世界経済における現在のスループット（資源流入量）は、持続可能ではないことがおわか

りいただけたであろう。個別地域の生態学的赤字と異なり、世界全体としての生態学的赤字は、貿易で埋め合わせることができないことは明らかである。この赤字は、どう補充されているのか。それは、貿易ではなく、自然資本ストックの取り崩しによって補填されているのだ（多くの賢明な読者にとっては、最近の新聞記事を読んで直感的に理解していることだろう）。

　以上の認識に照らすと、現在の国際開発戦略はどのように理解することができるだろうか？　大多数の一致した目標とされているのは、途上国の物質的水準を第一世界（先進国）並みに引き上げることである。たとえば、ブルントラント委員会は、「先進工業国と途上国、両者におけるさらに急速な経済成長」の必要性を主張し、「次世紀（21世紀）に世界人口の伸びが安定する時点では、世界の総工業産出高は5〜10倍になると予測される」と記述している。

　この見通しを、エコロジカル・フットプリントの分析を使って検証してみよう。もし、現在の世界人口の日々の活動維持に、少なくとも96億ヘクタールの土地が必要なら、産出高が5〜10倍増加すれば、そのときに必要となる土地は480〜960億ヘクタールということになる。もちろん、これは現在の技術をそのまま利用した場合のことである。

　したがって、向こう40年間に予測される増加人口を扶養し、増産のための資源を供給"し続ける"ためには、さらに6〜12もの地球が追加的に必要になるということになる。それでもなお、社会政策の中心に経済成長をすえ続けるなら、その場合ただ一つ残された選択肢とは、サービスを低下させることなくエネルギーと資源利用を6分の1から12分の1に節減できる省エネルギー、省資源技術を開発することである。これでもまだ、先進工業国の平均的家計のエネルギー消費は増加し続けるということを考えると、問題の困難さに圧倒される。明らかなのはただ一つ。私たちはありもしない惑星の上で、開発を続けることはできないということだ。

4）イギリスのフットプリント

「ロンドンの120倍の大きさのものは、何でしょう？　答えは、ロンドンの環境ニーズを満たすために必要な土地の面積、つまりエコロジカル・フットプリントです」

1995年初めに完了した、国際環境開発研究所（The International Institute for Environment and Development, IIED）によるイギリス環境開発省委託研究[注24]の"要約と結論"は、このように始まっている。

この報告書は、今日までのイギリスにおけるエコロジカル・フットプリント概念の応用の現状をまとめ、この概念が政策策定にいかに貢献できるか、さらにNGO（非政府組織）がこの指標をどのように運動に応用できるかについて検討したものだ。

その目的は、「イギリスの消費、生産、貿易、外国への投資によって生じる環境への負荷をエコロジカル・フットプリント分析で検討し、イギリス固有の状況を明らかにすること」、「イギリス市民が、国内のフットプリントを積極的に縮小し、同時に、貧困と社会的不安にあえぐ途上国での持続可能な開発を推進するための積極的な行動をおこすことができるように、エコロジカル・フットプリントの概念の普及・啓発方法を研究すること」であった。

IIEDの報告書は、過去200年の歴史の中で、イギリスの生活様式が遠方の国々に及ぼす悪影響についての憂慮がまったくなかったわけではないと主張している。たとえば、産業革命の時代、帝国主義国家の先陣に立って、「イギリスは世界のいたるところから、それまでの歴史で例をみないほどの規模で、資源を吸い上げることができた」と続く。このありさまを19世紀前半に、ロバート・サウジーは、『イギリスからの手紙』（Letters from England）の中で架空の旅行者の口を借りてこう表現している。

「イギリス人の食卓を豊かにするために、世界中いたるところで略奪が起こっている」

また、最近では、ジョージ・オーウェルが、不況時代の古典、『ウィガン波止場への道』の中で次のように書いた。

「イギリスはぜいたくな生活を享受するために、百万人のインド人を餓死寸前に追いやっている。罪悪といえる事態である。しかし、タクシーに乗り込むたび、いちごクリームを食べるたびに、私たちはこの事態を黙認しているのだ」

植民地時代が過ぎて久しいが、IIEDの分析は、経済水準の異なる国々の間における生態学的不平等関係が"罪悪といえる事態"であり、近年、かつてないほど根深いものとなっていることを明らかにしている。報告書の事例研究を見れば、イギリスの外国のいわゆる余剰生産力への依存度が甚大であることがわかる。

たとえば、一人当たり年間10キログラムのバナナを消費すると、イギリスの人口5,800万人では、年580億トンの消費となる。土地生産性の平均値を12トン／ヘクタールとすると、イギリスのバナナの"基礎的"エコロジカル・フットプリントは、約4万8,300ヘクタールとなり、これは、イギリスの森林の2％に相当する["基礎的"としている理由は、この数値には、"バナナ生産のために直接収奪される面積"のみが計上されていて、その他のさまざまな環境・社会影響のエコロジカル・フットプリントは算入されていないからである]。

同様に、イギリスは年間116万トンの綿花を消費するが、これは、「平均収量の高い耕地（土地生産性：1,300キログラム／ヘクタール）が89万2,300ヘクタール必要となる。平均的なアフリカの綿花栽培農地（土地生産性：1,800キログラム／ヘクタール）では、145万ヘクタール」の収奪

的利用を意味する。145万ヘクタールは、イギリス国内の耕地の22％に相当する。

　取り上げられている事例のうち、イギリスへ輸入される森林産品のエコロジカル・フットプリントから、最も多くのことを知ることができるだろう。報告では、世界の森林に対するイギリスの基礎的な影響を示す数値として、さまざまなカテゴリーの木材製品輸入量を集計し、これをそれぞれ丸材の量に換算し、どの国で、またどのような林地で、どれだけ生産されたかを案分して算出している。その結果、世界の640万ヘクタールの森林が、"ほぼ恒久的に"イギリスによって収奪されていること、また、さらに追加的に6万7,000ヘクタールが、イギリスに木材製品を供給するために、毎年伐採されていることが明らかになった（伐採面積の75％は途上国内のものだ）。イギリスの森林産品によるフットプリントの合計は、イギリス国内の生産的森林面積の3倍となっている。つまり、イギリスが依存している生産的森林のうち、実際にイギリス国内にあるのは、わずか4分の1にすぎないのである！

　IIEDが、持続可能な森林伐採量の数字を用いて推計した結果によれば、イギリス人一人当たり木材製品消費量は、"許されるであろう"世界平均消費量（つまり生態学的に公正な持ち分）よりも、66％多いことが判明した。

　注目すべきはこれらのデータだけではない。IIEDが、これらの事例研究の結論はイギリス人の消費量の実際のフットプリントよりかなりの過小評価である可能性が大きいと強調していることだ。これは、私たちが自身の研究結果に対して主張していることと同じである。IIED報告は次のように述べている。

　「もし、イギリスに木材製品以外の財やサービス、たとえばイギリスの化石燃料の燃焼から生じた炭素の固定吸収と炭素の貯蔵、重要な生物多様性の確保などに要する森林面積をも含めるなら、イギリ

スが、自国の森林面積の3倍どころでない広大な面積を海外の森林に依存していることは明らかであろう。これにイギリスの汚染によって荒廃した森林面積を加えるなら、フットプリントはさらに大きくなるだろう。例を挙げると、ノルウェーの森林の20％は、汚染の影響によって立ち枯れ病の被害を受けている。その汚染物質の多くは、イギリスが発生源である」

IIED研究の真価は、以下の点を指摘してくれたことにある。
基礎的エコロジカル・フットプリントの数値（原料生産のために収奪される面積）は、多様に連関した直接的あるいは間接的影響、すなわち「バナナ生産」の環境へ与える影響の最も注目すべき側面である廃棄物や汚染、健康被害などのより広義の環境的・社会的影響が含められていないという点である。持続可能な開発にあたり、人的能力の減少と自然の能力の減少、二つの面からの考察が重要であるということである。
この指摘がフットプリント概念の改良に向けた論争にもたらした意義は大きい。従来のフットプリント分析が「生態学的側面に重点を置いてきたことにより、イギリスの消費生活の影響が海外の生態系を破壊するのと同様、海外の人々の暮らしを破壊しうるという事実を見えにくくしてきた」という主張だ。この考え方に基づき、イギリスの「フットプリント概念は、ある国の政策や消費、生産、投資のあり方が、他国の持続可能な開発の達成能力全体に及ぼす影響を包括的に記述する概念として使われている」のだ。
私たちは、このフットプリントに関する批判的コメントに心からの賛意を表したい。私たちの目標は、エコロジカル・フットプリントの理論の発展が、今日の主流となっている経済発展パラダイムに対する批判となり、ひいては現在のGDP成長中心の国際開発モデルをより生態学的な実態に即したものへと進化させることにある。
この方向に進みつつある現在、エコロジカル・フットプリントを活用

する人々が、生態学の枠を超えて持続可能性へのいっそう包括的な理論構築へ向けて議論することは、歓迎すべきことである。

5）ヨーロッパの例：
オランダとドイツ、トリール地方のエコロジカル・フットプリント

カナダのローワー・フレーザー・バレー（例2）とヨーロッパの二地域を比べてみよう。

まずオランダであるが、3万4,000平方キロメートルに人口1,500万人、人口密度は4.4人／ヘクタールで、ローワー・フレーザー・バレーの人口密度とほぼ等しい。オランダ人の平均的な資源消費量はカナダ人の平均よりは少ないが、それでもなお、オランダでは、国土の15倍の土地を利用している。

市街地を約5,400平方キロメートル、国内消費用の食料生産に10万平方キロメートル、森林生産物に7万平方キロメートルを利用し、二酸化炭素吸収用に32万平方キロメートルを必要としている（BOX3-4参照）。オランダ政府の統計によると、家畜飼料用（輸出用食品生産に使用されるものを含む）だけで、主として第三世界の耕作可能地を、じつに10万～14万平方キロメートルも収奪している。これは、オランダ全土の農地の5～7倍にあたる(注25)。オランダの生態学的赤字は、いくぶん小さいとはいえ、ローワー・フレーザー・バレー住民の生態学的赤字と同じ規模だということがわかる。

富めるヨーロッパ諸国のうち比較的農村的な地域でさえ、かなりの生態学的赤字を計上している。人口密度わずか1人／ヘクタールのドイツ、トリール地方を例にとろう。トリール大学の地理学科の学生、インゴ・ノイマン（Ingo Neumann）の推計によると、一人当たりの土地必要量は3ヘクタールを超え、地域のエコロジカル・フットプリントは、その域内面積の3倍であった。つまり、工業地域や先進工業国における大幅な生態学的赤字は、慢性化しているといえる。先進工業地域の物質的繁栄

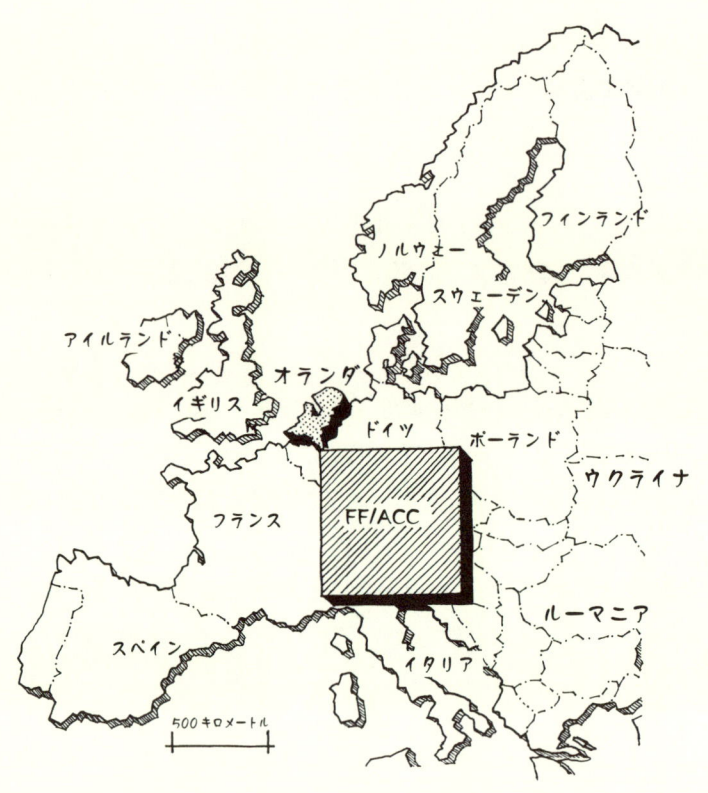

図3-8 オランダ人は、都市化、食料、森林生産物、化石燃料の消費のために、国土面積の15倍以上の土地面積が生み出す生態学的機能を利用しているのだ。

は、域外の自然の生産力に大きく依存しているのだ。

6) オーストラリアからの地域分析

　ブリスベーンにあるグリフィス大学のロッド・シンプソン教授率いる研究チームは、オーストラリア、サウス・イースト・クイーンズランド（SEQ）のエコロジカル・フットプリント計算に取り組んできた[注27]。
　サウス・イースト・クイーンズランドは、オーストラリアの中でも最も人口成長率が著しい六つの地方自治体を擁する地域である。年成長率4.5％を超えていて1991年の人口は、185万人で、2010年には、およそ300万人

BOX3-4 オランダのフットプリントを計算する (注26)

　複雑にならないように、国内で消費されるもののうちの四つの重大なカテゴリー、すなわち市街地、食料、森林生産物、化石燃料のみを扱うことにする。これにより、二重計算が避けられるだけでなく、これだけでエコロジカル・フットプリント分析の長所を充分知ることができるだろう。

基本データ（オランダ）

1991年の人口：15,050,000人、国土面積：33,920km²、市街地面積：538,000ha、1991年の商業エネルギー消費量：3,197 PJ、うち36 PJは非化石燃料（主として原子力発電）による。したがって、以下のとおり、年間一人当たりの化石燃料消費量は210 GJとなる。

$$\frac{(3{,}197 - 36)\,[PJ]}{15{,}000{,}000\,[人]} = 210\,GJ/人/年$$

計算

森林：一人当たりの年間消費量は、1.1m³である。森林の生産性を2.3m³/ha/年と仮定すると、この消費量は、森林面積0.47ha/人に相当する。

（式：1.1 [m³/人/年] ÷ 2.3 [m³/ha/年] = 0.47 [ha/人]）

化石燃料：210 [GJ/人/年] は、2.10 [ha/人] に相当する。

（式：210 [GJ/人/年] ÷ 100 [GJ/ha/年] = 2.10 [ha/人]）

結果

食料：	耕作地	0.45 [ha/人]
	放牧地	0.26 [ha/人]
森林：	1.1 [m³/人/年]	0.47 [ha/人]
化石燃料：	210 [GJ/人/年]	2.10 [ha/人]
生産能力阻害地（居住地と道路）：	538,000 [ha] ÷ 15,000,000 [人] =	0.04 [ha/人]
個人のフットプリント合計：		**3.32 [ha/人]**

オランダの総エコロジカル・フットプリントは

15,000,000 [人] × 3.32 [ha/人] × 0.01 [ha/km²] = 498,000km² となる。

これは、オランダの国土面積（33,920km²）の約15倍である！

になると予測されている。総面積は、222万ヘクタール（550万エーカー）で、うち82万7,000ヘクタール（204万エーカー）が農地である。

　シンプソンのチームは、オーストラリア、クイーンズランド州、およびSEQ地域の入手可能なデータを利用して、サウス・イースト・クイーンズランドの住民一人当たりの平均エコロジカル・フットプリントを、3.74ヘクタールと算出した。オーストラリアの土地生産性データを利用したため、表3-3の世界平均に基づいた数値より、低い値となっているはずである。たとえそうであっても、平均的カナダ人とSEQにおける消費パターンには重要な差異が表れている。

　たとえば、オーストラリア人（少なくともSEQの住民）は、物資の移動に、カナダ人の2倍の化石燃料を使っていることが目を引く。しかし、カナダ人と比べ、住宅建設に使用される材木の量は少なく、暖房に使用するエネルギーも少ない。この対照的な結果は、気候と地理的な差異によって生じたもので、エコロジカル・フットプリント分析が"地域間の重要な差異を明らかにする"可能性を示している。

　シンプソンのデータによると、SEQの総エコロジカル・フットプリントは、約691万ヘクタール（1710万エーカー）である。したがって、この地域の人口は、この土地の環境収容力を3倍上回っていた。

　ところが、シンプソンらのデータをもとに、オーストラリア全土について推計すると、オーストラリアは、先進富裕諸国の中で最大の環境収容力の余剰らしきものを持っているように見える（BOX3-5）。しかし、カナダの例で見たように、この見かけの余剰の大部分は、確実に他の国々のエコロジカル・フットプリントとして使われていることを忘れないでほしい。

7) 生態学的依存の大きさを直視し、貿易の意味を再考してみよう

　カナダ、ローワー・フレーザー・バレー住民のフットプリントは、自分たちの居住地域面積の19倍の大きさである。オランダ人は、自国の15

倍の面積を"消費している"。日本人の平均フットプリントを2.5ヘクタールとして推計すると、日本のフットプリントは、自国の生産的土地面積の8倍を超える。多くの工業国のフットプリントは、その国土よりほぼ1桁、大きいようだ（BOX3-5参照）。

分析によって明らかにされたこれら経済先進国とその他の国々との間

BOX3-5 先進工業国の生態学的赤字 (注28)

国	生態学的生産力のある土地（ヘクタール） a	人口（1995年） b	一人あたり生態学的生産力のある土地面積（ヘクタール） c=a/b	一人あたり国民生態学的赤字 d=フットプリント-c (ha)	e=d/c (%)
フットプリント2〜3haの国				フットプリント2haとすると	
日本	30,417,000	125,000,000	0.24	1.76	730
韓国	8,716,000	45,000,000	0.19	1.81	950
3〜4haの国				フットプリント3haとすると	
オーストリア	6,740,000	7,900,000	0.85	2.15	250
ベルギー	1,987,000	10,000,000	0.2	2.8	1,400
イギリス	20,360,000	58,000,000	0.35	2.65	760
デンマーク	3,270,000	5,200,000	0.62	2.38	380
フランス	45,385,000	57,800,000	0.78	2.22	280
ドイツ	27,734,000	81,300,000	0.34	2.66	780
オランダ	2,300,000	15,500,000	0.15	2.85	1900
スイス	3,073,000	7,000,000	0.44	2.56	580
オーストラリア	575,993,000	17,900,000	32.18	フットプリント3.74haとすると 28.44	760
4〜5haの国				フットプリント4.3haとすると	
カナダ	434,477,000	28,500,000	15.24	10.94	250
アメリカ	725,643,000	258,000,000	2.81	フットプリント5.1haとすると 2.29	80

この表は、ほとんどの先進工業国が生態学的に赤字に陥っていることを示している。

右端の2列は、低めに見積もった一人当たり赤字推計である。これらの国々の土地がたとえ世界平均の2倍の生産力があったとしてもなお、ヨーロッパ諸国は国内自然所得の3倍の赤字を抱えることになる。

カナダとオーストラリアは、消費量が国内の自然所得を下回っているひじょうにまれな先進国である。とはいっても、その自然資本ストックは、エネルギー、森林生産物、農産物などの輸出によって減耗しつつある。

つまり、これらの国の見かけのエクセルギーの余剰は、貿易によって他の"先進"国のエコロジカル・フットプリントに組み込まれてしまっているのである。

における、この半ば寄生的な関係は、エントロピーの法則に導かれる当然の帰結である（BOX2-4）。このようなエネルギー集約的、物質集約的な経済システムはすべて、他の場所から輸入した"エクセルギー（essergy）"なしには、完結したシステムとして機能できないのだ［現在はessergyは、exergyとして定着している。定義は"利用可能な低エントロピー状態のエネルギーおよび物質"のこと］。

　問題は、これら先進工業諸国の発展が、経済的サクセス・ストーリーとみなされていることである。どの国も、貿易収支や経常収支など貨幣ベースでの黒字を誇り、住民は、地球上で最も繁栄している人々とされている。しかしながら、生態学的分析で物質フローを見れば、この地域は地球上の他の地域に対して、無責任にも巨額の生態学的赤字を負わせていることになる。世界の趨勢は、これらの国々を学ぶべきモデルとして絶賛し、これらの先進国が達成した経済成長こそが持続可能性達成への鍵であるとしている。（経済学的には健康優良児でも生態学的には健康劣等児という）現在の発展モデルが直面するこの矛盾は深刻だ。地球全体の持続可能性を達成しようとするときに、地球全体が生態学的赤字になったらそれを埋めるための余剰をだれがどこから持って来るというのか。埋めることなど不可能であろう。すべての国や地域が、環境収容力の純輸入国（net importer）となれるはずはないのだ！　この事実が、現在主流となっている発展モデルに対して意味するところは重大である。

　エコロジカル・フットプリントという評価手法を使えば、政策決定者に対し、人口増加と一人当たり消費量の増加が、どれほどの長期的制約を国民経済と国際経済に課すことになるかを理解させることができるはずだ。たとえば、財の貿易に伴いエネルギーと物質のフローが活発化するが、これらのフローに起因する環境負荷に耐えようとする自然界の環境収容力や生物地球化学的循環とのバランスが保てるかどうかをエコロジカル・フットプリントを使って推計することができる。これにより、

長期的な地域間の利害対立の可能性など、これまでの貨幣ベースの分析手法が見落としてきた貿易のもたらすコストと便益を明らかにすることができるのだ。

また、ある地域の土地の生産力を、実際の環境収容力需要量と比較することにより、"持続可能性ギャップ"を明らかにすることができる。このギャップは、潜在的に持続不可能となりうる輸入というかたちで、あるいは地元の自然資本の減耗によって埋められている。この現実を認識すれば、いやおうなく、生態学的な安全保障と地政学的な安定性の関係性について考えざるを得なくなるし、貿易の正しい役割は何なのかという点について再考を迫られる。

"富める"国々の生態学的赤字の穴埋めとして余剰を収奪されている世界経済への参加諸国（主たる国は資源セクターが経済の大きな部分を占める低所得国）は、懸念を増しているであろう。現在の貿易条件や貿易関係こそが、これらの国々の生態学的な意味での環境収容力の"流出"を促進しているのだから。一方、生態学的に不均衡なこの貿易は、外国の環境収容力に完全に依存しきった"先進国"にとっても問題だろう。現在依存している生態学的余剰は、どの程度安定しているものか？　潜在する地域的、世界的な資源紛争の激化に対して、この依存はどんな意味をもつのか？　相互に依存しあう地域間の関係安定化のために、どのようなかたちの国際協定が必要であろうか？　そして、どのようにすれば、私たち全員が命を託している共有の生命維持機能を守ることができるだろうか？　あらゆる国々が自然の生命維持機能を身勝手に収奪しようとして需要が過剰になった場合、それを守りきれるのだろうか？　世界が小さくなりつつある今日、地域間の相互依存関係は、お互いの信頼関係を強化する可能性がある。しかし、現在の状況は、それと反対に不安定化へと向かっているようである[注32]。

このように考えると、現在広く信じられている発展神話を担保できるほどの生物物理学的資本はもうすでにこの地上に充分には存在しないの

だという考え方は説得力を持って迫ってくる。そして、世界銀行、国際通貨基金（IMF）、世界貿易機関（WTO、前GATT）、ハーバード国際開発研究所などが推進する伝統的な経済発展モデルの基盤は大きく揺らいでいるといえよう。

しかし、ハーバード国際開発研究所のマイケル・ローマー（Michael Roemer）は、現在主流となっている理論を代弁して、"経済成長は、貧困者が持続可能な方法で生活を向上させうる唯一のしくみである"と書

BOX3-6　インドのフットプリントを計算する(注29)

1994年におけるインドの人口は910,000,000人、国土面積は297,319,000ha［ヘクタール］、そのうち生産力のある土地は約250,000,000haである。

インド人は、1991年に4,900PJ［ペタジュール］の化石燃料を消費し、2,824PJの旧来の燃料（主として木材）を消費した。したがって、化石燃料消費量は一人当たり年間5GJ［ギガジュール］で、一人当たり約0.05haに相当する。

食料はほぼ自給している（少なくとも経済学的意味では）。耕地と放牧地の合計面積は180,000,000haである。これに輸入による1,000,000haが加算される（輸入量目をそれぞれ品目毎の生態学的生産性で割って得られる）。

すなわち344,000［穀物：t］÷2.5［t/ha/年］＋376,000［食料油：t］÷1.0［t/ha/年］＋583,000［豆類：t］÷0.8［t/ha/年］）。この式から、食料供給のための一人当たり土地面積は、0.2haと計算される。

林業：1991年におけるインドの丸太材消費量は、約281,045,000m^3、一人当たり0.31m^3であった。持続可能な森林の土地生産性を2.3m^3/ha/年として計算すると、一人当たり森林必要面積は0.13haとなり、合計1億1,800万haとなる。インドには、わずか6,670万haの森林地しかない。

結果

食料：	0.20［ha/人］
森林：	0.13［ha/人］
化石燃料：	0.05［ha/人］
フットプリント：	0.38［ha/人］

いている（The Economist, 1994年6月4日発行号、6ページ）。しかし、生活の安定はGDPの成長に等しいというその前提についてはさておくとしても、生態圏が資源消費による負荷で"満杯"状態にある現代世界にあっては、持続可能性を確保しようとすれば生態圏に貧しい国々の消費増加を受け容れる余地をつくらなければならないのだ。そのためには、富裕国の消費が削減されなければならないという事実を、彼の論文は完全に無視している。貿易拡大と、工業国による世界資源アクセスの容易

> インド人の一人当たりフットプリントの推計値は0.38haである。しかし、インディラ・カンジー研究所が算出した消費分配動向によると、所得階層下位50％の人々の平均フットプリントは、上述した全国平均0.38haの約半分、0.2haになるという。
>
> インド全体のエコロジカル・フットプリントが約346,000,000ha（910,000,000［人］×0.38［ha/人］）であるのに対し、利用可能な生産力ある土地の面積は250,000,000haである。不足分96,000,000haはどこから調達されるのだろうか？
>
> そのうち一部は、"輸入"される。すなわち1,000,000haは食料として、45,000,000haは二酸化炭素吸収能力というかたちで"輸入"されるのである。残る50,000,000haは、その他の輸入と国内の自然資本の減耗（とくに森林）に相当する。つまり、インドが土地346,000,000ha分の持続可能な生産力（自然所得）を必要とするのであれば、インドの国内および対外的な生態学的赤字は96,000,000haになることを示している[注30]。
>
> しかし、ここでエコロジカル・フットプリントが小さいことは、必ずしも生活の質が低いことを意味しないということを強調しておきたい。
>
> インド南部の州、ケララを見ればそれがよくわかる。一人当たり所得は一日約1ドルにすぎない（アメリカ人の所得の16分の1に満たない）。しかし、平均余命、乳児死亡率、識字率は、先進諸国の数字とほぼ似たものとなっている。ケララ州の人々は、充実した保健医療と教育を享受し、政治体制は活力ある民主主義を堅持し、また人口は安定している。ケララの他に例のない生活水準は、人工資本ではなく、ソーシャル・キャピタル（社会的関係資本）の蓄積によるものだと考えられている。
>
> 世界がケララから学ぶべきことは多い[注31]。

化を推奨する無制限な経済成長至上主義モデルは、普遍的な繁栄という危険な幻想を広め、減少しつつある地球の環境収容力をめぐる富者と貧者の直接的争奪戦という実態をおおい隠してしまう。

8）個人のエコロジカル・フットプリントは、所得に比例するか？

　従来の経済発展理論は、「経済成長に対する制約要因などはありえない、そして、貧困の解消は、生産量の増大によってよりよく達成される」という前提に基づいている。この考え方はひじょうに魅力的である。なぜなら、すでに高い消費水準を享受している人々は、貧しさに甘んじている人々の物質的水準の向上のために、自らの消費生活のあり方を変えなくともすむからである。多くの研究者たちは、富める者の消費が増大することは、ひいては途上国の輸出市場を拡大することにつながり、その国の経済成長を促進し、雇用を創出するであろう。したがって、富める者の消費増大は貧しき者の利益になるとさえ主張している。世界銀行の副総裁で主席エコノミストのローレンス・サマーズ（Lawrence Summers）は、この考え方を"上げ潮は、すべての船を潮にのせる"というたとえで表現している(注33)。

　成長の限界は、静学的な貨幣ベースの分析手法では感知することは不可能だ。通貨の総量は、物理的限界に束縛されることはなく、際限なくどこまでも増量させることができるからだ。したがって、貨幣分析のみに依拠した場合には、金さえあればだれもが欲するものは何でも手に入れられるかのごとくの錯覚に陥るだろう。生態学的な考え方は、この貨幣ベースの考え方に異議を突きつける。ある者が自然所得を消費してしまえば、明らかに、他の者は同じ所得フローを利用することができない。もしも現在、世界のエコロジカル・フットプリントが地球の環境収容力を超過しているなら、富める者の消費は、"すでに"貧しき者の将来の可能性を危うくしていることになる。このような状況の下、技術の資源効率を変更することなくGDPの成長を図れば、自然資本が減耗して持

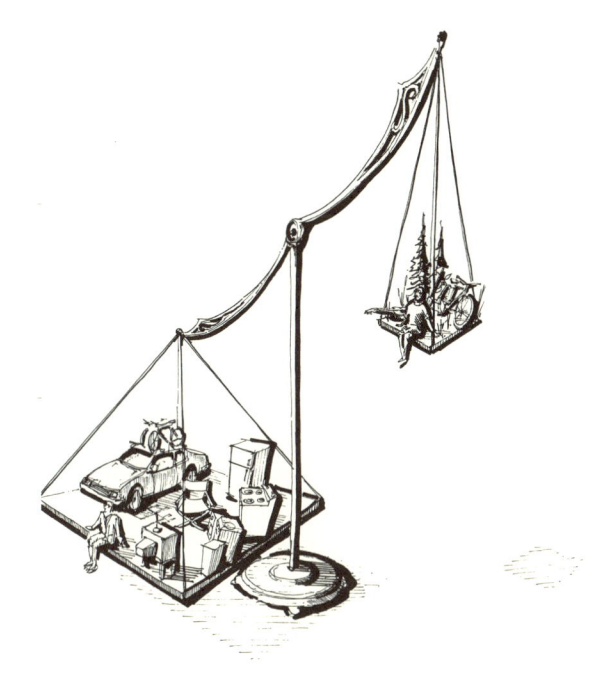

図3-9 公正さについて。今日の自然に過重な負荷がかかった世界では、私たちは全員、生態圏が生産する有限な自然所得のフローをめぐって、競争状態にある。エコロジカル・フットプリントの考え方では、富める国々の過剰消費は、本来なら貧しい国々に利用されるべきであった生態スペースを占有しているということになる。同じ国の中でも、所得の違いにより、フットプリントの大きさには著しい個人差がある。

続不可能となり、廃棄物吸収源をさらに溢れさせることになるのは明白である。

　エコロジカル・フットプリント分析は、自然資本に対する競争が激化しつつあることを明示し、公正な資源配分のあり方や生産活動の長期的な持続可能性とは何かについて問題提起している。国際通貨システムの統合化が進み、市場のグローバル化が進行しつつある現在、経済力が最も強い者が、限りある世界資源ストックを最も容易にしかも最も迅速に入手している。その結果、経済成長による人工資本は、ますます少数者のもとに蓄積されつつある。一方、経済成長の果実のうち、巨額の富を産み出している源泉である自然資本の再投資に回される割合は非常に限

られたものになっている。世界中の富豪連中がそろって自然所得の大半を消費し、(すなわち、富裕層のフットプリントの大きさは巨大であり)、その行為が(もしかすると意識的なのだろうか?)、人類全体が将来享受すべき生産力を減少させているのだ。

　国連統計によれば、11億人の富裕層に属する人間が、世界総生産の4分の3以上を消費しているという。残る47億人(世界総人口の80%)は、世界総生産の4分の1未満で何とか生計を維持しているということだ。食料、森林生産物、化石燃料の消費量を最も低めに見積もった場合、それらのエコロジカル・フットプリントだけで、すでに地球の環境収容力を30%も上回っているのは前述のとおりだが、11億人の富裕人口の消費だけで、この惑星の全環境収容力を上回るという。

　生態学的分析は、持続可能性をめぐるジレンマに対し倫理的側面から問題の本質をあぶり出す。さらに、貧困の特効薬であると考えられがちな経済成長への偏重にも警鐘を鳴らす。生態学的な分析は、持続可能性の達成のために、富裕層が自分たちの資源消費を減らさざるを得なくなっている、さもなくば、貧困層の人々が資源消費を増やそうにもそれが不可能にならざるを得ないという厳しい現実を明白に示している[注34]。世界のすべての人々が環境財や環境サービスをより公平にアクセスすることができるように全地球的な社会契約を人類は結ぶことができるだろうか。そのために必要な強固な倫理的・政治的意思を、私たちは持ち合わせているのだろうか?　このことが現在問われているのだ。

　エコロジカル・フットプリントの分析を、消費の比較という観点から利用しても有意義である。たとえば、富める国内においてさえかなりの所得格差があり、それは消費パターンに反映されているからだ。暫定的な数値だが、カナダにおける所得階層の下から20%の一人当たりの平均エコロジカル・フットプリントが3ヘクタールであるのに対し、上位20%の人々は、一人当たり12ヘクタール分の環境財および環境サービスを消費していると推計されている。

富める者は、貧しい者より大きなフットプリントを持つが、生活様式の選択肢の幅も大きく、その選択によってエコロジカル・フットプリントの大きさは容易に左右される。たとえば、郊外の大きな一戸建住宅に住んで長距離を移動しなければならない生活を選択することもできるし、通勤のための物理的コスト、交通コスト、エネルギーコストのあまりかからない職場に近い高級タウンハウス（＝低層集合住宅）を選択することもできる。

　そう考えると、ほとんどの人々の消費パターンには、かなりの柔軟性があるので、エコロジカル・フットプリントの縮小が可能なのだ。その土地で生産された食料、有機栽培の野菜、断熱効果の改善、自転車や公共交通の利用などを選択すれば、1ドル当たりのエコロジカル・フットプリントは、現在一般的となっている選択肢を選ぶより小さくなるのだ。

9) フットプリントに影響する住まい方

　ある個人のフットプリントの大きさは、所得の大小によって決まるわけではなく、支出パターンにも大きく左右される。多くの場合、おもに住宅タイプと立地によって、住宅の大きさとその家族の移動の必要性が決まる。人口密度の高い都市部に住むと、土地と都市インフラストラクチャーが効率的に利用され、移動距離と暖房コストを抑えることができ、一人当たりフットプリントは小さくなる。

　サンフランシスコ地域についての最近の調査によると、居住地域の密度が2倍になれば、マイカーやバイクなどの私的交通手段の交通量は、20～30％も減少するという。また、都市計画専門家のピーター・ニューマン（Peter Newman）によると、集合住宅と一戸建て住宅の暖房用エネルギー消費量の差は、50％にもなるという[注35]。

　ライル・ウォーカー（Lyle Walker）は、ブリティッシュ・コロンビア大学"健康で持続可能なコミュニティーに関するタスク・フォース"の委託を受けて、さまざまな所得グループについて、住宅の形式やライフ

図3-10　今より居住区域の人口密度を高くしたら、エコロジカル・フットプリントは小さくなる。密度を高めることにより、都市のコミュニティー意識が高まり住みよい場になるはずである。

スタイルの違いなどが世帯のエコロジカル・フットプリントに及ぼす影響を調べた。具体的には、バンクーバーを囲む広域地域において、所得、住宅の形式あるいは居住密度、交通の選択肢の有無が世帯に及ぼす影響を推計した。異なる住宅形式あるいは居住密度とそれに呼応する交通機関との相関的な関係性の係数が、各住宅形式毎の基礎データを市域全体に広げて推計され、最後にこの仮想的都市の交通ニーズを推計したのだ（図3-11）。

　概算では、郊外の一戸建て住宅と同程度の市場価格の集合住宅（マンションまたは賃貸アパート）に住み、標準サイズの自動車でなくエネルギー効率のよい小型車を使うと、1世帯の交通と住居に関するフットプリ

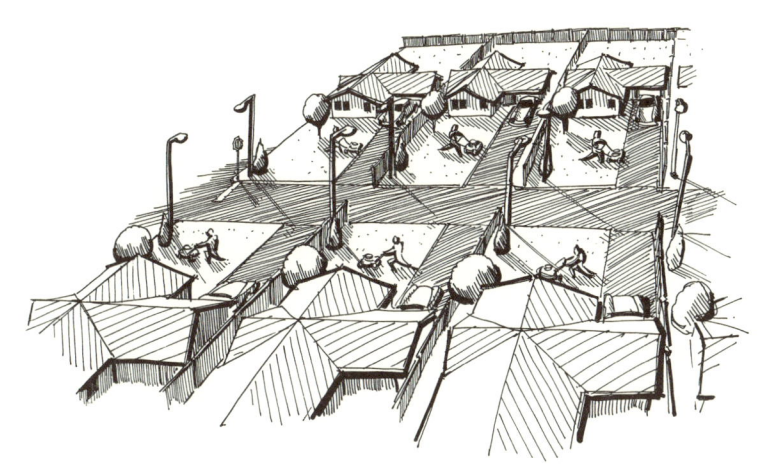

図 3-11　住宅密度を都市全体に普遍化してみたら。
　住宅の密度が、都市全体の資源消費にどのくらい影響するか知るために、いくつかの住居タイプをサンプルとする。そのエネルギー・物質必要量をもとに、すべての家庭が同じ暮らし方をするとして、都市全体の必要量を推定する。この方法により、さまざまな密度の違いと生活様式の違いによるフットプリントの違いを、都市全体のレベルで比べることができる（平均数字を近隣全体にあてはめるという方法をとると、生活様式の違いの影響を評価できないので避けるべきだ）。

ントを3分の1に減らすことができる。このような節約効果に加え、ここの居住者たちは、生活の質も向上したと感じることができる。歩いて仕事に行き、友人や親戚の近くに住み（単位面積当たりの人との接触が郊外の一戸建て住宅より多い）、近隣住民との交流を生きがいと感じ、公園や歩行者専用区域、路上カフェ、映画館など、さまざまなレクリエーションの機会を享受できるからである。

　こうした集合住宅に住む新しいタイプの都会人たちは、食料や消費財のカテゴリーにおいても、目に見えて生活の質を落とすことなく、フットプリントを3分の1に減らすことができる。たとえば典型的アメリカ人の食事から動物性成分を減らし、さらに加工食品とレトルトのようなパッケージ入り食品を減らすこともできる（これは健康にもよい）。さらに、買い物をするときは、質と耐久性を重視すべきだろう。そもそも私たちは皆、もう少し"物質を大切にする"気構えがなくてはいけない。

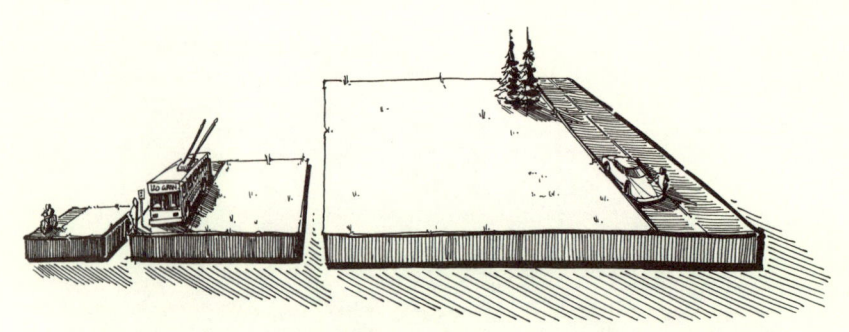

図3-12　1日に5キロメートルを2回移動する通勤客のエコロジカル・フットプリントは、通勤手段によって異なる。自転車なら約122平方メートル、バスなら301平方メートル、車なら1,442平方メートルとなる。

台所用品や玩具を長持ちさせて、早々と捨ててしまわないようにすることだ［""でくくった部分は、原書ではmaterialisticという言葉が使われているが、通常「物質至上主義の」、「物質偏重」など、どちらかというと否定的な意味で使われる。ここでは、肯定的な意味で解釈した］。

　さまざまな市町村のエコロジカル・フットプリントを比べてみようと考えるのは、当然である。しかし、市町村のフットプリントと市町村の面積の割合とを比較すると、誤った結果を導くおそれがあることに注意してほしい。比較しようとする市町村のうち人口密度の高い市町村は、"一人当たりフットプリント"が比較的小さくとも、生態学的赤字は大きく出ることがありうる。したがって、市町村間の比較や全国平均や世界平均との比較のためには、市町村の"一人当たり"平均フットプリントを使うほうがよい。

　この他面白い比較としては、ある集団のフットプリントとその集団の実際の居住区域の面積の比較だ（ローワー・フレーザー・バレーとオランダの事例を参照）。また、地方自治体内の開発計画案の選択肢毎のフットプリントを比較して人口密度あるいは交通手段の違いによる環境への影響を代替案毎に比較評価する応用などがある（自治体は、居住区域の人口密集を高め、しかも住民に魅力ある区域に仕上げることで、また、車に依存しない交通システムを整備することによって、住民のフットプ

リントの大きさを大きく左右することができるのだ。第4章参照)。

　先進工業国のエコロジカル・フットプリントは、とりわけ化石燃料の貪欲な消費欲のため、大きく膨らんでいる。技術者ならだれでも、貴重なしかし不当に低い価格が付けられている化石資源が、どれほど非効率に使われているか知っているであろう。化石燃料を家庭の給湯用と暖房用に使うのは安上がりではあるが、各家庭のフットプリントを大きくしている。家庭のフットプリントを小さくするための方策の一つとして、再生可能エネルギー源への転換が非常に有効である。たとえば、水を太陽熱温水器で温めると、フットプリントは化石燃料で温める場合の100分の1になる（この章の前半部分参照)。

10) 自転車、バス、自動車で移動すると、生態学的生産力ある土地をどれだけ使うことになるか？

　フットプリントを利用して、自動車やバス、自転車などの通勤手段の生態学的効率性を比較し、それぞれのメリットを比較してみよう。職場から5キロメートルのところに住んでいる人が自転車を利用すれば、その分、生態学的生産力ある土地を122平方メートル、バスを利用すれば301平方メートル、一人で自動車を運転して行けば1,442平方メートルを必要とする。自転車利用者のための土地は、運動で消費されるカロリーを補給するための食料生産用の農地が必要で、バスの乗客、自家用車を運転する人のための土地は、二酸化炭素固定吸収のための森林地が必要となる（BOX3-7)。

11) トマトに足跡があるって、知ってた？

　エコロジカル・フットプリントは、競合する技術の"資源集約度"を比較するために利用することができる。ある新技術が、それが取って代わろうとしている旧技術より、ほんとうに環境面での改善となるかを検証することができるのだ。

たとえば、和田喜彦は、一定量のトマトを生産するためのハイテク技術二種類について、そのエコロジカル・フットプリントを比較した。和田は、その修士論文で、トマト栽培における必要"総投入"(embodied)土地面積に注目し、加温水耕温室栽培と通常の集約的な露地栽培とを比較した(注36)。それぞれのケースについて、営農のため直接占有される栽培面積と、全生産期間を通じて使用される物質およびエネルギー総投入量(温室の場合は暖房も含む)に相当する土地面積の総合計を計算して

BOX3-7　通勤・通学のフットプリントを算出する

参考資料および前提

　アメリカ合衆国の道路面積は、1,500万haで、主として自動車がその上を走っている。大部分が農地に建設されている。

　アメリカでは自動車1台当たりの乗車人数は、1.75人である。

　労働日を年間230日とする。

　アメリカ自転車連盟によると、自転車に乗る人は、10km当たり900kJの食料が必要である。

　カナダ環境省によると、自動車利用者は、通勤および通学者の62%でしかないのに、通勤・通学者を乗せた自動車は、バンクーバーのラッシュアワーの交通量の98.4%を占めている。したがって、バス利用者1人は、自動車利用者1人が占有する道路面積のわずか2.6%しか必要としない計算となる。(式は次のとおり。(0.016÷0.38)÷(0.984÷0.62)=0.026)

計算

自転車：自転車に乗る人は、10km毎に900kJの食料を余分に必要とする。この熱量を朝食のシリアルからとると仮定する。シリアルは、原料の穀物を栽培する土地と、加工のためのエネルギーを必要とする。作物の生産と加工に必要な商業エネルギーに相当する土地面積は、通常、栽培面積に等しい。

　したがって、栽培と加工に要する土地面積総計は、栽培面積の2倍である。自転車通勤者が占める道路面積は無視して考えてよいだろう。シリアルの栄養成分は、1kg当たり約13,000kJである。シリアルの世界平均年間農業生産性は、

みた。

栽培面積に限ってみれば、加温水耕温室栽培の土地生産性は、露地栽培より7～9倍も生産性が高くなっていた。ところが、ブリティッシュ・コロンビア州の加温水耕温室栽培は、露地栽培よりも、トマト1キログラム生産のためにじつに10～20倍ものエコロジカル・フットプリントを必要とするという。こうしてみると、水耕温室は、さまざまなエネルギー集約的な部品と資源投入を必要とするトマト組立て工場のようだ！

1ha当たり2,600kgである。
上のデータを使って計算すると、自転車利用者1人当たりEFは、

$$\frac{900 \,[kJ/人/日] \times 230 \,[日/年] \times 2}{13,000 \,[kJ/kg] \times 2,600 \,[kg/ha/年]} = 0.0122\text{ha} \,(=122\text{m}^2) \text{ となる。}$$

自動車：アメリカ製自動車の平均的なガソリン消費は、100km当たり約12ℓである。自動車製造と道路管理に要する間接的化石燃料消費によって、この値は45％増加する。ガソリン1ℓ当たりのエネルギー量は、約35MJ（0.035GJ）である。

したがって、自動車通勤の化石燃料フットプリントは、一人当たり0.14haとなる。

$$\frac{1.45 \times 12 \,[\ell/100\text{km}] \times 0.035 \,[GJ/\ell] \times 10 \,[\text{km}/日] \times 230 \,[労働日/年]}{100 \,[\text{km}] \times 100 \,[GJ/ha/年]}$$
$$= 0.14 \,[\text{ha}/人]$$
$$= 1,400 \,[\text{m}^2/人]$$

これに加えて、自動車は道路が必要である。アメリカ国民一人当たり道路面積は、0.06haとなる。

$$\frac{15,000,000 \,[\text{ha}]}{250,000,000 \,[人]} = \frac{0.06 \,[\text{ha}/人]}{600 \,[\text{km}^2/人]}$$

自動車は、道路面積の97.4％を使っている。しかし、一日の通勤距離10km（2

研究事例から、見かけ上の経済的効率性と、実際の生態学的効率性はたいへんに異なることがわかる。水耕温室栽培は、露地栽培より一般的に経済学的分析では素晴らしい成功を収めているという結論が導かれるが、反面、莫大な資源投入が必要となっていることが判明した。投入資源の市場価格が低く抑えられている現状では、経済分析の中に真の生態学的なコストが算入されていない。そのような文脈で経済分析を用いれば、野菜の水耕温室栽培は合理的な技術として、（食料確保のための）農

×5［km］）は、年間平均自動車利用量の約8分の1でしかない。また、自動車1台の平均乗車人数は、1.75人である。したがって、10kmの通勤に要する一人当たり道路面積は、42m² となる（0.974×1/8×600/1.75）。このほとんどは、農地にある。以上の自動車通勤者一人当たりの化石燃料フットプリントと道路専有面積を合算すると、一人乗りで通勤する場合の自動車のエコロジカル・フットプリント総面積は、1,442m² となる。

バス：短距離バスに要するエネルギーは、0.9［MJ/人/km］である。道路建設やバス製造、維持管理に要する間接的エネルギーを、この45%（自動車の場合と同じ）とすると、バス利用者の土地必要量は、一人当たり 0.03ha となる。

$$\frac{1.45 \times 0.0009 \,[GJ/人/km] \times 230\,[労働日/年] \times 10\,[km/日]}{100\,[GJ/ha/年]}$$

$$= 0.03\,[ha/人]$$

$$= 300\,[m²/人]$$

　これに、バスが必要とする道路面積を加える。先に当面の近似値として採用したのは、同じ距離を行くのに、バス利用者は、自動車利用者の2.6%しか道路面積を使用しないという数値であった。すなわち、42×0.026=1［m²］である。
　したがって、1日に2回、5kmの距離をバスに乗ると、その収奪土地面積合計（エコロジカル・フットプリント）は、約301m² となる。

（BOX3-7　通勤・通学のフットプリントを算出する）

図3-13 エコロジカル・フットプリントを使えば、さまざまな技術の生態学的効率性を評価することができる。この図の例は、ブリティッシュ・コロンビア州における2種類のトマト栽培法、露地栽培と加温水耕温室栽培とを比較している。単位生産量当たりの温室面積は、露地栽培の畑の面積と比べて、ひじょうに小さいが、エネルギー、肥料などの投入物のエコロジカル・フットプリントを考慮に入れると、温室栽培の単位生産量当たりの面積必要総計は、露地栽培に比べじつに10〜20倍も大きくなる（図は、右も左も同じ縮小率で描いてある）。

地保全論に代わる有効な技術として高く評価されてしまう。しかし、エコロジカル・フットプリント計算を用い、経済コスト以外のあらゆるコストも計上してみると、まったく別の結論が導かれたのだ。

　この研究結果から何がいえるだろうか。それは、経済学的見地からは成功に見えても、それだけを頼りにした場合、判断を誤らせるおそれがあるということだ。経済学的な成功が、必ずしも生態学的な健全性と一致するとは限らないということをこの事例が実証している。

12）橋のエコロジカル・フットプリント

　エコロジカル・フットプリントは、大資本プロジェクトの"環境影響評価"の新たな評価基準として活用できる。発電所建設や交通インフラ整備などの大規模開発プロジェクトや、ゾーニング（土地用途）変更は、長期にわたって物質およびエネルギーの消費量に影響を及ぼす可能性がある。しかし、従来の環境影響評価は、大概この点を無視してきた。エコロジカル・フットプリント分析を用いることにより、開発プロジェクトによる資源消費や環境への直接的な影響だけでなく、プロジェクトによる生活様式の変化が環境に対し間接的に与える影響をも明らかにすることができるのだ。

　ブリティッシュ・コロンビア州バーナビー市にあるサイモン・フレーザー大学の学生たちは、橋の設置計画が間接的に環境に及ぼす影響について二つの事例研究を実施した。これらの研究は、橋梁プロジェクトによってもたらされる生活変化および消費パターンの変化によって、追加的にどれだけの広さの生態学的生産力ある土地が必要とされるかを明らかにしたものであった。この事例研究のうち一つは、ギャビン・ディビッドソン（Gavin Davidson）とクリスティーナ・ロブ（Christina Robb）によるものだ。この研究は、バンクーバー市と"ノース・ショア地区"を結ぶライオンズ・ゲイト・ブリッジという橋の拡幅計画の影響を評価したものである。諸条件の変化がないものとする前提で（すなわち、地域人口は一定、行楽目的の交通量は不変、バンクーバー市およびノースショア地区のノース・バンクーバー市、ウェスト・バンクーバー市以外には影響しないという前提で）、現行の３車線から５車線に２車線増加した場合、居住地区が拡大し、交通パターンが変化することにより、200平方キロメートルもの追加的なエコロジカル・フットプリントが必要になることが明らかになった。

　デービッド・マグワイア（David Maguire）、カルビン・ピーターズ（Calvin Peters）、マーシー・サプロウィッチ（Marcy Saprowich）によ

図3-14　橋のエコロジカル・フットプリント。
　自家用車用に新橋架設あるいは拡幅すると、都市スプロール化とマイカー依存がいっそう進むことになる。結果的に橋の利用者のフットプリントは拡大することになる。

るもう一つの研究は、オタワのカナダ連邦政府環境評価査定局（Federal Environmental Assessment Review Office）の経済予測を利用して、カナダ東部のプリンス・エドワード島と大陸本土を結ぶことになる悪名高い"固定連結橋"ができた場合のエコロジカル・フットプリントの大きさを推計した。その結果、橋を建設し現在のフェリー路線を廃止すると、生態学的生産力ある土地を約160平方キロメートル追加的に必要となるということが明らかになった。

　エコロジカル・フットプリントは、従来表面に現れなかった資源消費や廃棄物排出の影響を明確に示すことができ、技術や大規模プロジェクトを新たな基準で評価できることを、これらの事例は物語っているといえよう。さらに、政策やプログラム、予算などといった有形でない事柄の評価にも適用できるであろう。地球が生態学的に"満杯である"状況の中で問われるべき問題は、「この政策（プログラム、予算）によって、対象集団のエコロジカル・フットプリントはどれだけ増える、あるいはどれだけ減るであろうか？」であろう。このような分析の第一段階は、

評価対象となる政策が資源消費と廃棄物排出に及ぼすと考えられる直接的・間接的影響をすべて調べ上げることである（産業連関分析を応用するなどして）。とくに重要なのは、その政策がもたらす政策対象集団の生活様式の変化である。これらの影響を数量化し、それを土地面積に換算し、二重計上などを補正した後にこれを合計すると、政策によってもたらされる、政策対象集団のエコロジカル・フットプリントの増加（あるいは減少）が明らかになる。

当然のことだが、エコロジカル・フットプリント分析のパラメータは、何を分析するかによってさまざまである。それぞれが特有の問題領域と異なる潜在的間接的影響を持ち、なかには他に例のない固有の特徴を持つものもある。どの要素を考慮するかは、すべて個人の判断や価値観によって左右されてくる。しかし、エコロジカル・フットプリント分析を公共政策に適用することの利点はじつにこの点にある。分析にあたる者は、今日まで無視されてきた重要な問題と影響について考察せざるを得ず、また、政策や開発を策定するための意思決定過程で、何を取捨選択すべきか、自分たちの判断や価値観を示さざるを得なくなるからである。

13）学校や野外での持続可能性の学習

エコロジカル・フットプリントは、子どもたちに人間生態学の見えにくい重要な側面について考えるきっかけを与え、消費社会の生態学的な意味合いに目覚めさせるのに効果的だ。子どもや教師がフットプリント計算に取り組めるよう平易に解説した教材やハンドブックを開発している個人、団体もいくつかある。以下に実例を挙げてみよう。

- 1ヘクタールの森林とは、どのくらいの広さだろうか。森林を1ヘクタールの正方形に仕切り、四隅に小さな旗を立てて考えてみよう。4辺を1周するのに、どのくらい時間がかかるだろうか。この1ヘク

図3-15 エコロジカル・フットプリントの概念は、教室や野外のさまざまな教育活動に取り入れられている。ゲームや学校の特別活動で、自然界のエネルギーや物質フローを学んだり、生活様式について実験したり、具体的な地域のデータを当てはめてみて、フットプリント計算を行えば、生物、物理を同時に教えることもできる。

タールの森林の中に、胸の高さまであり直径2インチ以上の木の本数を数えてみよう。部分的に（たとえばこの土地の10分の1）木の本数を数えてから全体を推計しなければならない場合もあるだろう。ここにある木の平均樹齢はどうやって推計する？　この森林の年間土地生産性（収量）の平均値を地域の統計から見つけてみよう。これらのデータを使って、ここに生えている立木量（体積）を推計してみよう。与えられた換算率を使って、この体積の木材に含まれる炭素とエネルギーの量を計算してみよう。このエネルギーと同じエネルギーで、自動車をどこまで走らせることができるだろうか。年間2万キロメートル走り、10キロメートルにつき1リットルの燃料を使う自動車を運転するとして、そのエコロジカル・フットプリントの大きさはこの森林でいうと、どのくらい？（つまり、自動車の排出する二酸化炭素を固定吸収するために、どれだけの広さの成長期の森林が必要だろうか）木材生産や炭素固定吸収の他に、

森林にはどんな価値があるだろうか。

● あなたのエコロジカル・フットプリントの大きさは？
学校の全員分のエコロジカル・フットプリントは？　このフットプリントを学校付近の地図の上に書き込んでみよう。このフットプリントの面積を校庭などの学校の全敷地面積と比べてみよう。表3-3にある平均的消費量を使って、あなたの住んでいる市町村のフットプリントを推計し、地域の地図に書き込んでみよう。それは、市町村の行政境界内の面積と比べてどれだけ大きいだろうか。
地域で手に入るおもな消費財、たとえば、木材や自動車、テレビ、冷蔵庫、衣服、食品などが、どこから来るか考え、世界地図の上に書き込んでみよう。自分たちが住んでいる地域のエコロジカル・フットプリントは、世界のいくつの国や大陸に及んでいるだろうか。

　以上は、エコロジカル・フットプリント概念によって刺激された疑問の数々が、いかにして人々の生態系に対する興味をかきたて、人間と自然との関係についての答えを自力で発見できるよう導くことができるかを示したほんの一例である。このような実習は、子どもたちの基礎データ収集力や調査能力、数量的に物事を考える能力を育てるものだ。適切な設問によって、子どもたちは、エコロジカル・フットプリント概念を応用し、抽象的な数字や遠くでおこっている事例ではなく、身近な実際の生活環境（林や校庭、故郷など）に結びついた量的現実を"体験"することができるだろう。またそれは、生物や数学、物理、歴史、経済地理学、社会学などさまざまな教科を統合する総合的な学習の場を提供することになる。
　具体な例を紹介しよう。ブリティッシュ・コロンビア州ギブソンの"海から空へ（Sea to Sky）"野外学校は、さまざまなフットプリント実習を

プログラムに取り入れている。参加型野外活動の中心テーマは、人間の消費と自然の生産の関係、食料および消費財を産地までさかのぼり、自然サービスをさまざまな人間活動が奪い合っていることを理解する。また、社会経済的な条件の変化とエコロジカル・フットプリントの大きさの関係を分析し、フットプリントが小さくなる生活を試してみる、などである。

バンクーバーの環境コンサルタント会社、ESSA テクノロジーと、ブリティッシュ・コロンビア州環境・土地・公園省は、『ブリティッシュ・コロンビア州環境白書』の教師向けガイドブックを作った。この中には、食品のエコロジカル・フットプリントの計算指導の章がある。

また、ブリティッシュ・コロンビア州電力公社の"パワー・スマート"運動という参加型教育プログラムの作成に関わったジム・ウィーゼ（Jim Wiese）は、エコロジカル・フットプリントを使い、毎日の生活におけるエネルギー利用を目に見える形で説明し、生徒たちに、さまざまな生活様式や省エネ対策の評価の仕方を指導している。彼は、生徒たちが自分の家庭のエコロジカル・フットプリントを計算できるように、家庭におけるエネルギー消費と消費行動の簡単なチェックリストを開発した。

14）「環境報告書」

エコロジカル・フットプリントは、持続可能性および生態系の健康度を計る指標として利用されている。カナダ連邦政府の『環境白書』編集チームもこの指標に注目した。

このチームは、1991 年『環境白書』で採択された従来からの「環境指標フレームワーク」という概念を見直し、人間と生態系をより包括的に捉える手法への転換を模索していたのだ。そこで、コリン・ダフィールド（Colin Duffield）に、1996 年の環境白書にエコロジカル・フットプリント分析を取り入れる方向での検討を要請した[注38]。

彼は、エコロジカル・フットプリントの概念を都市システムに応用

図3-16 エコロジカル・フットプリントは、持続可能性について報告するのに理想的なツールである。国や地域間で比較できるし、現在の世の中の動向の生態学的意味合いや問題点を分析することができるし、持続可能性へ向けての達成度を評価することもできる。

し、都市・郊外・農村のフットプリントの比較、世帯内の平均人数縮小傾向についての生態学的観点からの分析、都市の人口密度毎のフットプリント比較、さらに交通戦略の比較などにこの指標を応用するよう提案した。また、食事やレクリエーション活動などの生活様式の選択肢のあり方は、農業や重工業などのさまざまな人間の経済活動と同じようにフットプリントの大きさを左右するとして、一人当たりの格差をなくすことを提案している。

これに似た立場で、全カナダ環境大臣会議に提出された「1993年環境展望」という報告書、およびバンクーバーのフレーザー河下流域管理委員会へ提出された報告書も、エコロジカル・フットプリントを、"生態学的世界観に基づく持続可能性評価"手法として紹介している（両者とも会計事務所 Peat Marwick Stevenson and Kellogg が作成）(注39)。

15) 持続可能性を解釈する手法：
生態学版"ロールシャッハ・心理テスト"

地域の活動家や持続可能性を推進しようとする人々の多くは、持続可能な社会を目指す運動は一般大衆の支持を充分得ていると考えがちであ

図3-17　エコロジカル・フットプリント分析は、人々の関心のあり方を探り、持続可能性についての思い込みを突き崩すのに、有効な対話促進ツールである。

るが、これは過信であろう。一般市民が持続可能性を促進する運動に対する支持をためらうのは、一般市民の無知のためだという単純ないい方もできようが、実際は、心理的な壁や制度的な壁が邪魔したり、他の価値観と両立しなかったり、代替案に対する誤った通念があったり、経済的なインセンティブが少ないなどということが原因であることが多い。

　ここでは、持続可能性へ向けての行動を阻む壁を乗り越えるために、エコロジカル・フットプリントがいかに説得力があるか、研究上の出会いや発見、あるいは地域学習グループ主催のセミナーなどでの私たち自身の体験を述べたい。地域活動家や地域計画に携わるプランナーたちは、一般市民が運動に共感してくれない要因について理解を深めることが重要である。これらを理解して初めて、地域特有の条件に合致した持続可能性を推し進める運動を展開でき、その成功率も高まるだろう。

エコロジカル・フットプリントの概念は、人々の持続可能性に対する関心のありかを探り、その認識のあり方を知る上でとても有効だ。それは生態学的な課題をはっきりと具体的に示すため、議論を建設的なものにする。生活の質を向上させつつエコロジカル・フットプリントを縮小する方法を問うので、従来の持続可能性モデルに比べ、議論の土俵は生産的なものとなる。

たとえば、よく使われる持続可能性のモデルがあるが、それは持続可能性を、「経済」、「社会」、「環境」という互いに重なりあう円の間に絶妙な"バランス"で達成することであると主張する。しかし、コンセンサス（合意）形成には役立つとしても、あいまいさと誤解に基づく政策を導くおそれがある。これら三つの分野がおおむね等価値であると暗に示すモデルでは、問題の本質を回避し、現実には問題は存在しないものとしてふたをすることに荷担してしまう結果となる。

考えてみよう。これら三つの分野は、ほんとうに等価で相互互換性があるのか？　相互の機能的関係は？　ほんとうに、自然資本を大きく切りとって、それを"等価値の"人工資本と置き換えることはできるのか？

経済というのは、手段なのか、それとも最終目的なのだろうか？

私たちは、互いに重なりあう円モデルは、現実におこっている不均衡の問題や不等価性の問題、持続可能性達成に重要な倫理観（モラル）の欠如の問題などを隠蔽してしまうと考えている。人類にとって、生態圏は必要であるが、生態圏は私たちを必要としていないのだ。経済や社会は、人類にとって生態系より軽視してよいものだなどといいたいのではない。持続可能性へ向けて有効な政策を生み出すためには、依存関係には一定の"方向性"があることを理解する必要があるということだ。

現在広く行われているように"社会を経済に奉仕するよう改造する"のではなく、経済をもっと社会に奉仕するものに変えていくべきではなかろうか？　社会や経済といった人間圏を、生態圏の下位システム（部分的要素）として示す同心円を使えば、現実の相互関係をより正確に説

明することになろう（図1-1を参照）。

　この上下階層的（ヒエラルキー的）依存関係を理解することができたなら、政策は、私たちが進みたいと思う方向へ導ける可能性が高まるのだ。私たちの提唱する新モデルは、現在のように、経済が主となり、従に甘んじる社会を翻弄したり、経済が横暴にも生態圏に取って代わることを決して容認しない。経済を社会の管理下に引き戻し、人間圏（経済と社会）を生態圏との調和を確保しつつ治めてゆくことを目指す。そのために、社会にどのような変革を加えるべきかという点に問題の焦点を移すべきと考える。

　私たちの新モデルの重要なポイントは、人間圏の膨張がある限界点を超えた場合、人工資本と生態圏との"交換"を行っても、人類がもはや得をすることはないということを認識することである。自然への負荷増大という犠牲を払い、人工のインフラストラクチャーをむやみに拡大すれば、今日の社会を疲弊させ、未来を危うくさせることになるのだから。

　エコロジカル・フットプリントのモデルは、以上の観点から出発して、持続可能性のための具体的で計測可能な最低限の条件として、"人類は自然の能力の範囲内でできる分相応の生活を実践すべきだ"という指針を推奨する。このモデルは、持続可能性をめぐるさまざまな視点同士の意見交流を可能にし、従来のモデルと比較して実り多い議論を導くはずだ。生態学的制約を事実であるとして認識することは、持続可能性の意味を問う真の議論を呼びおこし、"分相応の暮らし"を実現するにはどうすればよいかについての討議を活発化させる。そればかりか、行動を妨害する障壁を明らかにし、それを乗り越える方法を解明し、（そしてこれが最も重要なことだが）"生活の質"の真の意味についての再検討を促すだろう。

　エコロジカル・フットプリントは、経済や社会、自然についての常識的な通念を疑うきっかけを提供し、富める国（およびすべての富める者

たち）の過剰消費問題に真っ向から挑む。にもかかわらず、エコロジカル・フットプリントは多くのさまざまな人々に支持を広げているようだ。初めてエコロジカル・フットプリントに出会った人々も、自分の言葉で議論ができるし、多くの人々がこの指標によって明らかになる経済システムの矛盾を指摘できるからだ。そのため、その議論はすぐに、地域の汚染や廃棄物リサイクル、生物多様性といったいつもの持続可能性問題の狭い枠組みを越え、新たな地平へと向かう。大部分の人々は、自然に対する人間の依存ととどまるところのない生態圏の荒廃という現状について、考え直さざるを得なくなるのだ。さらに人々は、資源のスループット［経済への資源流入量］の削減が持続可能性のための前提条件であることを受け入れ、自然の利用をめぐってさまざまな利害が競合し合っていることを認めるであろう。また、経済と生態系との関係の本質について熟考し直すことを始めるであろう。そして自然の再生能力維持は、持続可能性へ向けての必要条件であること、しかもこの条件は現在満たされていないことを納得するのだ。ここから、抜本的変革の必要性を受け入れるまで、あとほんの一歩である。

　大幅な技術革新および制度的改革がなくては、今日の北アメリカ人のような暮らしを続けることは不可能だという認識は多くの人々によって受け入れられつつある。にもかかわらず、富める国は資源消費を削減すべきであるという考えを実際に支持する人はなかなか現れない。おそらくこれが持続可能性にいたる社会変革プロセスの中で最大の障害であろう。だれしも、抽象的かつ一般的なレベルで自然界の限界を認めたとしても、必要な改革が個人の生活に何らかの具体的変化をもたらすのではという不安感に身を任せたくはないものである。友人を食事に招いたときにでも、今の生活の質を維持し、かつ資源消費を削減するための大規模な環境税の導入を望みますか、と尋ねてみてほしい。問題を理解している人でさえ、何らかの理由を見つけ出して反対するものだ。たとえば、社会的不平等にこれまでとくに関心がなかったと見える人が、突

然、環境税導入の結果、物価が上昇したら貧しい人たちはどうするのだと心配を装う。しかし、この種の税制を設計する際に、所得層間の不平等を（現在から未来にわたり）解消できるように策定する（たとえば、所得税減税などの手段で）ことはたやすいことなのだが……。

エコロジカル・フットプリント分析が持つ社会心理学上の、あるいは社会全体の問題認識の変化という点でのメリットをここでまとめてみたい。フットプリント分析は、研究者が地域における持続可能性への最大の障壁（社会心理学的な壁）は何かを突き止めるのに役立つ。また、地域住民の少数グループ、もしくは幅広い層の住民たちとともに都市計画の中身やその影響について話し合いを進める中でエコロジカル・フットプリントを戦略的に活用すれば、ふだん住民が持っている問題意識の段階と、自ら行動をおこそうとする高次の意識段階との間のギャップ（隔絶）を、住民自ら意識化できるようになる。さらに、エコロジカル・フットプリントを使えば、社会の中で伝えにくい難解な事柄をより理解しやすいかたちで伝達できるようになる。これらのことはわれわれの経験上いえることだ。（ワークショップ形式の）エコロジカル・フットプリントを使った「社会的自己観察」は、持続可能性というパズルの小片を組み合わせて全体像を把握するために必要不可欠である。

16）自分のフットプリントを計算してみよう

われわれ著者の自らのエコロジカル・フットプリントを計算してみたいと思いつつ、忙しさにかまけて、残念ながらまだ取りかかれないでいる。個人のフットプリントを推計することはもちろん可能であるので、読者の中で計算してみたい方はぜひわれわれより先にトライしていただきたい。少し手間が掛かる作業かもしれないが、難しくはない。

まず、自分の消費関連支出をすべて記録し、それを住居、食品、交通、消費財、サービスなどの項目に分類する[注40]。消費量をただ金額だけでなく、リットル、ガロン、キログラムなどの物理量単位で計上すること。

図3-18 あなた個人の消費量または、あなたの家庭の消費量をモニターすることによって、自分自身のフットプリントを計算できる。

　完璧を期すためには、家から出るごみも全部（リサイクルごみも忘れないで）計量すること。光熱水道費の領収書から、消費エネルギー量がわかるし、自動車の会計簿からは、ガソリン消費量がわかるだろう。また、たとえ自己負担分はそのサービス全体の一部分にすぎないとしても、保健や教育関連サービスを受けた場合も記録しよう（自己負担額がサービス総額の一部にすぎないとしても大丈夫）。

　平均的カナダ人のために集めたデータと表を使って、以上で述べた消費データを土地面積に換算することができる。これに加えてブリティッシュ・コロンビア大学のタスク・フォースから、さまざまな消費財について、それぞれに投入されたエネルギーと資源についての資料を得ることができる。どうしても手に入らないデータもあるが、そのときは、合理的な方法で推計するか、将来の研究を待ってほしい。

　冷暖房の需要の変化や、休暇、クリスマスの買い物などの要因によって消費量が季節毎に変動することを考えると、記録は年間を通して行う必要がある。注意してほしいのは、計量単位と期間である。たとえば、

生態学的生産力は、通常、年単位で記録されるので、1カ月平均を出すためには12で割ることが必要だ。また、4ヘクタールのフットプリントとは、あなたが、4ヘクタールの生態学的生産力のある土地による継続的な生産と吸収サービスを消費しているという意味であることを忘れずに。つまり、あなたの月間平均消費量は、4ヘクタールのフットプリントの月間平均生産量／吸収量に対応している。同様に、あなたの1日における平均消費量は、あなたの土地4ヘクタールが毎日生産する量に等しい。

どんな方法をとりまたどんな問題点があったか、知らせてほしい。

17）エコラベル：その製品は持続可能？

持続不可能な生産物は、放射性物質などの非分解性毒性物質を放出する生産物以外ない、と聞くと驚くかもしれない。持続可能性とは、消費量そのものに関する概念ではなく、消費"スピード"に関する概念である。

たとえば、燃費の悪いロールス・ロイスにしても、友人20人で共有し長期間持たせれば持続可能な資源消費を達成したことになるかもしれないし、逆に、電気自動車をだれもが乗り回すようになれば、全体として持続不可能な消費を助長することになってしまうかもしれない。

"従来の"エコ表示では、その製品が同種のものと比べて環境に優しいかどうかしかわからない。大量に消費した場合の累積的な環境影響については、まったくわからないのである。エコロジカル・フットプリントの分析によれば、個人の消費を地球規模の生態系の限界と比較可能にすることによって、製品表示をよりよいものにすることができる。

たとえば、ある商品を通常に使用した場合の、一般的な消費者の公正割当面積（公正な地球持ち分）の占有度を表示することによって、エコロジカル・フットプリントの考え方に基づいたエコ表示をつくることができる。

図3-19 この新聞のエコラベルには、「この製品を毎日購読、廃棄すると、あなたの地球持ち分1日分の10％少し、言い替えると、あなたの公正な地球生態アウトプット1日分のうち2.5時間分を使うことになります」

　"公正割当面積（公正な地球持ち分）"とは、地球上の、"一人当たり""利用可能な"生態学的生産力のある土地面積であったことを思い出してほしい。1994年には、1.5ヘクタールであった。持続可能な、そして平等な生活をすることとは、その人の公正な地球持ち分が継続的に供給できる資源フローと廃棄物吸収処理能力（すなわち自然所得）だけを利用していることである。
　たとえば、ロールス・ロイスは、耐用期間内に50万キロメートル走れるとして、5,000ギガジュールのエネルギーを消費する。これは、50ヘクタールの生態学的生産力のある土地の、1年間の生産量に等しい。このロールス・ロイスを、20人で共有し、20年間使えば、その地球持ち分の占有率は、一人当たりの地球持ち分1.5ヘクタールの約8％となる。つまり、一人当たり生態学的生産力の持ち分の1日当たり約2時間分に相当する計算になる。
　これは、これまでのフットプリントの応用例と少し違っている。通常は、ある特定の消費財がどれだけの土地を収奪するかを算出するのだ

新聞のエコロジカル・フットプリント

BOX3-8

毎日読んでいる新聞は、あなたの地球公平割当面積
（公正な地球持ち分＝1.5ha）のどれだけを占めることになるのか

計算

まず当面の近似法として、新聞製造過程における二つの主要な投入資源、すなわちエネルギーと繊維にしぼって、新聞のエコロジカル・フットプリントを考えることにする。新聞の重さ1日分は0.3kgとする。

エネルギー必要量：1kgの紙を生産するために、約61MJ必要である。したがって、新聞1日分の総投入エネルギーは、18.3MJとなる。

61［MJ/kg］×0.3［kg］=18.3［MJ］

エネルギーの土地換算率は100GJ/ha/年であるので、地球の公平割当面積1.5haは1年間に150GJのエネルギーを生み出す計算になる。このことから新聞0.3kg分の紙製造に必要なエネルギー（18.3MJ）を1.5haの土地が生み出すためにかかる時間は、1.1時間であることが算出される。式は、（8,760［時間/年］×18.3［MJ］÷150,000［MJ/年］）=1.1［時間］

木質繊維必要量

カナダの新聞製造に要する木質繊維（再生繊維を合わせて）は、1t当たり平均1.8m^3である。

平均的な森林における木質繊維生産量は1年間に1ha当たり約2.3m^3である。したがって、地球持ち分（公平割当面積）=1.5haが生産してくれる木質繊維量は1年間に、1.5×2.3=3.5［m^3］となる。

このことから新聞紙1日分の木質繊維（0.3kg）を1.5haの公平割当面積の土地が生み出すためにかかる時間は、下の式から1.4時間であると計算される。

8,760［時間/年］×（1.8［m^3/t］×0.3［kgの新聞紙］×0.001［kg/t］）÷3.5［m^3/年］=1.4時間

結果

0.3kgの新聞の消費は、あなたの地球公平割当面積の2.5時間（1.1［時間］＋1.4［時間］）を占有する。

が、ここでは、"公正な地球持ち分"として、初めに土地面積を固定している。そして、エコロジカル・フットプリント分析を、個人の（つまるところは地球の）環境収容力の範囲内で生活する方法を割り出すために利用しているのだ。私たちは、自分の公正な地球持ち分を拡大することはできないのだ。消費する量とそれを消費するスピードを選択できるだけだ。

他の例で見てみよう。たとえば、毎日の新聞。新聞にエコ表示がついているとすると、こうなる。

"この商品をご購入いただいて愛読後に通常の処分をしていただきますと、あなたの地球持ち分（公正割当面積 = Earthshare）の10％強、つまり、地球の生態学的生産量のうち、あなたの公平割当分（公正な受取量）1日分のうち2.5時間分を使うことになります"（BOX3-8）。

同様に、オレンジ・ジュース製造に用いるエネルギーおよび原材料費に関するドイツのヴパッタール研究所（Wuppertal Institute）の研究によると、オレンジ・ジュースを毎日1リットル飲む行為は、オレンジ・ジュースがブラジル産であれば、一人当たり公正割当面積1.5ヘクタールの4〜8％（一人当たりの生態学的生産量一日分のうち1〜2時間分）を占めるという。なんと、フロリダ州の機械化された農場で生産されたものであれば、26〜30％（同じく7〜8時間分）を占めることになるという[注41]。後者のフロリダ産であれば、たとえ1日グラス1杯でも、一人当たり公正な地球持ち分（公正割当面積）の6〜7％を占めるということになる。

これで"楽しいフットプリント"はおしまい。

ここで述べたフットプリント応用問題17例によって、フットプリント概念がカバーする領域の広さと可能性が充分理解され、持続可能な世界を建設しようとするみなさんの活動のためにこの指標が使われることを願ってやまない。

原注

(1) Aubrey Diem, "Clearcutting British Columbia," *The Ecologist*, Vol.22 No.6, p.261-266, 1992. Mario Giampietro and David Pimentel,"Energy Analysis Model to Study the Biophysical Limits For Human Exploitation of Natural Processes." p.139-184, in C. Rossi and E.Tiezzi,(editors), *Ecological Phyical Chemistry-Proceedings of an International Workshop*,Amsterdam:Elsevier,1990.

(2) Lester R. Brown,"Facing Food Insecurity" and Peter Weber," Safeguarding Oceans" both in Worldwatch Institute, *State of the World*,NY:W.W.Norton,1994.Carl Folke and Ann Marie Jansson,"The Emergence of an Ecological Economics Paradigm:Examples from Fisheries and Aquaculture," in U.Svendin and B. Aniansson,(editors),*Society and the Environment*,Dordrecht: Kluwer Academic Pblisher,1991.Michelle Hibler, *Our Common Bowl: Global Food Interdependencies*,Ottawa:International Development Reserch Centre(IDRC), 1992. なお、和田喜彦（ブリティッシュ・コロンビア大学大学院コミュニティー地域計画学研究科博士課程所属：当時）は、日本の陸上すべての海産物を含めた海のエコロジカル・フットプリントを計算中である。Yoshihiko Wada,"Assessing the Sustainability of Japan: The Ecological Footprint of an Average Japanese.")

(3) The World Conservation Union,United Nations Environment Programme and the World Wide Fund for Nature, *Caring for the Earth:A Strategy for Living Sustainably*,Gland, Switzerland:IUCN,UNEP,and WWF,1991.

(4) William R.Catton Jr., *Overshoot: The Ecological Basis of Revolutionary Change*. Urbana: University of Illinois Press, 1980.

(5) E.Mark Harmon, William K.Ferrell and Jerry F.Franklin,"Effects of the Carbon Storage of Conversion of Old Growth Forests to Young Forests,"Science,Vol.247,p.699-702,1990.Gregg Marland and Scott Marland,"Should We Store Carbon Trees?" *Water, Air and Soil Pollution*,Vol.64, p.181-195,1992. Maria Wellisch, *MB Carbon Budget for the Alberni Region: Final Report*, Vancouver: The Research and Development Department of MacMillan Bloedel Limited,1992.

(6) Mathis Wackernagel,"Ecological Footprint and Appropriated Carrying Capacity:A Tool for Planning Toward Sustainability," Unpublished PhD Thesis. Vancouver:University of British Columbia School of Community and Regional Planning(1994).

(7) Yoshihiko Wada（和田喜彦）,"Biophysical Productivity Data for Ecological Footprint Analysis,"Vancouver: Report to the UBC Task France on Healthy and Sustainable Communities, 1994. New Zealand Forest Owner Association Inc., Forestry Facts and Figures 1994, Wellington, New Zealand : Forest Owner Association in co-operation with the Ministry of Forestry,1994.

(8) Yoshihiko Wada（和田喜彦）上記参照。

(9) Salah El Serafy,"The Proper Calculation of Income from Depletable Natural Resources," in Ernst Lutz and Salah Serafy,*Environmental Resource Accounting and Their Relevance to the Management of Sustainable Income*,Washington DC.:The World Bank,1988.

(10) Vaclav Smil, *General Energetics:Energy in the Biosphere and Civilization*,NY: John Wiley,1991.David Pimentel,"Achieving a Secure Energy Future: Environmental and Economic Consequences,"*Ecological Economics*,Vol.9 No.3,p.201-219,1994.Michael Narodoslawsky and Christian Krotscheck,"The Sustainable Process Index Case Study: The Synthesis of Ethanol from Sugar Beet,"Technische Universität Graz,Austria: Institut für Verfahrenstechnik,1993.

(11) この章のデータは、とくに断っていないかぎり、すべて世界資源研究所から年2回発行される「世界資源報告書」（*World Resources Report*）からとった。

(12) 1,111,000,000［ギガジュール/年］/1,000［ギガジュール/ヘクタール/年］/27,000,000［カナダ人口］＝カナダ人一人当たり 0.04 ヘクタール
(13) Mathis Wackernagel と Yoshihiko Wada（和田喜彦）が、Carl-Jochen と Winter Joachim Nitsch の *Hydrogen as an Energy Carrier: Technologies, Systems, Economy*［Berlin:Springer Verlag,1988］に基づいて計算した結果によると、100-500 ギガジュール/ヘクタール/年の光起電性生産力となる。Michael Narodoslawsky, Christian Krotscheck , Jan Sage は、"The Sustainable Process Index(SPI):A Measure for Process Industries,"Technische Universität Graz,Austria: Institut für Verfahrenstechnik,1993 において、430 ギガジュール/ヘクタール/年としている。David Primentel ら（上記参照）は、1,200 ギガジュール/ヘクタール/年という数字を挙げている。この他ここで挙げた再生可能エネルギーの推計値はすべて、上記と Vaclav Smil（上記参照）からとられた。
(14) 人類はすでに事実上、高投入集約型農業というかたちでこの生産力の向上を行っている。この形態の農業では、生産量は、自然に備わっている土地の生産性などよりも、化石燃料と投入物質という"補助材"の量に大きく依存している。
(15) Barney Foran, CSIRO,Australia,Division of Wildlife & Ecology,からの私信、1994年11月
(16) 世界資源研究所,*World Resources*,NY: Oxford University Press,1992. Sandra Postel and John Ryan, "Reforming Forestry," in Worldwatch Institute,*State of the World*,NY:W.W.Norton,1991.
(17) 国連食糧農業機関 (FAO),*FAO Yearbook: Production*, Vol.43,Rome:FAO,1990. 世界資源研究所,*World Resources: Data Base Diskette*,Washington,DC: 世界資源研究所,1992年。カナダ政府統計資料。
(18) カナダ統計局は、一人当たり250ギガジュール/年ではなく、わずか234ギガジュール/年だと主張している。この数値は、カナダ人のフットプリントの数値を少なめに出すために使われた。
(19) Robert Smith," Canadian Greenhouse Gas Emissions:An Imput-Output Study," *in Environmental Perspectives 1993: Studies and Statistics.* Ottawa: Statistics Canada (Catalogue 11-528E 不定期) を参照のこと。
(20) カナダについては、平均的な成熟林は、1ヘクタール当たり163立方メートルの有用木材から成る。温帯林の伐採周期を70年とすると、生産力は、年約2.3立方メートル/ヘクタールとなる。これは、公有林における一般的な"年伐採許容量"と同じである。Greg と Scott Marland によって集められたデータ（"Should We Store Carbon in Trees?" Water,Air and Pollution,Vol.64,p.181-195,1992）によると、世界の木材生産力は年間平均4.1立方メートル/ヘクタールとなる。これは、北方林（世界の森林面積の33％を占める）の年間生産力2.3立方メートル/ヘクタール、温帯林（同じく25％）の年間生産力3.3立方メートル/ヘクタール、熱帯林（同じく42％）の年間生産力6立方メートル/ヘクタールがもとになっている。しかし、熱帯林の生産力は推計であるため、この4.1という数値は信頼性が低い。平均木材生産力を得るもう一つの方法として、炭素蓄積データによるものがある。和田喜彦の文献調査によると、炭素吸収効率は、年間1.8トン/ヘクタールである ("Biophysical Productivity Data for Ecological Footprint Analysis," Vancouver: Report to the UBC Task Force on Healthy and Sustainable Communities, 1994)。これは、最大25％の商品化可能な木材を含む年間約4トン/ヘクタールの乾燥バイオマスに等しい。平均密度を約0.5トン/立方メートルとすると、約2立方メートル/ヘクタール/年（[4トン/ヘクタール/年] × [0.25/0.5トン/立方メートル]）となる。
(21) Maria Buitenkamp,Henk Venner and Theo Wams,(editors),*Action Plan Sustainable Netherlands*, Amsterdam:Dutch Friends of The Earth,1993. このレポートでは、エコロジカル・フットプリントを補完するものとして、環境スペース Environmental Space という概念が提案されている（BOX2-5参照）。

(22) この議論が徹底した人間中心主義に貫かれていることは、ここにも示されている。これは、私たちが、他の生物種の固有の権利と価値を軽視しているからではない。そうではなくて、ただ、人類はすでに世界の生態系における優勢な種であるという生態学的現実と、人類の意識が経済的自己中心主義に支配されている現状を正しく反映している。
(23) 野生生物保護区案の機能のいくつかは生物多様炭素貯蔵森林が担いうるという考え方に基づく。
(24) 国際環境開発研究所, *Citizen Action to Lighten Britain's Ecological Footprints,* London: 国際環境開発研究所, 1995年。
(25) National Institute for Public Health and Environmental Protection(RIVM) ,*National Environmental Outlook 2,* 1990-2010,Bilthoven,Netherlands:RIVM,1992.
(26) 上述 (21) のオランダ持続可能行動計画 Action Plan Sustainable Netherlands の情報と世界資源研究所のデータとに基づいた数値。この例では、生態学的生産力のある土地面積（a行）は、生産力を考慮した補正がなされていないことに注意。世界平均生産力が採られている。だからといって、論拠薄弱ではない。たとえ地域の生産力が世界平均の2倍であったとしても（そんなことはありえないが）、不足量は、利用可能面積をかなり上回るであろう。オーストラリアとカナダだけ例外であるが。
(27) Rod Simpson,Katherine Gasche and Shannon Rutherford, *Estimating the Ecological Footprint of the South-East Queenland Region of Australia(draft report). Brisbane:Faculty of Environmental Studies,Griffith University,* 1995.
(28) フットプリントの大きさは、世界資源研究所による1992年のデータを利用した私たちの分析の他、以下の資料から推計した。Ingo Neumann from Trier University,Germany; Dieter Zürcher from Infras Consulting, Switzerland; Rod Simpson,Katherine Gasche and Shannon Rutherford of Griffith University, Australia.
(29) 世界資源研究所のデータ。
(30) 生態学的生産力がここで採られたものより大きければ、この赤字はいくぶん小さくなる。
(31) William M. Alexander,"Humans Sharing the Bounty of the Earth:Hopeful Lessons from Kerala," 1994年ケララ州ティルヴアナンタプラム（ドリヴァンドラム）における国際ケララ州研究学会で発表された論文。
(32) Thomas Home-Dixon,Jeffrey H.Boutwell and George W. Rathjens,"Environmental Change and Violent Conflicts," Scientific American, p.38-45, Frbruary 1993. Clive Ponting,*A Green History of the World: The Environment and the Collapse of Great Civilizations,*NY: St.Martin's Press,1992.
(33) Robert Goodland and Herman E.Daly,"Why Northern Income Growth is not the Solution to Southern Poverty,"*Ecological Economics* Vol.8,No.2,p.85-101,1993 からの引用。
(34) World Council of Churches, "Accelerated Climate Change:Signs of Peril,Test of Faith,"Geneva,1992.
(35) Mark Roseland,*Toward Sustainable Communities,* Ottawa: National Round Table on the Environment and the Economy,1992 に掲載。ラウンド・テーブルから無料の冊子を入手できる。電話 1+(613) 992-7189 http:www.nrtee.trnee.CA/
(36) Yoshihiko Wada（和田喜彦）, *The Appropriated Carrying Capacity of Tomato Production: The Ecological Footprint of Hydroponic Greenhouse versus Mechanized Open Field Operations,*Vancouver.1993年ブリティッシュ・コロンビア大学大学院コミュニティー地域計画学研究科に提出された修士論文。
(37) たとえば次のようなものがある。Julian Griggs,Tim Turner, and Mathis Wackernagel, *Connections : Towards a Sustainable Future(A Four-Day Program on Sustainability),* Draft Program

Guide,Gibsons,B.C.: Sea to Sky Outdoor School for Environmental Education,1993. ESSA Technologies Ltd.,*Teacher's Guide to the State of the Environment Report for British Columbia*, Victoria,B.C.: Ministry of Environment,Lands and Parks,1994.Jim Wiese,*Energy Education-Mondule 4: Conservation Potential,*(section on Ecological and Energy Footprints), Vancouver:BC Hydro,1995.

(38) Colin Duffield, *Putting the Ecological Footprint in Print: Applications of the Appropriated Carrying Capacity Concept to SOE Reporting*,Ottawa: Report to Strategic Planning and Analysis of SOE Reporting,1993.

(39) Peat Marwick Stevenson & Kellogg, *Sustainability Indicators Methodology, Report prepared for the Fraser Basin Management Board in Vancouver*,1993, and; *1993 Environmental SCAN: Evaluating Our Progress toward Sustainability*,Ottawa:Canadian Council of Ministers of the Environment,1993.

(40) 個人の消費量を記帳・計算するにあたっては以下で述べられている方法が使いやすい。Joe Dominguez and Vicki Robin,*Your Money or Your Life* (NY:Viking Penguin,1992).

(41) Friedrich Schmidt-Bleek,*Wieviel Umwelt braucht der Mensch:MIPS-das Mass für ökologisches Wirtschaften, (How Much Environment Do People Need? MIPS: The Measure for Managing Ecological Economics)*,Basel and Boston:Birkhäuser,1993.

第4章
持続可能性戦略を求めて

　地球上の人類全体としてのエコロジカル・フットプリントの大きさは半端ではない。それは未利用の環境収容力がふんだんにあった世界とはまったく異なる世界にわれわれは住んでいることを如実に物語っている。

　もはやおよそすべての自然に人間の手が及び、その生産物は人類の用に供されるために手が加えられ、自然はすべて何らかのかたちで人類の営みを維持するために利用されている。人類が自然にかけている負荷が長期的な地球の環境収容力を完全に超過してしまったことは、さまざまな事実が示しているとおりである。

　この超過（オーバーシュート）のため、人類は身動きできないジレンマに陥っている（これは、じつは自ら招いた結果なのだ）。そのジレンマとは何か。貧しい国々においてはなお、物質的成長が、社会的経済的な持続可能性の達成のために不可欠であるが、その一方で、地球全体としてみた場合、物質的スループットが少しでも増えれば、それは、生態学的な持続不可能を意味する。このにっちもさっちもいかない事態に人類は直面しているのだ。

　持続可能性を実現するために私たちに課せられた責任の大きさを知ってしまうと、心穏やかではいられない。今の人類が進んでいる方向を、このまま何ごともなく進み続けることは不可能で、かなりラディカルな大変革が必要であるということがうすうすわかるからである。これまで

図4-1 現在主流となっている開発戦略は、自然を破壊しモラルを低下させ、持続可能性とは逆の方向にわれわれを導いている。物質的成長に振り向けることのできる土地・水域はすべて、生存のための基本的ニーズが満たされていない人々に割り当てられるべきである。

の近代的な価値観は人類の暮らしの向上に多大なる成果を挙げてきたのだが、私たちは、同じことは今後は通用しないということに気づきはじめたのだ。

とくに、全人類の富裕層に属する私たち先進工業国の平均的な生活を送る市民たちは、苦しい道徳的ジレンマに直面している。富める者が、これなら持続できるという地球の生産力の公平割当分の3倍程度を消費している一方で、世界の何十億もの慢性的貧困に苦しむ人々の生存のための基本的ニーズは、今だもって満たされていないからである。

さらに、現在の世界中の総需要を満たそうとするだけでも、自然の力を劣化させることは避けられず、未来世代のニーズを満たすことがますます難しくなるのだ。問題解決のために従来の経済成長戦略と技術革新をもってすれば、さらなる物質的成長が、高所得国家にもたらされ、富める者はいっそう多くの環境収容力を収奪し、結果として、貧しき者が利用できるエコスペース（環境空間）が減少してしまうだろう。

このように従来型の戦略は、生態学的に見ても危険極まりなく、倫理的に見ても問題を含んでいる。もし成長の余地をつくり出せるなら、それは第三世界に配分されるべきである。

私たちに突きつけられているのは、まったく新しいタイプの問題である。

どうすれば、すべての人のニーズを充分満たしつつ、人類が環境に及ぼす影響の総量を減らすことができるか。エコロジカル・フットプリントを減らすべき者はだれか。基本的ニーズを満たすために、エコロジカル・フットプリントを増やすことを認められるべき者はだれか。どうすれば、富める者たちのエコロジカル・フットプリントを減らすことの必要性を、本人たちに納得させることができるだろうか。そのためには、どんな社会的、制度的、技術的しくみが有効だろうか。どうすれば、最も弱い者が持続可能性危機のコストの大部分を負わされている今の状態を解決できるか。どうすれば、すべての人に満り足りた生活を保証する

持続可能な社会を実現できるだろうか。

　以上の目的を達成するために必要な社会的な合意をどのように形成していけるだろうか。どの世代も経験したことのない以上の課題を私たちの世代は克服しなければならないのだ。

ECOLOGICAL FOOTPRINT
1.従来型戦略への疑問

　私たちの多くは、従来の戦略は正しく、持続可能性に矛盾しないものであると信じ込まされている。言葉巧みに語られるそれらの主張は、よく耳にするものである。

　たとえば、ある者は、"持続可能な成長"を提唱し、かつその達成方法として、貿易自由化を推奨する。「北米自由貿易協定（NAFTA）」とこれよりさらに包括的な「関税及び貿易に関する一般協定（GATT、現在の世界貿易機関WTOの前身）」をめぐる論争で、私たちも貿易自由化の主張はよく見聞きしてきた。また、"ゼロ・エミッションカー"（排出物質ゼロ自動車）などの技術的解決と新たな効率革命の可能性によってこそ、エコスペース（環境空間）の余力をつくり出し、持続的なGDP成長を可能にすると主張する者もある。

　つまり、「ブルントラント委員会」の『地球の未来を守るために』の著者たちも含めて、旧来型の研究者たちは、貿易と技術によって、生態系の環境収容力を高め、生態学的な限界点を引き上げることができると主張しているのである。

　これはものごとの一部しか見ない誤った考えである。たとえ最良の条件下においても、技術革新は、環境収容力そのものを増加させることはない。ただ、資源利用の効率を高めるだけである。理論上は、エネルギーおよび物質効率の高い技術に移行すれば、同一の環境で、同数の個体群をより高い物質的水準で扶養することができるし、または、物質的水準

を変えなければ、以前より多くの個体群を扶養することができることになる。

　しかしながら、これは環境収容力を拡大させているように見えて、その実体は、人類が環境に掛ける総負荷量を環境収容力レベルに保っているだけのことである。つまり、環境収容力は変化しておらず、依然として"限界"は存在するのである。

　実際には、効率の向上とそれを促すためのインセンティブ（誘導策）は、多くの場合、直接的、あるいは間接的に資源の保全とは"逆"方向に作用しているのである。直感では資源効率の向上は資源節約につながると思われるのだが、技術改良によるコスト削減がもたらす価格効果あるいは所得効果など、数多くの要因が働いて直感とは正反対の結果が生じてしまうのだ。

　たとえば、エネルギーおよび物質利用効率の向上によって、企業は賃上げや配当額の増額、価格の引き下げなどができるようになり、その結果、労働者や株主、消費者はそれぞれの実質消費量を増加させてしまうのだ。同時に、技術革新を通じて個人ベースで達成されたエネルギーの節約分は、初めのうちこそ環境にとって有益であっても、通常、新たな消費の形態へと向かい、いずれその節約分の一部あるいは全部が帳消しにされてしまう。効率向上が資源消費と資源劣化を加速するということは、効率向上はある集団のエコロジカル・フットプリントを間接的に大きくし、有限な地球の環境収容力への負荷を増加させることにつながっている（BOX4-1参照）。

　さらに悪いことに、多くの生産技術は、エコロジカル・フットプリントの拡大をあからさまに助長させているにもかかわらず、縮小に貢献しているという幻想を生み出してしまう。これは、とりわけ技術が短期的な"生産量"を増加させる農業、林業、鉱業において顕著である（トマト生産技術の比較評価の項で述べたように。p173参照）。

　私たちは、しばしば、このような増産は、自然資本の生産性の"向上"

を意味していると考えがちである。ところが、この増産は、自然資本の取り崩しによってもたらされたものなのである。このように、集約的農業は、短期的には低投入型農業より"生産性が高い"かもしれないが、外部からのエネルギー投入に依存し、また土壌や水資源の枯渇の速度を速めているのである。つまり、実態としておこっていることは、社会全

BOX4-1　効率化は省資源となるか？(注1)

　経済学者や環境保護主義者の多くは、技術上の効率向上は、持続可能性危機の特効薬となりうると考えている。この考え方は、バックニンスター・フラー（Buckminster Fuller）の"少ない負担でより多くの成果を"という論法からきているのだが、これには"効率向上は自動的に省資源と消費削減をもたらす"という暗黙の前提がある。

　たとえば、産業資本家ステファン・シュミッドヘイニー（Stefan Schmidheiny）は、近年の化学工業による50％のエネルギー効率向上を賞賛するのだが、この間、化学製品製造量は2倍になっていることを忘れている。『地球の未来を守るために』でさえ、ウォルフガング・ザックス（Wolfgang Sachs）が"世界をおおう効率化という福音"と呼んだものに、どっぷり浸かっている。しかし、効率化戦略が微視的に見て効率的に見えようとも、資源効率の向上は必ずしも資源使用量の減少には帰結しないのだ。それどころか、技術的効率化は、資源消費量の純増をもたらす。

　この逆説的なジレンマについては、さまざまな本が書かれている。

　1972年、『成長の限界』は、「途絶えることのない経済成長に伴って農業生産力が倍増しても、食料の涸渇をわずか20年先送りするだけであり、より困難な問題に直面することになる」と指摘している。

　ワールド・ウォッチ研究所のレスター・ブラウン（Lester Brown）は、「自動車やエアコン、紙消費量の増加など物質消費量の絶えざる増加は、最終的に効率向上をしのいで、資源使用総量（だけでなくそれに伴う環境被害すべて）を増加させる」と述べている。

　この推測は具体的データで裏付けられる。たとえば、アメリカでは、自動車の燃料効率が向上したにもかかわらず、燃料総消費量は増加している。同様

体が、非再生資源のフローの増大にいっそう依存を深めていく一方で、長期的には（再生可能な）環境収容力を減少させているのである。

この現実の裏に潜む危険性がまさかのときにどのように顕在化するか、キューバの悲惨な経験を見るとよい。1990年代初め、化石燃料の不足のためにキューバの農業生産は激減したのである。

> に、「エコロジスト」誌が述べているように、1973年から1987年の間に、欧米先進諸国におけるエネルギー利用はGNP1ドル当たり23％減少したが、同期間にエネルギーの年間総消費量は、じつに15％も増加しているのである。
>
> ミクロ経済において何がおこるだろうか。
>
> エネルギーあるいは物質的効率向上によって、企業は賃金を上げ、配当金を増額し、価格を下げることができる。これらはすべて、純消費量の増加をもたらす。経済学者は、この賃金、価格に対する影響を"反発効果"と呼ぶ。技術がもたらした節約は、個人レベルでは、他のかたちの消費へと向かい、当初達成した節約を帳消しにしてしまうことを指している。
>
> 経済学者でエネルギー研究家のブルース・ハノン（Bruce Hannon）は、次のように述べている。
>
> 「（環境保護意識の高い）旅行者が都市バスから自転車に乗り替えれば、エネルギー（だけでなくドルも）を1ドル当たり51,000BTUの割合で節約することができる。もしこの人が、これによって節約したドルを、1ドル当たり51,000BTUよりエネルギー集約度の大きな個人消費財購入に使えば、自転車に替えたことは何にもならなかったことになる」
>
> 次に経済のメゾレベル（地域）においてはどうなるだろうか。
>
> 通常、先進工業国は、大量のエネルギーをほとんど化石燃料のかたちで輸入している。このような輸入は、地域経済を弱体化する。つまり、燃料代金の支払いは地域から直接金を流出させる。そればかりか、支払金が地域内にとどまっていれば、地域内で循環し、乗数効果をもたらしたであろうが、その機会が失われるからだ。逆に、エネルギー効率の向上によって節約された金と省エネルギー設備のための金は、地域で支払われることが多く、地域経済を活性化する［すなわち地域内の資源消費は増加する］。
>
> もっとマクロなレベルではどうだろうか。

もちろん技術は、適切に使用されれば、社会が持続可能性に近づくために大きな役割を果たすことができる。第3章で示したように、太陽光技術は、エコロジカル・フットプリントを大きく減少させることができる。したがって、省エネルギー技術も、その節約分が他の形態の消費に振り向けられないのであれば、結構なことである。

> 経済学者ポール・サミュエルソン（Paul Samuelson）によると、技術革新すなわち効率化は、GNP成長の75％を占め、それによって資源の総スループットの増大に役立っているという。
>
> 経済学者ハリー・サンダース（Harry Sanders）は、効率化の影響を分析して以下のように述べている。
>
> 「エネルギー効率の向上は、二つの方法で、エネルギー消費を増大させる。一つは、事実上エネルギーを他の投入物より安く見せることによって。もう一つは、経済を成長させることによって、経済成長はエネルギー利用を増加させるからである」
>
> これらの他にも、「先進工業国においては、GNPとエネルギー消費とはすでに切り放されている（デカップル de couple されている）」とする見方に反論する研究がある。
>
> エネルギー分析の専門家であるロバート・カウフマン（Robert Kaufman）は、「第二次世界大戦以降、フランス、ドイツ、日本、イギリスにおいては、代替製品の導入と技術革新は、GNP（インフレ率修正済み）1ドル分の生産に要するエネルギー量にほとんど影響を及ぼさなかった」と述べている。"GNPで表される経済活動の規模とエネルギー消費量の（正比例）関係は、おおかたの新古典派経済学者が考えているよりも強い"ということである。
>
> 一般的に、ある国（地域）における技術的な効率向上は、資本収益率を引き上げ、その国（地域）への投資を呼び込む。結果としてその国（地域）の経済を拡大させる波及効果をもたらすといえそうだ。スタンレー・ジェヴォンズ（Stanley Jevons）が、1865年に出版した大著『石炭問題』（前出）において主張したことを思い浮かべてみよう。「……製造業の中のある分野の進歩は、他の分野における新たな生産活動を誘発する。このことが、直接的または間接的に石炭の消費を押し上げる……」とジェヴォンズは書いている。端的にいえば、収益率を向上

これとは反対に、たとえば"ゼロ・エミッション"自動車のようなものへ切り替えようという提案は、注意が必要だろう。都市部での大気汚染軽減の試みは感心すべきであるが、自動車から排出される窒素酸化物や未燃焼炭化水素などの都市汚染物質を除去する取り組みに、気候変動の主要因である二酸化炭素排出問題が度外視されていることに気づかな

させること——このことこそが、多くの現場で追求されていることである——は、結果的には資本収益率の向上に対する期待感を上昇させ、効率性が高い企業への投資を促進することになる。さらに、効率性が高い技術が他の企業や他のセクターに広く用いられることとなり、結局は資源の総需要を押し上げることになる。

したがって、皮肉にも、まさに技術的効率の向上がもたらす経済的利益こそが資源スループット速度を速めるのである。マクロ経済の本質が、このような効率向上による利益は短期的経済的利益のために利用されるべきだと要請するのである。自然資本の保全もエコロジカル・フットプリントの削減もなく、競争を煽って消費を増加させる。そこで、世界的規模で相互に密接に結びついた経済において、次のような疑問が生じる。

「経費節減を目的とするエネルギーの効率化は本当に追求する価値があるのだろうか？」

その答えは、効率向上による利益が、それを生み出した経済循環から切り離される限りにおいては、"イエス"である。理想的には、効率化による利益は自然資本回復のための投資として留保されるべきである。資源減耗税や資源利用の取引可能割当制、その他環境税制改革の各項目（所得税その他労働者に対する課税を減らすことも含む）を制度化することが、そのための唯一かつ比較的短期間で可能な方策である。

今こそ、本当の意味で"より少ない資源でより多くのことを行う"ための政策を実施するべきであろう。さもなくば後になって、自然界の制約が一層強まり、結果的に人類は"より少ない資源で同じ量のこと（またはより少ないこと）を行う"ことを強制される事態に陥るであろう。

（BOX4-1　効率化は省資源となるか？）

ければならないのだ。

　ここでいう排気ガスの排出は、自動車が環境に及ぼす影響のほんの一部にしかすぎない。"ゼロ・エミッション"自動車といえども、製造・使用・廃棄の際には、環境を汚染し資源を消費するのである。"ゼロ・エミッション"自動車に関しても、その保有台数や利用頻度が増え続けるならば、排出以外の要因でエコロジカル・フットプリントは拡大するのだ（たとえば、都市スプロール化の拡大など）。

　貿易によって環境収容力が増加したように見えるかもしれないが、これもまた幻想にすぎない。

　商品を貿易することによって、人々は、自分たちの土地の条件による資源制約から解放されるかもしれないが、これはたんに、自らの環境負荷の一部を、遠く離れた輸出元の土地に転嫁しているにすぎない。ある地域の人々が、環境収容力を輸入できるならば、その地域の経済活動は拡大できることになる。しかし、実質的に全体として環境収容力が増加しているわけではない。輸入地域の人口あるいは経済が成長すれば、必ず輸出元の環境負荷の負担能力が減少するという具合だ。もし貿易が人口と消費量の増加を促進したとすれば、［それは、生態圏の環境収容力の増加を意味しているのではなく］、生態圏への負荷総量が増大したということを意味しているだけなのだ。

　それでもなお、生態学の観点から見て健全でバランスのとれた貿易を追求していくことは可能だ。もし、各国が真の余剰（生産量から地域での消費分を引いた残りで、それを輸出しても自己形成型の自然資本ストックは減耗しない量）のみを輸出することにすれば、地球は生態学的に定常状態かつ安定したものとなるだろう。

　技術と同様、規制なき貿易は、当事者双方の土地の長期的な環境収容力を"減少"させる可能性がある。食料や木材を安く輸入できれば、輸入する側は自分の地元の農地や森林などの自然資本ストックを守ろうというインセンティブは減少するだろうし、また、輸出する側も、他の輸

図4-2　効率化によって、私たちのフットプリントは減少しただろうか。「効率向上」は、私たちが地球に与えている負荷を減らすための運動や試みにおいて、人気のあるスローガンである。しかし、ほんとうに、これでうまくいくだろうか。1世紀前に、経済学者のスタンレー・ジェボンズ（Stanley Jevons）は、「資源を効率よく節約して利用したからといって、それがそのままその資源の総消費量の削減に結びつくと考えるのは、混乱した論理である」と警告している。

出地域との競争にさらされ、自然資本を減耗させてしまう結果をもたらすかもしれない（つまり、輸出市場をめぐる熾烈な競争は、資源価格の低迷をもたらし、結果的に自然資本の維持のための資金的余剰を生み出さなくしてしまうからだ）。

この点について、少し考えてみよう。

今日の世界においては、都市化、グローバリゼーション、貿易が三位一体となって、地域住民の調整フィードバック能力［正しく現状を認識・判断し、それを基に意思決定を行う能力］を鈍らせている。少なくともこの数十年、どの都市住民にとっても、資源は地球規模で入手できるので、自分たちの市街地域の土地や資源の管理がたとえ持続不可能なものであったとしても、それがもたらす重大な事態に対し、都市住民は無感覚になっているようである。

つまり、近代化は、私たちを、空間的にも心理的にも土地から隔絶させてしまったのである。産業社会に生きる人々はすべて、自然に対する集団的盲目という病を患い、自分たちを生かしてくれている生態系と"結びついている"という感覚を集団として失いつつある。

一方、貿易が、第二次大戦以降の世界総生産上昇の主要因であったことはだれの目にも明らかである。また、これほど明白な事実ではないにせよ、富める者たちが（意図していなかったのかはわからないが）、貿易を、世界の環境収容力の大部分を収奪し、自分たちのエコロジカル・フットプリントを拡大させるための重要なメカニズムとして利用したことも明らかである。

自然に対する人類の総負荷が増大しつつあり自然資本減耗が加速する今日、貿易は、結果的に、貧富を問わずすべての人から、生態学的なセイフティ・ネット（安全網）を奪うことに加担しているといえよう。

こうして見てくると、貿易拡大は、物質的成長における生態学的限界を克服するどころか、地球という惑星の長期的な環境収容力の限界をオーバーシュート（過剰収奪）するという、危険行為を助長しているの

図4-3 生態学的貿易不均衡（Ecological Trade Imbalance）。金額ベースの分析は、貨幣的富の蓄積については明らかにするが、その蓄積を可能にした物質フローについては、ほとんど何も明らかにしてくれない。一方、エコロジカル・フットプリント分析のような物理量ベースのモデルは、工業国が輸入フローにますます依存を高めていることを明示してくれる。また、自然資源の輸出に依存する経済が、価値付加型経済から高価格の工業製品とサービスを買うために、低価格に抑えられた自然資本（つまりキャリング・キャパシティ）を切り売りしている実態を明らかにする。このような生態学的に不均衡で地球破壊的な貿易が長い年月の果てにもたらす結果を無視し続けていいだろうか。

だ。したがって、貿易が公正かつ社会的に建設的なものとなるよう、また純粋に生態学的余剰分だけを利用して貿易が行われるよう、現在の国際貿易のルールは再検討されなければならないであろう。

　貿易は、再生可能な自然資本がこれ以上減耗しないよう、また、その成長（ただし環境に有害ではない成長）の果実が、最も必要としている人々に必ず行き渡るように管理されるべきなのである。

　何よりもまず、すでに明らかになっている生態学的な外部効果だけでも、資源価格に反映されるような輸出税あるいは輸入関税が導入されなければならない。

　エコロジカル・フットプリントの分析は、このような貿易体制の実現を促進する上でも有効である。地域毎の一連の環境勘定（金額ベースでなく物理量ベース）が確立すれば、国や生命地域（バイオリージョン）

の単位で、生態学的な環境負荷の真の値を算出し、貿易収支を生態学的な観点から監視することが容易になる。国際社会は、環境勘定を用いることにより、地球規模の物質・資源フローが持続可能な自然所得を上回ることのない、また、地球の環境収容力を超えることのない人間の暮らしと経済を実現することができる。

　私たちはここで、技術や貿易それ自体を批判したかったのではない。技術や貿易がもたらす生活上の利便性は認めているし、喜ばしく思っているのだから。そして、持続可能性が達成された未来社会において、必ずや、技術と貿易は重要な役割を担っているとも思っている。

　ここで最も主張したかったのは、貿易と技術についての従来の思いこみを、環境収容力という観点から詳細にわたって再検討しなくてはならないということである。貿易と技術は、何らかの前提条件が満たされてはじめて、生態学的な持続可能性の達成に役立つものなのだ。

ECOLOGICAL FOOTPRINT

2. 持続可能性達成へのプロセス

　数多くの書物や公文書、NGOのパンフレットなどで、おびただしい数の持続可能性に取り組むための想像力に富んだ戦略が提案されている。しかし、持続可能性を高めるためには、何がなされるかだけでなく、どのように取り組むかという点（プロセス）も重要である。

　たとえ理論的には最高傑作と思える計画でも、状況にそぐわなかったり、計画によって影響を受ける人々に支持されなかったら成果は得られないであろう。持続可能性について具体的な構想や計画を議論する前に、まず行動を効果的なものとするためのプロセスを考える必要がある。

　ブリティッシュ・コロンビア大学の「健康で持続可能なコミュニティーに関するタスク・フォース」とともに私たちが行った地域での実

践は、次のような考え方で進めた。

持続可能性の二本の柱：
生態学的な安定と人間らしい暮らしの質の高さ

　持続可能性を高めるための必要条件は、少なくとも表面的には簡単明瞭である。先進工業国における持続可能性達成のための戦略は二本の柱から成る。まず、満足な生活の質をすべての人々に確保すること（社会経済的な絶対的要請）。そして、エコロジカル・フットプリントを減らすこと（生態学的な絶対的要請）であるが、これらは同時に達成されなければならない。持続可能性へ向けての計画立案は、おもにこの二つの拮抗する要請の間の綱渡りといえよう。

　"生態学的な持続可能性"は、持続可能性という概念の考え方としてはわかりやすい側面である。というのは、生態圏の限界についての厳密な定義をめぐってかなりの議論があるにしても、自然の恩恵の範囲内でお互いに共存する術を学ぶべきだという意見の一致があるからである。

　持続可能な自然所得の範囲内で暮らすことができなければ、私たち人類の存続は危機に陥る。

　エコロジカル・フットプリントの分析を使えば、この生態学的な要請がどこまで達成されたか計測できる。実際にエコロジカル・フットプリントを使い、また同様の考え方に基づいて分析すると、生態学的限界がわかるだけでなく、地域や市町村、個人などの小規模なレベルで地球全体の限界に取り組む方法をつかむことができる。ある生活様式を維持するためにどれだけの自然の生産力が必要かを推計し、自然がこの生産力を長期にわたって提供できるかどうかを現実的に判断することができる。また、ある政策を選択することによって生じる環境負荷の増減を判断する基準を示してくれる。

　これは、地球上での私たちが人間としての尊厳を保って暮らせるかどうかの長期展望を分析判断するために役立つツールなのである。

"社会経済的な持続可能性"という概念は、生態学的な持続可能性と比べればより複雑で議論を呼ぶ概念である。経済という観点から"社会経済的な持続可能性"を定義すれば、最低限、だれもが心理的にも精神的にも満たされていると感じられる人生を送るために充分な物質的水準が確保されている状態となる。

　現在、先進工業国の人々の多くが、このような意味での"充分"という水準をはるかに超過してしまっていることは、いうまでもない。これらのひじょうに高い物質的水準を享受している人々は、持続可能性を達成するためとはいえ、少なくとも初めのうちは、現在の消費偏重の生活パターンを手放してもよいとは考えないだろう。

　一方、地球上の百万を超える人々が、生存に不可欠な基本的な物的ニーズすら充分に満たすことができないでいる。問題は、どうすれば、生態学的な安定を確保しつつ、社会的に公正でもあり、しかも政治的にも賛同を得られそうな方法で、富める者と貧しき者の経済格差をなくすことができるかという点にある。どうしたら社会的不平等とそれに付随する物質的格差とを解消できるかという問題が、持続可能性実現のための核心的課題である。

　しかし、"だれが、何を、（そしていかに）獲得すべきか？"という問題について世の中の関心を高めれば、結果的に国内の紛争や国際紛争発生の確率も高めてしまうかもしれない。社会的に公正な分配を達成することは必要不可欠だが、それに付随しておこりうる利害対立は、持続可能性実現のための議論の中で最も危険でかつ政治的にやっかいな問題である。

　著しい社会経済的不平等がはびこる国や地域では、万一生態学的オーバーシュートが発生すれば、国内の抗争や国際紛争を誘発することになるかもしれないし、もし紛争がすでにおきているとすれば、もっと泥沼化させる危険性もある。実際、このようなことは各地でおこっている。自然に対する過剰な需要は、資源の枯渇と生態系の崩壊を引きおこす

が、その結果、局地的な紛争を激化させる危険性があるし、そればかりか世界レベルでの政治的不安定を誘発する可能性すらあると、多くの学者が警告している。

目下のところ、人々の多くは、赤の他人が正当な割当をよこせと主張することは、自分の利害が侵され、夢の実現が危うくなることを意味すると思い込むのが一般的のようだ。そのためか、おこりうる社会的変化を本能的に怖れているようだ（心理学の研究によると、得られる利益が被る損失の3倍となってはじめて、人々は生活の変化を受け入れるという。それでは、北アメリカの人々が市中での自動車利用をやめるには、公共交通機関はどのくらい便利にならなくてはならないだろうか。自動車は、多くの家庭で家計の4分の1を食いつぶしているというのに……)。

だれもが安定して充実した人生を願うのは当然である。そのような人生実現のためには、食糧、住居、衣服、保健医療、教育などが充分提供されることが必要で、かつ助け合いのしくみであるコミュニティーの一員として受け入れられていることなど、物質的・社会的な一定の前提条件が満たされることが不可欠である。

さらに、社会的な対立を克服し、社会経済的に持続可能な社会へ向けて進むには、"生活の質の向上"とは何かについての理解を、私たち自身もっと深めなければならない。

まず、コミュニティーの生活の質の変化の全体像を把握しようとすれば、また、コミュニティー同士の生活の質を正しく比較しようとすれば、外側からの観察だけにまかせていては無理だ。そのようなやり方では部分的なことしかわからない。自らの状況を、コミュニティー自らの目で評価することによってしか全体像は把握できない。

何よりも住民たちが主体的に参加できる計画立案プロセスを設けることが大切であり、それによって、自分たちのコミュニティーの生活の質についてより体系的に見直すことができるようになるのだ。そうすれば、政策の選択肢毎にそれらがもたらす影響をうまく分析することがで

きるだろう。

　それには、経済学者マンフレッド・マックス＝ニーフ（Manfred Max-Neef）が提起したニーズ分類体系が有効であろう。

　彼は、いかなる文化や歴史的状況にあっても人類に共通するニーズを認め、次のように分類している[注2]。

'安定性'（あるいは'継続性'）
'保護する力の存在'
'愛情に満たされていること'
'共感理解が可能なこと'
'意思決定に参加できること'
'余暇の時間が確保できること'
'創造性を発揮できること'
'自己アイデンティティー'（人生の意味を見出せること）
'自由が保障されていること'

　コミュニティーは、このような分類カテゴリーを使えば、計画立案担当のプランナーたちと協働して、持続可能性へ向けての社会経済的なニーズの充足度を評価し、充足度の低いニーズをどう満たしてゆくかを自己決定できるようになるであろう。

　持続可能性を達成するための生態学的な条件と社会経済的な条件、この二つを同時に満たすことは可能であろうか。

　物質的不平等が増大し、資源が減少していく状況下にあって、さらに多くの人々の生活向上への増え続ける要求を満たすことは、たいへんな難題である。主流となっている社会経済的な条件が、すぐさまその場ですべての人に影響を及ぼすのに対し、生態学的な持続可能は、長期的な地球規模の問題であると考えられているため、問題はいっそう複雑となる。

　人間というものは現在を大切にし未来を軽んずる傾向があるため、社会経済的な関心が、生態学的な関心を凌駕していることは不思議ではな

い。目先の生活の質という問題が優先されて、長期的な生態系の安定がしばしば無視されてしまうのだ。

しかし、この情けない実態を直視することこそが、持続可能性を実現させるための出発点である。これらの二つの相互に依存関係にある条件は、どうすれば両立できるだろうか。

"子どもたちのための未来"を脅かさずに、"豊かな生活"をだれもが享受することはできないのだろうか。

今日の生活の質をどのように選択するかが、未来の世代の生態学的な安定確保に大きく影響する。社会はこのことをよく認識すべきである。

社会経済的条件と生態学的条件が両立するための解決策

多いことはいいことだ、多いほどよいことだ、いくら多くてもまだ足りない、という文化にあっては、エコロジカル・フットプリントを縮小させながら生活の質を向上することが可能であるとは思えない。

ところが、アメリカのシアトルにあるニューロードマップ(New Road Map)財団のビッキー・ロビン（Vicki Robin）は、エコロジカル・フットプリントを縮小させることと、生活の質を上げることは、じつは相互補完的なものであると主張している。そしてこの主張を支持する研究が数多く存在する[注3]。

ひとたび物質的充足が確保されると、人々の幸福はもはや国民所得、個人所得とは相関しないという。"モノが多いことはいいことだ"は、生活の質の問題と物質の量の問題を混同するという誤謬に基づいているというものだ。

"モノは多ければ多いほどよい"という強迫観念は、そうした誤謬を起点にくりかえされる欲求不満を煽るゲームのようなものである。結局、人生で最もよきものとは"モノ"ではないのだ。所有物を減らすということは、必ずしも剥奪を意味せず、自分をモノから解放することである（もちろん、そんなことは知っているというだろうが、実際の行動はどう

だろうか)。

　真の充足感は、モノを自分の所有物としたり、人からモノを取り上げたりということからは生まれない。むしろ、人々とともに生きること、人々のために役立つことから生まれるのだ。暮らしを簡素化すれば、よりよい生活を手に入れることができる、ということに気がついている人々はひじょうに多いはずだ。たとえば、借金などする必要がなくなるし、生活を楽しむ時間がたくさん生まれる。そしてより大きな安全保障を手に入れることができるからだ。

　すると人は、"モノ中心の社会システム"からさらに自立ができる。つまり、物欲を減らすことによって、ラット・レース、つまり意味のないおろかな競争から解放され、ネズミが回し続ける踏み輪のような無目的で際限のない生存競争から自由になるのである。その秘訣は、所得の最大化という目標は取り下げ、充実感を最大にすることを人生究極の目的とすることであろう(注3)。

　人が完全な自由を得ることができるのは、充足感は所有物を増やすのではなく、欲しいものを減らすことで得られるということが納得できたときである。そのとき、私たちは、最も貴重な資源である自由な時間と生きるためのエネルギーを手にし、自分にとって真に有意義な人生を送ることができるようになるだろう。

　先進工業国に住む私たちには、とくにコミュニティーを強化・再生するための時間が必要である。アメリカの社会学者のアミタイ・エチオニ(Amitai Etzioni)は、共通の価値観と相互理解に基づいた新しい"コミュニティーの精神"という概念を提唱している。

　彼は、これこそ市民社会の再生のために必要なものであると主張している。このコミュニタリアニズム的なコミュニティー設計の手法は、個人の権利のいたずらな拡大はコミュニティーのニーズを脅かすとの認識に立ち、権利と責任が調和したより協調的で信頼できる社会契約をつくり出すことの重要性をふまえ、個人とコミュニティーの新たな均衡を見

つけなければならないという主張を出発点としている。

　このように考えると、おそらく持続可能性へ向けての最も重要な社会的条件とは、コミュニティー（地球全体と地域と）の結束力を強めようとする責任感と、人類の将来に対する責任感を社会の構成メンバー全員が共有することであるといってよいだろう。

意思決定における変革の輪

　持続可能性は"道徳的に優れている"はずだとして、やみくもに主張しても、持続可能性は達成できない。

　今日の分断された競争社会において、道徳上の義務感と罪の意識に訴えたところで、反感を呼ぶだけで、長続きする変化は生まれない。進む道を選び直すことで、失うものより得るものが多いのだということが理解されないならば、持続可能性は受け入れがたい難題のままとどまるであろう。

　「恥を知れ」といって非難しても変化はおこらない。むしろ、持続可能性は必要不可欠なものだ、希望を与えてくれるものだ、実現可能な目標なのだ、喜ぶべきものだということが多くの人によってほんとうに理解されれば、変革はおのずと進んでいくであろう。

　今日の生活の質を維持することと、未来の生態学的な安定性を確保することの間には潜在的な対立関係があることを明確に提起すること。このことこそが、持続可能性の実現に向けた政策決定プロセスに関心を抱く私たちにとって極めて重要なポイントである。

　この政策立案のプロセスは、直線的に前進するのではなく、行きつ戻りつしながら進行する。それは学習（多くの場合、試行錯誤による）しては再考することのくりかえしである。その中で、じょじょに人々の考えが変わり、コミュニティーの問題意識が行動に移されていくのだ（図4-4）。

　このプロセスは、特定の利害関係者や市町村が、目標の実現や人々の

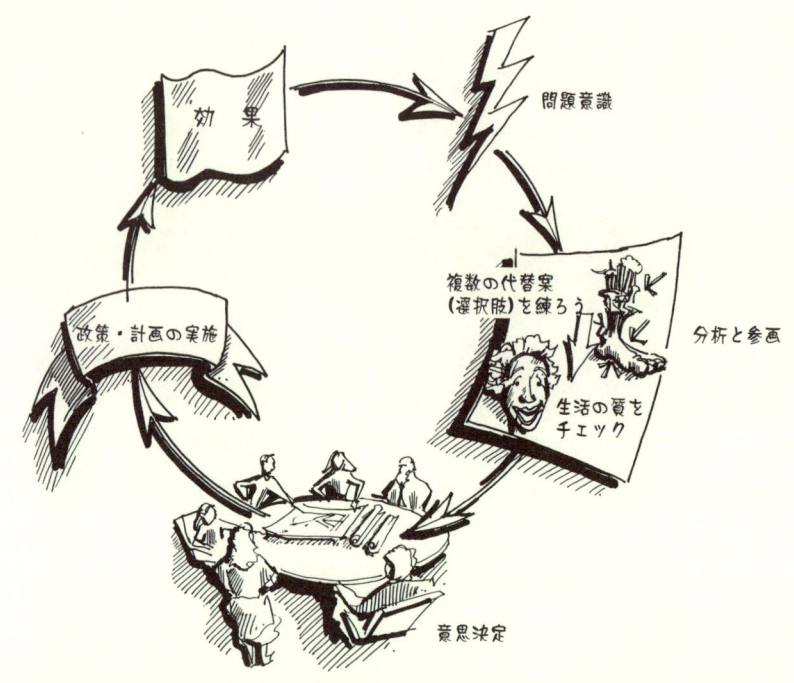

図4-4 コミュニティーの問題意識を効果的な行動へと結びつけるには、多くの場合、変革のサイクルを何周かする必要がある。

問題意識への対応を決断したときから始まると考えられる。

　第一段階では、コミュニティーとしての集団として対応をとることの必要性を確認し、潜在する利害対立と矛盾を明確化し、市民参加の方法を明らかにしよう。本格的な計画立案に着手するにあたって、まず、コミュニティーは、何を達成しようとするのかという点を明確にし（目的の明確化）、複数の目的について優先順位を決め、その目的実現のためにはどのような政策選択肢が考えられるかについて具体的な選択肢を挙げてみよう。

　次に、コミュニティーが、とるべき方針を決定して、合意された政策（すなわち"計画"）を実施に移しはじめたあとは、進捗状況を初期の目標に照らして評価することが重要である。計画見直しや新たな変更の必

要性が広く認められたときは、振り出しに戻って、この過程をまた最初からたどろう。

　行きつ戻りつしながらの計画作りの成功の鍵は、明確な政策選択肢を立案すること、また、政策選択に際して使用する意思決定手続きと基準についてコミュニティー全体の理解を得ることである。手続きの透明性は、健全な議論と建設的な対話を可能にする。最善の戦略といえども、意思決定当局者と対象集団の間のフィードバックがなければ、あるいは、制約条件と選択肢についての幅広い理解がなければ、確実に失敗する。

　エコロジカル・フットプリントの分析は、持続可能性へ向けての政策選択肢立案の支援に利用することが可能だ。

　たとえば、コミュニティーが環境問題に取り組むことを決断したら、次に必要となるのは、消費総量を減らすための政策選択肢を列挙することであろう。このとき、エコロジカル・フットプリントで列挙された政策選択肢と計画を比較分析し、どれが持続可能性への近道かを判断することができる。

　人々の生活の質を確保しつつ、コミュニティーのフットプリントを減らすような選択を行うことはたいへん難しいことである。しかし、コミュニティーが必ずや受け入れるべき選択は、それを選択しなかった場合よりも、確実に個人の暮らしが安定し、コミュニティーが住みやすくなるような選択であるということである。それを忘れてはならない。

持続可能性の達成のための三つの苦しい闘い

　持続可能性の達成のためには、三つの苦しい闘いを乗り越えなければならないことをはっきりさせておきたい。"ゆでカエル症候群"、"精神的アパルトヘイト"、"共有地の悲劇"という行動病理との闘いだ[注4]。

　私たちの要素還元主義的な思考傾向は、問題の表層部分あるいは個別の事象のみに集中し、全体像を捉えなくしているということを覚えてお

いてほしい。これによって、個別の事象が積み重なるにつれて現れてくる累積的な効果を見過ごしてしまうか、あるいは累積的効果の発生を予想すらしないこともあるのだ。

神経学者のロバート・オーンスタイン（Robert Ornstein）と生物学者のポール・エーリック（Paul Ehrlich）は、人間が個別の直接的な事象に注目するのは、脳の機能のあり方に関係していると考えている。

つまり、人間の脳は、ゆっくりとした変化の状態や、長い目で見たときに事象がどのような意味を持つのか、いろんな事象の複合的な関係性といったものを認知しにくい特性を持っているというのだ。オーンスタインとエーリックは、これを、"ゆでカエル症候群"にたとえることができるという。

「なべの中にカエルと水を入れて、それをゆっくりと加熱する。驚くことに、カエルは、ゆっくりとではあるが致命的となるであろう温度の変化を感知できないのである。カエルはそうであるが、じつは人間たちも、人口の増加や経済成長がゆっくりと進行する変化の中にあって、それらが私たちにとって致命的になるにもかかわらずそのことを感知できないでいる。その緩慢な変化は、人類の文明をまさに'ゆで上げん'としているのにもかかわらず！」と述べている。

地球という惑星が、緩慢に、しかし確実に劣化・衰退していくという事態に気がつかなかったとしたら、私たちは、いきつくところ"現在至上主義という名の圧政"の犠牲者となるであろう。短期的な目先の欲求を満たすために生態圏をこま切れにして売り払っている現在社会の風潮は、生態学的にいうと、カエルの入ったなべをゆでる火に相当する。

さらに悪いことに、衰えるところを知らない人間の経済活動の拡大、そして人工資本インフラストラクチャーの拡大は、おもに金持ちをさらに裕福にするだけで、自然界の能力の範囲内で生活しようとする人々のささやかな努力や試みを圧倒し、台なしにしているのである[注5]。

エコロジカル・フットプリントによれば、私たちがすでにどれだけの

図4-5　ゆでカエル症候群。水に入れられてゆっくり加熱されていくカエルは、ゆっくりと上昇する温度変化に気づかず、最後には死にいたる事態を迎えることになる。

生態圏を切り売りしてしまったか、一目でわかるであろう。私たちは、目で見てはっきりわかるこの指標が、物質至上時代の消費中心文化による無気力から、大多数の人々を目覚めさせてくれるのではないかと考えている。

　私たちはまた、人類とそれ以外の現実世界との間に心理的な隔絶の壁を築き上げてしまっている。一種の精神的なアパルトヘイトを病んでいるといえるだろう。この認識の上での二元論は、はっきりと私たちの言語に刻印されている（言語にこそ、私たちの世界観が反映されている）。

　たとえば、"環境"という言葉そのものが、"こちら側"のひじょうに重要なもの（＝人間）と"あちら側"に属するその他すべての雑多なもの（＝環境）とに分別する。"私たちは例外"というものの見方は、"人

間は、自然界全体の中の分かちがたい一部分である"という世界観や、私たちはこの惑星上に生息している何百万もの生物種の一つにすぎない"という現状認識を拒絶する結果をもたらしている。

　もっと歴史は古いのだが、一般に、現代の科学技術文化に特徴的な二元論は、啓蒙期の哲学者レネー・デカルトの理論に由来するとされている。デカルトは、すべての実在を「精神」と「物質」とに分けた。そして、人間および人間の行為を「精神」と同じ項目に分類し、精神および人間と人間行為以外のすべてのものを「物質」と同じ項目に分類した。デカルトは、客観的な物質世界の総体は、人間によって、認識され、操作され、収奪されるために存在すると考えた。

　しかし、有限な世界に生き、生態学的限界に直面している私たちにとっては、この精神と物質（肉体）を人為的に二つに分ける世界認識は、有害無益である。私たちの精神的アパルトヘイトは打ち砕かれねばならないのだ。生態圏の運命はすなわち人類の運命そのものであるとする深い洞察がなければ持続可能性は実現しないのである。私たちは、肉体を"所有している"のではなく、私たちは、肉体"そのもの"であるとする認識が肝要であり、私たちは、"環境"に囲まれているのではなく、私たち自身が環境と不可分の一部分であるという認識が不可欠である。

　私たちは自然に根ざした存在であるという考えを取り戻すためにも、エコロジカル・フットプリント分析が役立つであろう。

　世の中でよく使われている、いわゆる"環境"評価手法は、人間が、私たちの外側にある自然界に対しどれだけの影響を与えるかを評価するに過ぎない。しかし、エコロジカル・フットプリントは、自然界の中に存在する私たち人間が自然の中で果たす役割の大きさを評価するのだ。

　私たちが持続可能な行動をとることを妨害する行動病理の三番目は、いわゆる"共有地の悲劇"である（より正確には、"オープン・アクセスの悲劇"であるが……）。

　生態学者であるギャレット・ハーディン（Garret Hardin）は、アリス

トテレスの英知にならってこう述べている。

「最大多数の人々に共通していることは、顧みられることがほとんどない」

このため、社会的な悲劇がもたらされている、とハーディンは主張した。一般に、ある個人がオープン・アクセス資源を利用（あるいは過剰利用）した場合の利益が、その人が負担すべき利用コストを上回るときに、この問題が発生するとハーディンは考えた。

ハーディンは、だれもが自由に利用できる牧場を想定して、羊飼いが群れの頭数を増加させることによって増やせる利益を、その羊飼いが群れを大きくすることによるコストの増加分と比較してみた。

このような状況下では、それぞれの羊飼いにとってつねに純利益が大きくなるように見えるので、羊飼いはおのおの、続けざまに飼養頭数を増やそうとし、ついには羊飼い全体にとって必要な牧場そのものを荒廃させてしまう。たとえ、一人の善き羊飼いが悲劇が差し迫っていることを認識したとしても、その羊飼いが進んで自らの群れの頭数を制限することはない。そうしたところで、だれか他の羊飼いが、そのすきを埋めるだけだからだ。

悲劇を生じさせるこのようなメカニズムが、地球環境を悪化させている主たる原動力である（1995年のカナダとEC間の北大西洋における"底魚戦争"［おもにタラ漁をめぐる国際漁業紛争］は、最近の顕著な事例である）。

ハーディンは、このような悲劇の解決策として、共有的資源（コモン・プール・リソース（CPRs））を管理する社会的契約を結ぶことを提唱している。私たちが必要としているのは、彼の表現によれば"合意に基づく相互強制措置"である。彼の（古くからのコモンズの制度ともいえる）方法は、社会学者のエチオニ（Etzioni）が提唱するコミュニタリアニズム的方法と一致している。

エコロジカル・フットプリントの分析を使えば、このオープン・アク

セス問題を新たな視点で理解することができるだろう。エコロジカル・フットプリントは、今日の消費が、いわゆる"グローバル・コモンズ"がうみ出す生産量をどれだけ収奪してしまっているかを、明らかにしてくれるからである。

　もちろん、私たちはこの他にもさまざまな心理的な性癖を有している。たとえば、問題があってもその存在を認めようとしない癖、ドグマやタブーに囚われる性質などだ。このような性癖のため、私たちは、相対立する願望を同時に満たそうとしたり、自分自身はしたくもない行為を他人に強く推奨したりすることもある。

　このような困った性癖を克服するために、私たちが、エコロジカル・フットプリントの他にも、さまざまな有用なプランニング・ツールを必要としていることはいうまでもない。たとえば、生態圏における人間の役割についての理解を助けてくれる手法、意思決定プロセスをより透明化する手法、そして、選択肢の取捨選択をより容易にしてくれる手法などだ。

3. 持続可能な社会の姿をスケッチする

　今日の地方自治体は、より少ない予算でより多くの行政サービスを提供することを求められている。同時に中央政府も、増大する債務返済のため弱体化しつつある。このような状況にあって、経済発展を促進するための伝統的な政策は、市町村から国まであらゆるレベルの行政府にとって、以前にまして魅力的に見えているようだ。

　しかし、環境収容力の限界に直面している状況においては、歳入増加を目的とする経済成長は、経済学的にも生態学的にも、負の結果しかもたらさない。ではどのようにすれば、今日のこの持続不可能な生活様式から、地域での自然と調和した暮らしに移行できるであろうか。

すでに述べたように、地域計画には、多くの可能性がある。たとえば、市町村レベルの交通体系と土地利用計画の改革だけでも資源消費を著しく減らし、かつ地域の生活の質を向上させることができる。さらに、このような新たな政策は、地域経済に直接の影響を与えず、住まい方や通勤・通学パターンだけに影響を与えるので、地域経済の競争力を脅かさないと考えられる。それどころか、地域の土地コスト、交通コストを減らすことになるので、地域経済の比較優位性を高めることにもつながるのだ。

カナダやアメリカに住む人々の平均的な消費生活を維持するためには、4～5ヘクタールの生態学的生産力のある土地面積が必要であることは前に示したとおりである。この面積は、典型的な都市型市町村内の一人当たり利用可能土地面積と比べて、桁違いに大きい。

あるいはもう少し広くとって河川流域圏内の一人当たり利用可能な土地との比較でも同じことがいえる。じつは、この面積の差は、当該地域の「生態学的な赤字」を示している。同時に、この大きな差は、市町村が断固たる行動をとることで、大きな改善がもたらされることを意味する。

つまり、エコロジカル・フットプリントが環境収容力を20倍も上回っているような地域（カナダBC州のフレーザー河下流域の例、p146）では、資源投入量と廃棄物排出量をわずか5％減らしただけで、その地域一つ分の面積に相当するエコロジカル・フットプリントを減少させることができるのだ！

当然のことだが、地域住民も自らの行動や生活パターンを変更してくれれば、行政が地域計画を変更して達成できる以上の効果が期待できる。たとえば、"グローバル市場からの商品の消費を控え、ローカルな商品の消費にこだわろう"というエコロジカル・フットプリント分析による提案がその好例であろう。

多くの地域では、やろうと思えば、地元の生産物だけで快適に暮らす

ことができる（生態学的な意味での真の余剰作物を輸入することで補うことは必要だが）。このような努力を積み重ねる中で、自転車で帰宅途中に友だちと会っておしゃべるするほうが、渋滞する高速道路の自動車の中で何時間も孤独な通勤時間を過ごすことより、ずっと楽しいということをあらためて発見するであろう。

生命地域主義（バイオリージョナリズム）運動は、わくわくするよう

図4-6　自分たちの土地で暮らす方法を学んでゆこう。地域内自足型の暮らし方をするほど、私たちに与えられた自然資本を大切に利用しようという意欲が増し、地域外の人々の（当座の？）余剰への依存を減らすことになる。

な"地域内の産物に頼る快適な暮らし方"の実例をたくさん収集し蓄積している(注6)。

　都市の居住密度を高めることにより、自動車や資源に対する依存度を下げていくべきだが、同時に、住環境の快適さも向上させねばならない。そのためには、未来の世代に資源集約的な生活様式を押しつける物的および制度的インフラストラクチャーの整備をやめる必要がある。1950〜60年代の車社会の進展に伴って進んだスプロール化した［市街地が無計画に郊外に拡大し、無秩序な市街地が形成された］非効率な都市形態は、この先何年も私たちの負担となるだろう。

　議論されはするが、実際にあまり採択されない、しかし優れた提案には次のようなものがある。

　荒廃した都市中心地区の蘇生を目指し高密度および高快適性を有する住宅地区を計画する、商業地区開発および住宅地区開発における再生可能エネルギー利用の促進、都市空間の再配分（とくに道路や駐車場などの自動車向けの土地を低価格住宅および公共空間へ転換する）、自動車利用の抑制のための対策と公共交通機関・徒歩・自転車利用促進のための対策の導入、持続可能を目的とする都市開発・都市の土地トラスト（urban land trust）・コーポラティブ住宅などを奨励する税制（"あめとむち"）など。

　要は、都市を生態学的な限界の範囲内に収めるように努めることだ。つまり、右肩上がりの人口収容力増強計画をやめ、生態学的な限界を実感できるものに都市を変えていかなければならない(注7)。

　経済的インセンティブを提供し、都市インフラストラクチャーの人為的障壁を設けることで、生態学的限界は実感できるようになる。これは、供給を増やすことではなく需要抑制による問題解決手法の単純な応用例である。

　かつて、経済活動は目的に到達する手段であった。つまり、豊かな生活を享受するという目的のために経済活動という手段を行使していたの

だ。今日、経済は手段ではなくて目的そのものになってしまっている。人間も"環境"も、経済を維持するために犠牲にされている。ますますグローバル化しつつある世界経済の秩序を乱すことなく現在の富と力関係を維持するため、ともいったほうがよいかもしれない。

経済力が、より少数の、土地に対する責任感のない巨大企業と金融機関の手にいっそう集中することによって、ますます多くの人々が経済や政治への参加が妨げられ、影響力を行使する過程からはじき出されているのだ。一般市民にとって、グローバリゼーションとは、"土地への責任感なき多国籍企業の強大な支配力のなすがままの力無き地域社会"（作者不詳）から成る世界をつくることであるとしか思えない。

持続可能性のためには、経済を人々とコミュニティーに奉仕するものに改善しなくてはならない。経済活動の目的は、世界の金融センターを守るために、環境を犠牲にして歯止めのない消費を煽ることではなくて、人々が暮らす場の物質的な安全保障を確実なものにすることである。全地球的な安全保障とは、一見逆説的に思えるかもしれないが、コミュニティーおよび地域経済の強化があってこそ確固たるものとなるのだ。地上のいかなる権力であれ、全世界を支配下におくことはできない。それにひきかえ、個々の生命地域（バイオリージョン）が、生態学的にバランスのとれた貿易で補完しつつ、地域内の資源の持続的な利用によって暮らす術を学んだなら、全地球的な持続可能性を実現することになるだろう[注8]。

この理想の実現には、地域の資源管理についての地元の権限を外部の支配力と対等なバランスに回復することが不可欠である。地域資源の生産と流通に関する地元の管理権限を強化することが必要なのである。

さらに、地域内消費のため地域内生産（「地産地消」）を促進し、輸入資源依存からの脱却を奨励する明確な政策が必要である。つまり、地域住民が、自分たちが暮らす地域の自然資本の長期的な生産力を維持すること、また、他の地域の人々の生活や将来の可能性を損なわない生態学

的にバランスのとれた貿易関係をつくることこそが重要なのだ。そして、それを促進するための価値観とインセンティブを再構築することが求められているのだ。

　それは、一国を完全に自治権を確立した地域に分権させようという主張ではない。通信交通技術の発達によって助長された中央集権化の行き過ぎを是正し、地域の権限を回復して、以下に述べるa〜cまでのことを進めようという主張だ。

　a) 地域の生態系が持つ生産力の限界という固有の地域条件にきめ細かに対応できるような人間と生態系の関係を構築する。
　b) 生態系は人間を養っているわけであるが、その人間と生態系との"密接なつながり"の感覚をとりもどす。
　c) 資源と資本が不在地主によって所有および管理されている場合におこる、人々と仕事との間の疎外感を減らす。

　また、統合化されつつある世界において、行政機関はそれぞれの特性に応じた役割を担うべきであり、地方と中央との間の応分の権限の分権化が進められるべきだということも主張したい。地方政府と中央政府との間での政策面での連携協力も必要であろう。
　たとえば、生命地域や各国が、地球規模で考えつつ、それぞれの地域で行動することはひじょうに重要である。しかし同時に、それぞれの地域の取り組みを調整し、グローバル・コモンズを守り、再生するための取り組みを実のあるものにするために、(国レベル・世界レベルの) 強制力を持った調整機関の役割も重要であろう。
　以上の理念が具体化するための大前提としては、地球の持続可能性を目指す政策と行動計画の基本方針についての大筋の合意があること、そしてその政策と行動計画を遂行するのだという政治的意志が首尾一貫して継承されることが不可欠である（歴史を振り返ると、この"政治的意

志"の欠如が、全地球的行動計画における最大の弱点であったといってよいだろう）。

　エコロジカル・フットプリントの分析でも明らかであるが、工業を中心とする巨大都市圏の存在が、持続可能性達成にとって大きな重荷だ。持続可能性の基本である地域の自己依存度の増大を、そのような都市圏の存在が妨げているからである。

　しかし、私たちの主張の要点は、従来の都市計画モデルを全面否定することではない。むしろ、外部からの資源フローに過度に依存している現在の都市化のパターンが、本質的に持続不可能であると警告を発したいのである。

　これら外部からのフローは、実際どれだけあてにできるものだろうか。気候変動は、フローの供給源にどんな影響を及ぼすだろうか。これまで原産地から送られてきた余剰分が、何らかの理由によって原産地の人々のために確保されねばならない状況になった場合、余剰分の輸入に依存してきた地域の人々の生活は、はたしてどうなるだろうか。

　地球環境が変化しつつあり、不確実性が増しつつある時代においては、外部に依存している地域は、地域内での増産と需要削減に努めながら輸入確保のために供給してくれる地域との強固な関係を築く戦略をとるようになると予測される。この戦略は、生命地域主義（バイオリージョナリズム）の戦略に大枠で一致する。生命地域主義の基本的考え方は、（貿易で補完しつつも）できるだけ地域内の生態系が供給する生産物の範囲内で経済活動をやりくりしようとするものである。この二つの戦略は、いずれも地域の人口を持続的に扶養することを可能にする戦略であると考えられる。

　以上、持続可能性の概念の中でとくに何が重要であるかが理解いただけたのではないかと思う。

　地域毎の経済を足し合わせて人間経済を総体として見た場合、人間の経済活動に必要なエネルギーと資源のスループット（流入量）総量が、

地球の環境収容力（持続可能な最大負荷）をある程度下回る安全圏内にとどまっていること。全地球上のスループット総量が安全圏内に定常状態（steady-state）に維持されていることが大前提であるということだ。

そこには、"物質的"な成長はない。しかし、だからといって、各国別のGDPの成長をすべての国において止めなければならないということではない。成長は、ニーズが満たされていない人々のためにこそ緊急に果たされるべき倫理上の責務であるはずだ。

ところが、残念なことに先進工業国は、右肩上がりの経済成長なしで、豊かな生活水準を維持する方法を未だ見出せずにいる。

このジレンマの解消に期待される戦略の一つは、経済活動効率を飛躍的に向上させ、それによって市場における財およびサービスの消費量の増加を、エネルギーと物質利用の増加から"分離"（デカップル）させるというものである。これにより、理論上は、資源利用の"減少"と消費活動の"増加"が同時に可能となる。

現実には、人類の環境総負荷を必要なだけ削減するためには、この経済的財およびサービスの"脱物質化"が、経済成長より速いペースで進展しなくてはならない。これは、政治的にとても魅力ある戦略であることは間違いない。貧しい人々が物質的水準を向上させるための余地を地球生態圏につくり出しながら、富める人々は自分たちの高い物質水準を維持できるからである。

多くの研究が、持続可能な地球のためには、先進工業国における財・サービスの産出一単位当たりの物質・エネルギー集約度を4分の1から10分の1に削減しなければならないという結果を出しているが、エコロジカル・フットプリント分析によってもまた同様の結論が得られる[注9]。この望ましい状態を、"ファクター10"経済と呼ぶ研究者もいる。

このような前例のない急激な効率化を達成できる技術を開発するためには、気の遠くなるほどの長い道のりが必要である。しかも、技術による効率向上だけでは充分とはいえない。効率化により、経済的な余剰を

生み出し、結果的に消費拡大へと向かってしまうことがままある。いわゆる"リバウンド効果"であるが、このやっかいな副次的悪影響を克服する補完政策を実施しなければならないことは、この章の初めで述べたとおりだ。

　この補完政策の重要な柱として、環境税制改革がある。環境税には、資源枯渇課徴金や取引可能自然資本利用権、その他資源消費量に応じた同種の課税が考えられる。環境税は、資源の購入価格を資源利用に伴って発生する社会的コストの実態に近づけることができ、結果的に資源保護を促進することができる。それだけでなく、次のような効果も期待できる。

　a）資源効率およびエネルギー効率の高い製品製造技術の研究を刺激する。
　b）効率向上による経済コストの節約分を無効にできる。すなわち、環境税が掛かることにより経済コストの節約分は相殺され、結果的に資源消費量減少が達成されるのだ。もし環境税が掛からなければ、効率向上による経済的余剰利益が発生し、それが、追加的な消費増を引きおこすか、または、他の資源消費に回されて、結局資源消費量の節約は帳消しにされかねない。
　c）自己再生可能な自然資本を回復するための投資基金を積み立てることができる。

　一方で、付加価値税、給与税、所得税を大幅に"減税"すれば、賃上げ圧力は低下するであろう。なお、この二つの政策（環境税の導入と所得税の減税）が施行されれば、労働者を雇用するコストが、資源コストや資本コストより相対的に低下する。このため、企業にとっては、資源や資本を節約し、雇用を増やすインセンティブが働き、結果的に持続可能性を目指す環境税制改革が、雇用拡大というプラスの副作用ももたら

す。

　さらに喜ばしいことがある。エネルギーや原料に環境税が掛けられ価格が上がると、再使用（リユース）や修理（リペアー）、修復再利用（リコンディショニング）、再生利用（リサイクル）などが相対的に有利になる。こうした製法は、バージン原料を用いて一から製造するのに比べ、原料を節約でき、かつ労働集約的である。

　このような製品寿命を延ばす方向への転換は、労働集約型、および技術集約型で地域密着型の小規模な企業を発展させるであろう。逆に、大規模なエネルギーおよび資本集約型の資源採取産業、第一次産業の成長は抑制されるはずだ。期待される効率革命に、適切に対応すれば、消費量と廃棄量を削減するだけでなく雇用機会の拡大と地域の自立が促されるだろう[注10]。

　もちろん、理論的にはどんなに魅力的に見えようとも、革命的提案には、課題がつきものである。"ファクター10"経済が政治的に受け入れ難くなる要因も数多く存在している。

　たとえば、人々の認識不足、依然として残る科学的不確実性、既得権益グループによる抵抗圧力、構造改革に要する莫大なコストなどだ（今日の政治に不信感を抱く有権者が、すんなりと大規模な税制改革を受け入れるだろうか）。

　こう考えると、効率革命実現のためのシナリオは将来に多くを約束してはいるが、今日の社会制度および政治構造のもとでは、約束されたものを実現することはできないかもしれない。このままでは、人口増加、物的水準向上願望、競争の激化の圧力が増して、環境悪化と社会不安を極限まで進行させるかもしれない。その結果、目下の富める者たちに、環境悪化や地政学的情勢不安をくい止めるためには、物質水準の切り下げもやむなしと思わせるところまで行きつくことになるかもしれないのだ。

　私たちの多くは、物質水準の低下を、持続可能性にまつわる怖い側面

であると捉えがちだ。なぜなら、私たちは、"定常経済（あるいは減速経済）が現実のものとなれば、とんでもない生活上の損失を被る"という俗説に日常的にどっぷり浸かっているからだ。そして、そのことを疑うこともしなくなった犠牲者でもあるのだ。

しかし、この俗説はまったくの間違いである。物質水準の低下はあっても、人間の少しばかりの知恵や創意工夫を添えることにより、生態圏は、万人に物質的に満ち足りた生活を保障してくれるはずだ［だから心配は無用だ］。

今日の消費社会における物欲を鎮静化して物質水準を下げることの難しさを過小評価してはいけない。物欲の鎮静化のためには、現在の生き方にとどまることで遭遇するかもしれない危険はかなり大きいと認識されるべきだし、また針路を変えることで得るものも極めて大きいと認識されなければならない。

こうした認識があまねく広まれば、私たちは、物質的水準の低下をものともせず勇敢に受け止めることができるだけでなく、それに代わる「非物質的なニーズ」の充足が満たされた持続的な素晴らしい世界をつくれるであろう。非物質的なニーズの充足という課題は、現在の政治経済的課題の空白領域である。この空白を埋めるためには、個人としても社会としてもソーシャル・キャピタルに対して多大なる投資を行い、その再活性化を急がねばならない。

楽観的な人々は、この地球環境の危機が呼び水となって生じる社会経済の変革を、むしろ歓迎することだろう。なぜなら、この危機は、人類が真の意味で文明化し、地球という惑星上で安心して暮らせるようになる機会を提供しているからだ（これが最後のチャンスでもあるのだろうが）。

自然資本の役割の重要性、すなわち自然資本が経済的な役割を超えたより大きな役割を演じているということをきちんと認識することは、全体的な環境問題の理解と社会変革へ向けての第一歩である。さらに、こ

の変革のためには、政治の力点を、社会の「量的」な進化から「質的」な進化へと移すことが必要である。

科学技術の時代が始まって以来、私たちの社会は「量的」な進化ばかり追求してきた。私たちは今こそ、量的成長一辺倒を脱し、新たな方法で人類の福祉向上に取り組むべきなのである。

持続可能性論争の当事者たちでさえ、"発展"という言葉が質的改善を意味するのに対し、"成長"とは、たんに量的な拡大という意味しか持たないということを忘れがちである。極限まで量的に成長した今こそ、人類はその持てる能力を最大限に開拓し、質的な発展を目指して努力を集中させるべきである（理論的には、これは難しくないはずである。私たちも、子どもから成長し、大人になったら人生の質を充実させることに努める。社会もそのような一人ひとりの人生のように変化していけるはずだ）。

そう考えて産業社会を見ると、社会が能天気で無鉄砲な青春期を脱して、責任ある成熟期へと向かう準備ができていることを示す事例が増えている。

たとえば、スウェーデンの"ナチュラル・ステップ"という環境NGOは、経済的生産行為の環境影響を減らすための原則を開発し、それは、すでに国内の地方自治体、企業、学校などで広く利用されている。これらの原則は、環境収容力の概念に則ったものであり、また、人工の物質と土壌から抽出された物質が、環境中へ蓄積することを認めないというものでもある。また、産業界には、生態圏の生産性と多様性を損なうようないかなる生産活動も行ってはならないと明記している(注11)。そのともしびは、今は小さいものかもしれないが、そのうち大きな光となり、持続可能な未来への道をはっきりと照らし出してくれる日も近いことを予感させてくれる希望の光である。

つまり、エコロジカル・フットプリントの分析から導き出される基本的メッセージが正しいとするなら、持続可能な開発とは、たんなる変革

以上のもの、ということだ。

これまでに示してきた概略からも明らかなように、持続可能な開発には、これまでの前向きな政策をはるかに超えた産業社会の変革が必要なのである(注12)。このような展望は経済的にも政治的にも非現実的であるという人々に対しては、現在横行している展望なるものは、環境に対しては破滅的で、倫理的にも破綻していると答えるしかあるまい（人類の死をもたらす可能性があることはいうまでもない）。

それでも、政治的に受け入れ可能であるかどうかは、状況によって決まるというなら、地球規模での環境破壊によって、すでに状況は変化している（状況が変化しているのだから政策も変化しなければならない）、というほかあるまい。

この現実について、人々の意識を高め、必要な政治的取り組みを支えるコンセンサスを急いで形成しなければならない。別のやり方として考えられるのは、地球が直面している危機が、もはやだれの目にも明らかなほど環境破壊が進んで、そこで初めて、針路を変えるかだ。いうまでもなく、それでは時すでに遅く、効果的かつ国際間の調整が充分になされ、熟考された対応策をとることは不可能だろう。

幸い、この最悪の筋書は、まぬがれそうだ。人々は、生態学的に最も重要なポイントを理解することを始めたからだ。つまり、自然なくして、経済も社会もないということを（利益追求しか頭にない人々に対しては、もっと露骨に"地球なくして利益なし"といっておこう）。

原注

(1) Stefan Schmidheiny, *Changing Course* (Boston:MIT Press,1992); Wolfgang Sachs,"The Gospel of Global Efficiency"(Nyon,Switzerland:IFDA Dossier 68,1998)（引用はp.33から）;Donella Meadows 他, *Limits to Growth* (NY:Universe Books,1972);Lester Brown 他,"From Growth to Sustainable Development, "in *Population,Technology,and Lifestyle:The Transition to Sustainability*,Robert Goodland,Herman E.Daly and Salah El Serafy編集,(NY:Island Press,1991/ 1992);Bruce Hannon,"Energy Conservation and the Consumer," *Science* Vol.189(1975):95-102;Paul Samuelson and William Nordhaus, *Economics*, 12th edition(NY:McGraw-

Hill,1985);Harry Sanders,"The Khazzoom-Brooks Postulate and Neoclassical Growth, "*The Energy Journal* Vol.13,No.4(1992):131-148;Charles A.S.Hall,Culter J.Cleveland and Robert Kaufmann,*Energy and Resource Quality* (NY:John Wiley & Sons,1986);Robert Kaufmann,"A Biological Analysis of Energy, "*Ecological Economics* Vol.6. No.1(1992):35-56.

(2) Manfred Max-Neef, "Human Scale Economics: The Challenges Ahead,"in *The Living Economy*, Paul Ekins編集（NY:Routledge,1986）。この他生活の質に関する論考として、Ian Miles, *Social Indicators for Human Development* (London: Frances Pinter Publishers,1985); また、社会的ケアリング・キャパシティーという考え方については、以下に少し触れられている。UBC Task Force on Healthy and Sustainable Communities,"Tools for Sustainability:Iteration and Implementation,"及び *The Ecological Public Health:From Vision to Practice*,Cordia Chu and Rod Simpson 編集(Centre for Health Promotion,University of Tronto,and Institute of Applied Environmental Research at Griffith University,Australia,1994).

(3) Vikki Robin,"A Declaration of Independence - from Overconsumption"(Seattle:The New Road Map Foundation,1994). 金銭に支配されない、低消費、高充実感のライフスタイルを実現するための方法については、Joe Dominguez and Vikki Robin,*Your Money or Your Life* (NY:Viking Penguin,1992)、また Mark A.Burch,*Simplicity:Notes,Stories and Exercises for Developing Unimaginable Wealth*, (Gabriola Island/Philadelphia:New Society Publishers,1995).

(4) Robert Ornstein and Paul Ehrlich,*New World,New Mind:Moving Toward Conscious Evolution* (NY:Doubleday,1989);Garrett Hardin,"The Tragedy of the Commons,"Science Vol.162 (1968):1243-1248;Fikret Berkes編集,*Common Property Resources:Ecology and Community Based Sustainable Development* (NY:Belhaven Press,1989).

(5) Odum,W.1982,"Environmental degradation and the tyranny of small decisions," BioScience 32 (9):p.728-729.

(6) たとえば以下を参照。*Home! A Bioregional Reader*,Van Andruss他編集(Gabriola Island:New Society Publishers, 1990)また *The New Catalyst* の Bioregional Series. の他の巻。

(7) 以下を参照。Mark Roseland,*Toward Sustainable Communities* (National Round Table on the Environment and Economy,Ottawa,1992);Herbert Girardet,*The Gaia Atlas of Cities:New Directions for Sustainable Urban Living* (NY:Doubleday,1993).

(8) すべての地域が環境収容力（環境容量）の純輸入者になれることを前提（つまり地球全体が生態学的に赤字という状態がありうるといっているのだ）としている現在の世界発展モデルと比較せよ。以下を参照。William E.Rees & Mathis Wackernagel, "Ecological Footprints and Appropriated Carrying Capacity: Measuring the Natural Capital Requirements of the Human Economy," in *Investing in Natural Capital: The Ecological Economics Approach to Sustainability*, A. M. Jansson, M. Hammer,C.Folke,R.Costanza 編集 (Washington:Island Press,1994).

(9) *Fresenius Environmental Bulletin* (special edition on the "Material Intensity Per Unit Service" [MIPS] project of the Wuppertal Institute für Klima,Umwelt, und Energie in Wuppental,Germany), Vol.2, No.8,1993; Paul Hawken, *The Ecology of Commerce:A Declaration of Sustainability* (NY:Harpper-Collins,1993);Paul Ekins and Michael Jacobs,"Are Environmantal Sustainability and Economic Growth Compatible?," Energy-Environment-Economy Modelling Discussion Paper No.7 中に (Cambridge, UK: Department of Applied Economics, University of Cambridge,1994); John Young and Aaron Sachs,*The Next Efficiency Revolution: Creating a Sustainable Materials Economy*,Worldwatch paper 121(Washington:The Worldwatch Institute,1994); BCSD, Getting Eco-Efficient, BCSDの第一回アントワープ・エコエフィシエンシー・ワークショップの報告,1993年11月(Geneva:Business Council for Sustainable Development).

(10) William E.Rees,"Sustainability, Growth,and Employment: Toward an Ecological Sustainable,

Economically Secure, and Socially Satisfying Future,"IISD 雇用と持続可能開発プロジェクトのために作成された論文 (Winnipeg:International Institute for Sustainable Development,1994)。改訂版は、1995年9月号の *Alternatives* に。
(11) John Holmberg,Karl-Henrik Robért and Karl-Erik Eriksson,"Socio-Ecological Principles for a Sustainable Society," 第三回国際エコロジー経済学会に提出された論文（1994年、コスタリカ）。
(12) William E. Rees,"Achieving Sustainability: Reform or Transformation?" *Journal of Planning Literature* Vol.9, No.4(1995): 343-361.

第5章
オーバーシュートを回避する

　近年の人類による農産物、木材、化石燃料の消費をエコロジカル・フットプリントで表すと、地球上で利用可能な生態学的生産力を有する土地面積を30％近く上回っていることを述べてきた。つまり、生態系の生産力を損なわないかたちで現在の消費水準を維持するためには、30％大きな（あるいは、30％生態学的生産力の高い）地球が必要なのである。
　この数字の意味するところをさらにはっきりさせてみよう。
　国連の統計によれば、世界人口の20％を占める高所得国の人々の資源消費が、世界資源消費量全体の80％を占めているという。このことは、先進国"だけ"で、地球の環境収容力を上回るエコロジカル・フットプリントを収奪しているということを指すのだ。

　130％｛人類のエコロジカル・フットプリントの地球の環境収容力に占める割合｝
の80％｛先進工業国の消費の世界資源消費量に占める割合｝
＝ 1.3 × 0.8 ＝ 1.04
＝ 104％｛先進工業国のエコロジカル・フットプリントが地球の環境収容力に占める割合｝

　つまり、地球の生命維持機能を蝕むことを防止しつつ、先進国以外の国々が成長する余地はまったく残されていないのである。私たち人間による資源消費が、生態学的にオーバーシュート（過剰収奪）してい

とは、地球規模での森林や土壌、水系、漁場、生物多様性の破壊に見られるとおりだ。

こういった世の中のありようは、現在の世代による環境影響が過重であることだけでなく、変革への責任は、高所得国にあること、また困難が将来世代を襲うことをはっきりと指し示している。当分の人類の福祉と安全保障は、不可欠なモノと生命維持サービスを供給してくれる自然資本の残量いかんにかかっているというのが、現実である。人間が技術の粋を尽くしていかに頑張ったとしても、人間がつくり出した人工物が、自然の生命維持機能に取って代わることはできないのである。

エコロジカル・フットプリントの分析は、競合的な人間による自然利用と、利用可能な生態圏空間との間の関係を示すという方法で、"オーバーシュート"という現象を目に見えるかたちで示し、人々の間のコミュニケーションの枠組みを提供してくれる。

"成長の限界"という言葉は、限界前と後に明瞭な限界線や、切り立った断絶の壁があるかのような印象を与えるが、自動車が壁に衝突するように、成長してゆく経済が突如としてその限界に衝突するわけではない。

一方、自然の限界はファジーで、自然の泉を枯渇させるという犠牲を払いさえすれば、一時的にしろ知らず知らずのうちに限界を超えてしまう。自然からの資本の引き出しのスピードが、持続可能な範囲を超えても、警報ランプがパッとつくわけではない。今、静かに進行している自然資本の減損が、人類の負荷が環境収容力を超えていることの唯一シグナルなのである。

多くの場合、それを知ることは難しいかもしれない。生態系が持続可能なかたちで利用されている場合と、減耗しつつ利用されている場合の差異は微妙だからである（たとえば、肥沃な農地のかげで進行している侵食が、生産性の低下として現れるまでには、長い年月がかかる）。

エコロジカル・フットプリントは、人間経済が需要する資源量と長期

的な意味での潜在的な資源供給量の間に存在する大きなギャップをはっきりと示すことによって、"警報ランプ"を提供してくれるものだ。とくに、地球規模の環境問題を、地域の消費と地域の（さらには個人の）意思決定に結びつけて考えることを可能にするという点、そして地球環境問題に対して責任ある行動を選択可能にするという点において、この分析ツールを評価してくれる人が多いようだ。

　この分析は、技術や政策評価、環境影響評価だけでなく、自治体や広域圏、国家レベルにおける計画立案から国際条約の立案まで、さまざまなレベルや場で応用することができる。これにより、それぞれの問題に適切に対処できる政策の立案を可能にするのだ。

　エコロジカル・フットプリントは持続可能性の生態学的側面を、具体的な共通語的な尺度にいい替え示してくれる。利害関係者の間で持続可能性についての解釈が異なっていたり、政策面での対立が存在している場合でも、この共通語を両者が使うことによって相互の誤解を解消することができるだろう。

　この分析ツールに対しては、近年国際的な関心が寄せられているし、また、応用例も増加している。このことは、このツールが、分析能力が高く、また、持続可能性にとって重要不可欠なことは何かについて広く意識啓発する教育効果を有しているという証拠ではないだろうかと考えている。最大の強みは、地域レベルと全地球レベルの両方で、持続可能性についての人々の意識を高めることができ、持続可能な未来づくりに向けての合意を形成する大きな潜在力を持っていることであると考えている。

ECOLOGICAL FOOTPRINT
1. 人々の意識を高める

　政策の実施が、高い効果をもたらすためには、しっかりした社会的な

世論の支持がなくてはならない。しかし、残念ながら"社会"の多数は、地球規模の生態系異変の実態を正確に知らなかったり、適切な対応をしそこなった場合の潜在的な危険性も正しく認識していない場合がほとんどのようだ。

世論調査によると、ほとんどの人は、環境問題を憂慮しているという。しかし、より持続可能な社会へ移行することによる影響やほんとうの意味を充分に理解し、かつ心の準備ができている人はごく少数だ。

政治の"リーダーシップ"が世論の風になびくような時代にあって、この状況は不幸である。しかし、このことは、持続可能性の問題に関する一般の人々の理解をいかに深めていけるかについて真面目に熟慮する必要性をも示している。

一般の人々の認識不足が、目先の経済的利益と結びついたり、政治的な制約などと一緒になって、あらゆるレベルの意思決定機関において、どう見ても持続不可能な政策を選択する構造ができあがってしまっているように思われる。しかし、NGO、都市計画プランナー、政策アナリストたちは、緩慢ではあるが着実に環境破壊をもたらす"現実社会"の意思決定上のふがいなさを嘆いてはいけない。"開発"についての決定がどのくらい持続可能な未来を危うくするかを予測し、人々の目に明らかにすることのできる手法（＝エコロジカル・フットプリント）を手にしているからである。

エコロジカル・フットプリントのメリットの具体例を以下に再度挙げてみたい。

経済成長は、政治家にとっては魅力的なものであるが、エコロジカル・フットプリントは、経済成長の背後には、表向きの利益よりも大きな長期的コストが隠されていることを明らかにする。この指標を使えば、政治家は長期的コストに対する説明責任を負うべきであると、主張しやすくなるだろう。

環境収容力が飽和状態にある世の中における政策決定者の責務は、技

術や開発プロジェクト、成長政策の選択について、社会のエコロジカル・フットプリントを"縮小させる"もののみを承認することだ。

　縮小しない選択肢は、だれにとっても不利益になるネガティブ・サム・ゲーム（闘っても得点がなく失点ばかりのゲーム）を強い、長期的な不安定性と不確実性をもたらす。とくに、コモン・プール・リソース（地球共有資源）を余分に費して、ある特定のグループの過剰消費をさらに増やすような成長や開発政策を決定すると、長期的に損失が利益を上回り、すべての人々が隠れたコストを負担しなければならなくなる。

　経済成長と総消費量の増大は不可避であるという説、また、選択肢に"開発"の文字があったら逃してはならない、"そうしないとだれかに持っていかれる"という説が、しばしば持ち出される。コモン・プール・リソースをさらに危機に陥れるこのような主張は、すでにオーバーシュートの兆候を見せている世界にあっては、擁護しようがない。

　限りあるこの世界では、すべての国が同時に、自分たちの利益を最大にすることはできないのだ。エコロジカル・フットプリント分析を使えば、NGOの市民活動家から行政の政策アナリストまで、意思決定過程の参加者すべてが、従来型の経済発展がもたらす「累積的」影響を継続的に監視することができる。そして、この分析ツールを用いれば、地域毎の規制措置や国際協定締結のために必要な実証的データを手に入れることができよう。ひいては、共有の自然資産と地球の生命維持機能を保護することにつながり、万人にとっての利益をもたらすことになると期待される。

　政治家は、直近の財政を潤すことにつながる開発案を承認するよう外からの圧力につねにさらされている。しかし、もし一方で、政治家（と、その支持者たち）が、そのような開発が、社会の長期的利益を犠牲にして、コミュニティーのエコロジカル・フットプリントを拡大することになる、と知ったなら、意思決定過程は、もっと隅々まで細かな配慮が行き届いてバランスよいものになる可能性がある。

この分析ツールを使うことによって、市民は、意思決定者が口先だけで「この政策はあなたがた市民の利益のために実施しているのだ」という主張に対する説明責任を、より大きな声で追及することができる。もはや、社会が持続不可能な開発案をひたすら受身的に受け入れなければならないような理由はどこにもないのだ。

開発が必要であれば、実質的に影響ゼロの開発とすることができる技術的手段、規制的手段はすでに存在している。今こそ軌道修正を施さなければならない。いわゆる"成長は不可避だ"という論理は、近い将来"自滅も不可避だ"という事態をもたらすことになることは、数々の警告シグナルが示しているとおりである。

持続可能性の危機に対する今日の表層的な政策対応は、社会が危機的状況を否定することに加担しているだけである。ちょっと何かをしたとしても、生活のあり方をたいして変えてもいないのに、何となく意味のあることをしているような気になるものである。

ある市役所の計画担当者は"ぜいたくな生活には、質素な生活（とそのイメージ）にはない人々を魅了する何かがある"と話していた。この精神的病理から脱却するためには、難しい持続可能性問題を引き受け、肥大化する消費社会がもたらすうわっつらの魅力に抵抗できる確信と自信に満ちたさまざまな政治レベルのリーダー集団が必要だ。

ここでもエコロジカル・フットプリントは、対話型の調査分析ツールとして活用できる。利害対立を目に見えるかたちにし、その場しのぎの解決法を批判するために使うことができるのだ。

また、社会的に持続可能性が受け入れられない社会文化構造にメスを入れ、持続可能性を妨げるさまざまな障壁を浮き彫りにする努力に対し基礎データを提供してくれもする。持続可能性に対する障壁には、たとえば以下のようなものがある。

誤った問題認識、不充分な情報、全体的でなく部分的な狭い視野に基づく世界観、歪んだ世界観、対立する価値観、無知からくるお気楽と無

頓着、経済的な困難さ、将来に対する不安、経済状況の競争激化など外部から押しつけられた社会政治的な制約などだ。

さらにより重要なことだが、エコロジカル・フットプリントを使えば、生態学的に健全なアプローチのほうが経済成長至上主義型モデルに比べ、持続可能性をうまく達成してくれる、そのような"魅力"を実証的に示せるのである。

この最後の点は、持続可能性へ向けての運動が人々の支持を獲得する上でとても重要である。現在の開発戦略にしがみつけば、"ゆでカエル症候群"の人間バージョン、つまり自然環境が少しずつ破壊され、気がつけば自然が回復不能という事態に陥るであろう。

このときエコロジカル・フットプリント分析を使えば、計画担当者（プランナー）や政策アナリストは、まだ大崩壊を回避するだけの時間があるうちに、これまでの経済成長至上政策の累積的結果が極限に達したのか否かについて判断を行うことができるだろう。

"世界は飽和状態"であるとする認識を多くの人々に共有してもらうことは、持続可能な開発戦略へ向けて軌道修正を行うことを人々に受け入れてもらうために不可欠な前提条件である。つまり、エコロジカル・フットプリント分析は、資源基盤が縮小していくという切迫した状況下でも引き続き人類の福祉と暮らしやすい生活圏を確保するためには、社会の根本的変革が必要だということを理解するために重要な役割を演じてくれるのだ（私たち一人ひとりだけでなく社会のさまざまな組織がそれを理解する必要がある）。

地球全体におこっている環境の変化を通して、私たちは、経済が生態圏の一部として組み込まれていることや、人間の命が生態系の生命維持機能の健全さに依存していることを再認識するに至った。コミュニティー・グループや政策アナリストにとってのひじょうに重要な使命は、「この現実、すなわち人間経済が生態圏に完全に依存しているという厳然たる事実が、経済の発展プロセスにとっての絶対的制約条件であ

る」という考えを広く受け入れてもらうことにある。

　消費は、自然の再生産能力によって上限を設けられており、今日の過剰消費は、明日の自然資本の減耗と自然所得の減少をもたらすというのが動かしがたい現実なのだ。

　将来世代は、消費ニーズを満たすため、すでに減耗してしまった自然資本ストックをさらに食いつぶしていかざるを得ず、さらに自然資本の減耗と自然所得の減少に拍車がかかるだろう。しかし、地球上の生命（人間の生命も含む）は、まだ残されている自然資本のストックや自然資本への将来投資に対し、自然界が支払ってくれる配当の範囲内でしか維持されないのだ。

　エコロジカル・フットプリント分析は、私たちの投資行動が適正かどうかを判定し、（生態系という）ほんとうの意味での資産が増加する人類家族を充分養える状態かを判定できる価値ある計算ツールである。

　伝えたいことは、とても簡単なことである。つまり持続的であるためには、人類の活動は、地球の環境収容力の範囲内にとどまらなければならないということ。もし、地球の環境収容力をすでに超過し、先進国が地球環境の恵みの公正な割当分を超えて多くを取っているなら、先進国は、暮らしの質を維持しつつも物質的消費を減らす方法を探るべきであるということ。

　もちろん、富める国といえども国内の消費は不公平に分配されているので、資源利用総量の削減を図るにあたっても、生活の基本的ニーズが満たされていない多くの人々に対する生活の質の向上について考慮されなくてはならない。

　また、他の次善策をとるよりもこの方法が、自分たちと子どもたちによりよい未来を与えてくれると理解しさえすれば、人々は物質的スループットの削減を我慢しつつ受け入れてくれるということは重要なポイントだ。"持続可能性の達成には痛みを伴う"では宣伝文句にならない（人類の生存が危ういのならば、金持ちにだって健全に機能する自然が必要

図5-1 目標：私たちのフットプリントの縮小！ 私自身の決定（あるいは行動）は、はたしてこの目標の達成に貢献するだろうか。

なのだ！）。

　政策アナリストや意思決定者は、人々に、エコロジカル・フットプリントを縮小してもなお、生活の質の向上は可能なのだということを証明できなければならない。そこで、持続可能性メリットがあるかどうかについて、技術、プロジェクト、プログラム、政策を評価するとき、次の二点が同時にチェックされなければならない。

- この決定あるいは行動はエコロジカル・フットプリントを縮小させるか。
- この決定あるいは行動は生活の質を向上させるか。

この二点のうち少なくとも一点を満たし、しかも残された一点を妨げない決定や行動によってしか、私たちは持続可能性の方向へ歩むことができないのだ。
　消費、生活の質と持続可能性の間の関係についての判断は主観的でもあり、立場によって差があるため、計画立案の過程への市民参加が保障されるように、効果的な方策が確立されなければならない。

ECOLOGICAL FOOTPRINT

2.持続可能性を発展させる
地域で、地球全体で

　持続可能性を発展させるには、行政と意思決定のあり方を見直さなければならない。自分の住む街づくり手法、社会インフラの計画立案方法や暮らしのあり方を問い直さなければならない。それも、今すぐに。多数派の政治家たちの好きな"静観（様子をながめつつ待とうじゃないか）"は、将来性ある代案とはいえない。
　地球の生物物理学的システムは、巨大で、複雑系的であり、自己組織化する性質を備えている。したがって、経済的な動機でなされた行為の影響が環境へ現れるまでには、通常、大きな時間のずれがある（たとえば、すでに経験途上にあると考えられる地球温暖化は、今日の温室ガス濃度の結果ではなくておそらく40年前の濃度の結果である。たとえフロンガスの生産がじょじょに減少しつつあるとしても、オゾン層破壊は向こう10年間は悪化し、成層圏オゾンが回復するのは、半世紀以上かかるかもしれない）。
　このように、ある変化が致命的、危険、あるいはたんに不経済であると確信してから組織的な対策に立ち上がるのであれば、いずれ環境問題を解決しようにも、すでに時遅し、という事態に陥るだろう。
　引き延ばせば、持続不可能な生活様式からの脱却はいっそう困難にな

り、変革はいっそう困難になる。最悪の場合には、後戻りできなくなるだろう。立ち往生が長引けば長引くほど、環境収容力の範囲内の暮らしと生活の質の維持あるいは向上との両立がすぐには達成できなくなる。そうなれば、社会は生態系の不安定と社会政治的な混乱という危機的状況に陥り、持続可能性にすんなり移行する機を逸してしまうだろう。

エコロジカル・フットプリント分析と関連する研究は、現在進行中の経済のグローバル化、国際開発、人口政策などの推進力となっている経済モデルの根源的前提に対して真っ向から挑戦を挑んでいる。人類がすでに生態学的限界に達しているとするなら、あるグループによる過度な物質およびエネルギーの消費は、自然資本を減耗させ、他のグループの現在あるいは将来の消費機会を消失させるということを認識すべきである。

しかし、高所得の国々は、未だに人口削減あるいは消費量の削減を進めずに、いたずらに社会の高齢化と経済成長の停滞を憂慮するばかりである。貧しい国々に住む人々の所得を増やす手段として、貿易を使って富める人々の消費を煽っているというのが、今日の私たちの現実である。

人類の4分の1に相当する貧しい人々の生活水準を向上すべきであることは当然である。すべての人は、人間らしい生活と物質的充足を手にする権利がある。だが、これを達成するのに、肥大化の一途をたどる地球経済という風船をさらにふくらませることが、最善の方法だろうか。

自然資本の食いつぶしによって経済総生産を増大させれば、人類の自然に対する生態学的赤字を増やし、債務を累積させる。この債務は、借金と同じで、いつかは返済されなくてはならないのだ。生態学的赤字は、財政赤字（これもまた多くの政府で現在どんどん拡大している）と比べひじょうに性質が悪い。ある点を超えて、種が絶滅すればその種を復元することなどできないし、自然が本来持っている貴重な機能が回復することも他のもので替えることもできなくなるからである。

環境に優しい技術の開発に熱心に取り組んだとしても、それをもって、過剰消費および物質的不平等の問題解決を怠る口実にしてはならない。

　それは一方では、持続可能性へ向けての包括的戦略が、未来の世代すべての生存がかかっている自然資産を守るものでなくてはならない。そしてもう一方では、"オーバーシュートをおこしていてもなお"現世代の4分の1の人々の基本的生活ニーズを満たせていないという倫理的ジレンマの解決を目指すものでなければならないのだ。

　この不平等は、国内のレベルでも国家間のレベルでも存在する。エコロジカル・フットプリント分析から、最も所得の高い先進諸国は、自国の環境収容力だけではやっていけないことは明らかである（カナダ、オーストラリアは、比較的人口が少なく土地が広大なため、まれな例外となっている）。

　高度技術に依拠した現在の消費一辺倒の生活様式をいつまでも続けるということは、国内の資源を枯渇させるだけでなく、地球共有資源（グローバル・コモン・プール・リソース）からの環境収容力を継続的に収奪し続け、低所得国からの輸入に依存し続けることになる。地球生態系が持続的に供給する財・サービスにだれもが公平にアクセスできるようにするための新しいルールづくりが必要とされているのだ。

　しかし、現実は厳しく問題が山積している。現行の交易条件と経済取引ルールのもとでは、富める者たちの貪欲な資源需要が生命基盤そのものである世界の自然資産を取り崩し破産させてしまうおそれがある。

　経済のグローバリゼーションによって、あとほんの数年ばかりは潤沢な資源供給が可能となり、見かけだけは輝かしい成長局面が続くかもしれない。しかし、これは、長期的な土地生産性の減少と人類の存続の危機という犠牲の上に成り立っているのである。

　世界市場の形成とともに、資源を世界中から調達できるようになり、世界にごくわずかに残された未開拓あるいは"利用率の低い"自然資本

も、需要に応じてほしいままに調達されるようになった。その結果、資源の減耗が加速している。マレーシアの森林は、日本の木材飢饉に応えて消滅し、ロシアは、西側の需要を満たすべく森林と化石資源を開放し、そのおかげで経済は"発展"した。カナダの漁業は世界需要に応じて過剰に漁獲した結果壊滅し、南半球は、北半球の技術が原因の大半を占めるオゾンホールの被害を受けている。

　重要なポイントは、生活水準が向上するにしたがって、どこか他のところから"輸入"された環境収容力で生活する人々がどんどん増えていることだ。そこで、当然次のような疑問がわくであろう。

　"そのどこか他のところ"が底をつくのはいつか？（答えは"すでに底をついている"である）いわゆる"先進国"が、あと数個の地球を必要とするような生活様式をさらに推し進めようとするなら、それは、知らず知らずのうちに自らの墓穴を掘っているに等しいのだ。先進国が持続可能な世界のためにできる最大のことは、現在ほしいままにしている資源消費を万難を排して削減することである。

　"ファクター10"効率革命（第4章参照）は、政治的には最も歓迎しやすい方法かもしれない。しかし、それ以上に、もっとシンプルな生活をして、他の人々の生きる余地をいくぶんでもつくり出すことができれば、生態学的にも、コミュニティーにとっても、そしてそこに属する一人ひとりにとっても、得るものはひじょうに大きいだろう。

　もう一つ、検討し取り組むべき問題がある。

　人口の増加、物的欲求の肥大化、資源基盤の衰退は、社会的・国際的紛争を激化させ、行きつくところはすべての人の生活の質の低下である。エコロジカル・フットプリントの計算によれば、すでに自分たちの正当な割り当て分以上に消費している者がさらに資源を収奪するような方向の政策決定はすべて、環境・社会・経済の持続可能性を妨害する、まさに確信犯的な行為であることは明らかである。

　こうした持続可能性によって、今日の富める者たちの経済的選択は制

限されるかもしれないが、未来社会の万人とっては、より多くの選択肢が用意される。とくに、環境破壊と地政学的不安定に苦しまないという選択肢だ。

　人口は増加し物欲は増大する一方、環境収容力が限界に達している世界にあっては、どのようにして万人を充分にかつ公正に扶養するかは、依然として大きな課題である。エコロジカル・フットプリントというツールを使えば、この課題に答えを出すことができるだろう。このツールは、他のアプローチが無視してきた長期的な持続可能性について本質的な問題を提起しているからだ。また、政策選択肢の比較を容易にし、持続可能性ギャップの縮小へ向けての達成度を監視するためにも利用することができる。

　もちろん、このツールをさらに改良し、応用事例を積み重ね応用性を高めてゆく余地は充分ある。これまでに強調してきたように、持続可能性戦略は豊富に用意されている。

　問題は別にある。それは、私たちが理屈でも感情でも以下の事実をなかなか受け入れることができないということだ。

　「人類は物質的に自然に依存しており、自然の生産力には限界がある」という事実だ。

　この点こそ、エコロジカル・フットプリント分析の真価のみせどころである。この分析の強みは、生物物理的実態を平明かつ明確に伝え、持続可能な社会へ向けて人々の意識を変革することができる点にある。エコロジカル・フットプリントが実際に応用されれば、新たな検討課題が浮かびあがり、さまざまな利害集団が議論に参加しやすくなる。また、適切な政策を選択する際に不可欠な選定指針を具体的に提示することにもなる。そして、だれもが望む方向性へわれわれを導くために必要となる包括的な改革プログラムを創出することに貢献するであろう。

　最後に忘れてはならないこと。

　エコロジカル・フットプリント分析は、現状がいかにひどいかについ

て、知るためのものではない。現状のありのままの姿を知り、さらに、それに対して何ができるかを知るためのものである。エコロジカル・フットプリント分析の結果が示すものは、持続可能な社会を創り上げるためには、根本的な社会変革の過程を経なければならないということである。これは決して悪い知らせではない。この生態学的モデルの前提条件と処方箋が、現在主流となっているモデルよりも、物質的な現実をよく反映しているという意味においては、私たちが達したその結論は朗報なのである。本当の意味での悪い知らせは、今日、世界の大多数が、使い古された経済成長路線にかつてないほど盲目的に追従していることである。その経済成長路線こそ、今まさに脱却しなければならない性癖だというのに……。

用語解説
[原書・英文、アルファベット順]

エーカー Acre　ヘクタール参照。

収奪された（専用された） Appropriated　多くの場合、無断で、"ぶんどられた"、"だれかが自分のものだと主張している"、"勝手に使われている"、"ある人（人々）のためだけに利用されている"状態を意味する。環境収容力を収奪しているとは、圧倒的購買力にものをいわせて、どこか他のところから生物学的生産力を調達しているという意味である。地球共有地（グローバル・コモンズ global commons）から資源を収奪したからといって対価を支払う義務は通常発生しない。

淡水・海洋生態系 Aquatic and marine ecosystems　地球上の水域の生態系、淡水系と海洋のすべてを指す。

生物多様性 Biodiversity　世界自然保護連合（World Conservation Union, ICUN）によると、生物多様性とは、"ありとあらゆる形態、段階、組み合わせの、さまざまな生命。生態系の多様性、種の多様性、遺伝子の多様性がある。"

生物生産力 Biological productivity　自然の再生産、再生能力のことで、再生産、再生過程で、バイオマス or 生物量 or 生物資源 biomass が蓄積される。

生物生産力のある土地 Biologically productive land　肥沃で、森林を涵養し、農業などを可能にするなど、重要な純一次生産が行われている土地。

バイオマス（生物量、生物資源量） Biomass or Biomatter　ある生態系の有機生命体の量、通常、乾物量で表される。

　参考：Biomass 生物量：現存する乾物量、生息地の面積または体積当たりで表される（マグローヒル科学技術用語大辞典）。

生物物理学的 Biophysical　生態圏を構成する生命体、非生命体と、生態圏で進行している事象に関していう。生物物理学的な計測法では、立方メートル、キログラム、ジュールなど物理学の単位系を使い、ドルは使わない。

環境収容力（環境容量、キャリング・キャパシティ） Carrying Capacity　これまで、"ある一定の面積の土地が、将来同じ個体群を扶養する能力を低下させずに、扶養できるある生物種の最大個体群"と、定義されてきた。ウィリアム・

キャットン（William Catton）は、人間と関連させて、「人間が環境に対し持続的に加えても安全な、最大"負荷量"（人口×一人当たり影響力）」と定義した。

消費 Consumption 　国民経済の家計部門で利用されるすべての財とサービスについていう。内容は、家計部門で購入された衣料品、食品、雑貨などの商品、公的部門（政府）が支出する防衛、教育、社会福祉、医療などの財とサービス、私企業が施設や設備などの資産を増やすために消費する資源である。

エコロジカル・フットプリント Ecological Footprint 　ある限定された人間集団と物質的水準を、維持するために必要とされる土地（と水域）面積。

内包されたエネルギー Embodied Energy 　ある商品に内包されたエネルギーとは、その商品の全ライフサイクルの間（製造から輸送、廃棄にいたる）使用されるエネルギーをいう。

エネルギーの対土地換算比率 Energy-for-land ratio 　生態学的生産力のある土地。1ヘクタールが生産できるエネルギーの量。単位は、"ギガジュール／ヘクタール"と"年"あるいは"ギガジュール／ヘクタール／年"を使う。化石燃料（二酸化炭素同化量として計算されたもの）については、この比率は、100ギガジュール／ヘクタール／年である。

侵食 Erosion 　土壌とその栄養成分が失われていく過程で、生物生産力の低下をもたらす。また、（たとえば自然資本の）減耗の比喩的な表現としても使われる。

ギガ Giga 　10億を表す。たとえば、1ギガジュールは、10億ジュール。

グローバル経済 　現在台頭しつつある国際経済で、財とサービスの自由貿易、無制限の資本の流出入、国民国家の国内経済に対する統制力の弱体化を特徴とする。1990年、世界貿易量は、4兆3,000億ドルであるのに対し、世界総生産は約20兆ドルである。これを見ても、国民経済とグローバル経済の結びつきは緊密度を増していることがわかる。

ヘクタール Hectare または ha 　1万平方メートル、一辺100メートルの正方形の面積に等しい。1ヘクタールは、2.47エーカー。

水循環 Hydrological cycle 　蒸発、大気中での移動、凝結（雨）、海洋への還流という自然界の水の循環。

ジュール Joule あるいは J 　1ジュールは、1キログラムを10センチメートル地

上から持ち上げる仕事量である。この単位は、熱エネルギーの計測にも使われる。これより古くから使われているエネルギー単位としてカロリーがあるが、1キロカロリーは、4.1868キロジュールに等しい。

キロ Kilo- 1,000を表す。1キログラムは1,000グラム、1キロジュールは1,000ジュールである。

生命維持システム Life-support systems 世界自然保護連合（前出）によると、"生産力、適応性、土地や水、場合により全生態圏の再生能力を維持する"生物物理学的過程をいう。

低エントロピー・エネルギー Low entropy energy 高品質エネルギーのことで、凝縮され"利用可能"であるエネルギーである。たとえば、電気は、90%をかなり上回る効率で機械エネルギーに変換できるので、最もエントロピーの低い（つまり最高品質の）エネルギーキャリヤー carrier とみなされている。これに対し、化石燃料による化学的エネルギーの機械エネルギーへの変換率は、通常、わずか25%（自動車）から50%（発電所）である。バイオマスの化学的エネルギーは、これよりも低品質である。

メガ Mega- 100万を表す。たとえば、1メガジュール（MJ）は、100万ジュールである。ガソリン1リットル中には、約35メガジュールのエネルギーが含まれる。

純一次生産量 Net Primary Production 光合成によって一定期間に生態系に蓄積されたエネルギーつまり植物質のバイオマス。生物の作用によって、固定されたエネルギー総量（大部分太陽エネルギー）から、一次生産者（大部分は植物）の呼吸作用分を差し引いたエネルギー量である。

参考：ある期間に植物群集に組み入れられる生物体量あるいは生体エネルギー量（マグローヒル科学技術用語大辞典）。

オーバーシュート Overshoot ウィリアム・キャットン（William Catton）によると、"ある地域の環境収容力を超える成長で、破綻にいきつくこと"。

ペタ Peta- 1,000兆、ゼロが15個つく。PJは、ペタジュールの略号。

光合成 Photosynthesis 葉緑素を含む細胞内でおこる生物作用で、太陽光を植物質（バイオマス）に変換する。

資源ストック Resource stock 資源全体を指す。これに対し、資源フローと

は、単位時間当たりの採取資源量。資源ストックを持続可能な方法で採取するためには、採取量は、つねにストックの純生産量を超えてはならない。ストックは、質量、体積、エネルギーで計量される。フローは、単位時間当たりの質量、体積、エネルギーで計量される（"ワット"の項を参照）。

平方キロメートル　Square kilometer km^2　1,000平方メートル。100万平方メートルは、100ヘクタールまたは247エーカーである。

持続可能性ギャップ　Sustainability gap　生態系の生産量と人類の消費量の差。持続可能性を発展させるとは、持続可能性ギャップを狭めることを意味する。

テラ　Tera-　1兆。たとえば、1テラワット（TW）は、1兆ワット。地上に降り注ぐ太陽光の量は、17万5,000テラワットである。

貿易収支　Trade balance　ある国の純貿易収支（輸入額－輸出額）で、通常、貨幣単位で表される。しかし、フットプリントのかたちで計算することもできる。それによって生態学的生産力が流出している（外国に収奪されている）あるいは、流入している（外国の生態学的生産力を収奪している）かを判断することができる。

ワット　Watt（W）　仕事率の物理単位。1ワットは、1キログラムを1メートル、10秒毎に持ち上げる仕事率に等しい。1ジュール／1秒とも表す。エネルギーは、"ストック"に対応し、単位時間当たりエネルギー（仕事率）は、"フロー"に対応している。

解題

エコロジカル・フットプリントの近年の研究動向および政策への応用

和田喜彦 [同志社大学経済学部助教授]

1. 本書の意義

　1995年末に出版された本書の原書『Our Ecological Footprint: Reducing Human Impact on the Earth』は、エコロジカル・フットプリントについて書かれた最初の書物である。エコロジカル・フットプリントの思想的背景と基本的考え方、方法論的原点が本書に集約されており、その意味で本書の日本語訳が出版されることはたいへん意義深いことである。

　もちろん、エコロジカル・フットプリントの研究は本書の原書が出版される以前から進んでいた。著者の一人であるウィリアム・リース教授（ブリティッシュ・コロンビア大学（UBC）大学院コミュニティー地域計画学研究科）は1970年代から半球体のカプセルのメタファー（比喩）を使って、都市が持続的に機能するためには都市の外側の多くの土地を必要としているということを学生たちに教えていた。1989年にUBC大学院に入学したスイスからの留学生マティース・ワケナゲルは、1990年からエコロジカル・フットプリントの本格的な研究に着手した。1991年時点で、両者が、Appropriated Carrying Capacity（ACC＝収奪された環境収容力）という概念を提起した。このACCは、エコロジカル・フットプリントとまったく同じことを意味する概念であるが、生態学的な専門用語をそのまま用いて表現している。この表現では、専門家以外の一般市民に受け入れられにくいということを考慮し、1992年の後半から日常的でビジュアルな「エコロジカル・フットプリント」という言葉に置き換えて使い始めた。その後、二人は、1993年に同大学内に設置された「健全で持続

可能なコミュニティーに関するタスクフォース」の支援を受けつつ、この指標の改良と応用研究を進めていった。

　私自身は、1990年にUBC大学院に留学し、二人の指導の下、エコロジカル・フットプリントの研究に携わることとなった。修士論文と博士論文をこのエコロジカル・フットプリントを使って執筆し、また、タスクフォースにおいてもエコロジカル・フットプリント指標を専門とする研究助手を務めた。このようなわけで監訳・解題を引き受けることとなった次第である。

ECOLOGICAL FOOTPRINT
2. エコロジカル・フットプリント計算の技術的改良

　本書の原書が出版されて9年が経過した。その間、エコロジカル・フットプリントの計算方法についてさまざまな検討が加えられ、改良が施されていった。

1）漁業資源の消費をどう計算するか

　エコロジカル・フットプリント開発の初期段階では、リースとワケナゲルらは、漁業資源について計算に含める必要性は認識しつつも、とりあえず陸上のエコロジカル・フットプリント計算に精力をそそいでいた。欧米の食生活の漁業資源依存度の低さからすれば、海洋淡水域を含めないことは大勢に影響がなかった。しかし、日本の漁業資源への依存度が大きいことを考えると、日本のエコロジカル・フットプリントを計測する場合は、海洋淡水域を含めることは不可欠であると考えられた。そこで私自身、ブリティッシュ・コロンビア大学水産学研究所のダニエル・ポーリー（Daniel Pauly）教授の指導の下、海洋淡水域のエコロジカル・フットプリントの計測方法の開発に1993年から着手した。以下に簡単に計算方法を説明したい。

　陸地のエコロジカル・フットプリント計算の際、牛・豚などの食肉の消費は、その餌である牧草や穀物などの植物資源、いわゆる「一次生産者」の量に

還元して計算するが、水域のエコロジカル・フットプリントの算出の際もこれと全く同じ考え方を採用する（植物は、食物連鎖の中で環境中の栄養素を光合成により体内に最初に固定する生物であるので「一次生産者」と呼ばれる）。

　まず、漁獲量データを入手する。各国別の漁獲量データは国連食料農業機関（FAO）の報告書より容易に入手できる。目的とする魚種以外の種が混ざってしまう「混獲」は、世界的に見て平均して漁獲量の27%にも及ぶといわれているが、そのほとんどが廃棄処分される。この混獲分を無視すべきでないと判断し、漁獲量に混獲分を上乗せして計算することとした（理想的には、魚種・漁獲方法・海域別の混獲率を採用すればよいが、簡便のため海域毎の平均混獲率を採用することもありえる）。

　次に、漁獲された魚を養うのに必要とされた植物プランクトン（一次生産者）の量を次の式（Pauly and Christensen 1995）により、魚種別に求める。漁獲された魚を養うために必要とされた植物プランクトン量のことを「必要一次生産量」（Primary Production Required, PPR）と呼ぶ。

$$必要一次生産量(PPR) = \{(漁獲量 + 混獲量) \div 9\} \times 10^{(TL-1)}$$

　（漁獲量＋混獲量）を9で除するのは、水分を含む漁業資源量を、炭素の重量に変換するためである。右肩のTLは、魚種毎の平均的な栄養段階（Trophic Level）を意味する。従って、TL－1は、一次生産者から数えて平均的「変換回数」を意味する。水棲生物の場合、食物連鎖における栄養段階毎の平均変換効率が10%である（Pauly and Christensen 1995）。簡単にいえば、魚たちは自らのからだを維持するために、栄養段階が一段階下の小魚またはプランクトンを自らのからだの10倍の重量分を食しているということである。たとえば、栄養段階が3である魚種は、食物プランクトン（一次生産者）から数えて変換回数が2回であるので、魚の消費量に10の2乗（＝100）を掛ければ、その魚を育てるために必要であった植物プランクトンの量が算出できる。すなわち、その魚種の消費量が1キログラムであった場合、それを育てるための「必

要一次生産量」(＝植物プランクトンの量) は、1キログラムの100倍の100キログラムであったことが以上の式から計算できる。

「必要一次生産量（PPR）」が算出されたら、次の式によってPPRを産出するための水域面積（水域エコロジカル・フットプリント）を求める。すなわち、

水域面積＝必要一次生産量(PPR)÷単位面積当たり生産性

以上のようにして得られる魚種別の面積を合計して、漁業資源消費のエコロジカル・フットプリント面積が得られる。この海洋淡水域のエコロジカル・フットプリント計算法は、現在では世界的に広く採用されている（和田1995年、1998年a、1998年b、Wada and Latham 1998, Wada 1999）。以上の計算方法の開発には、UBC生物学専攻のカナダ人学生であるステファン・レイサム（Stephen Latham）氏の協力を得た。

FAOでは、海域淡水域を以下の六つに分類しているが、生産性はそれぞれ大きく異なる。遠洋域（Open Ocean Systems, OOS）、湧昇流域（Upwelling Systems, US）、熱帯大陸棚（Tropical Shelves, TS）、非熱帯大陸棚（Non-Tropical Shelves, NTS）、沿岸・サンゴ礁海域（Coastal & Coral Systems, CCS）、淡水域（Freshwater Systems, FW）。以前は、これらの異なる海域毎の固有の生産性を使って面積を計算する方法がとられていた。しかし現在では、生産性が極端に低いとされる遠洋域（海洋面積の92％）を除いて、残りの5つの海域淡水域の生産性の世界的平均値を用いることが多い。

さらには、後述するように、「等価ファクター」を用いて、生産性の異なるさまざまな陸地生態系や水域生態系すべてを平準化した仮想的な土地の面積を算出することが行われてきている。とりわけ、国際比較を公平に行うためにこの手法が広く採用されるようになっている。世界平均的な生産性を持つこのような土地を表す面積単位としては、グローバル・ヘクタール（gha）が考案されている（後述）。

2）二酸化炭素吸収地計算の換算値

　本書の原書が出版された当時は、森林の二酸化炭素吸収能力を1.80カーボントン／ヘクタール／年としていたが、最近では、FAOの最新データから計算された数値、1.42カーボントン／ヘクタール／年（CO_2換算で5.2トン／ヘクタール／年）を使っている（この数値は、IPCCの2001. Climate Change 2001: The Scientific Basis., Dixon R. K. et al. 1994 "Carbon Pools and Flux of Global Forest Ecosystems." Science. 263. および Wada 1994 （pp. 25-34）などを参考にしながら、ワケナゲルら（Living Planet Report 2002）が算出した。なお、この数値は、本書の第3章に説明したように、エネルギー消費量をエコロジカル・フットプリントに換算する比率（エタノール法による）、80GJ／ヘクタール／年にほぼ対応する。

3）原子力エネルギーの扱い

　海外で行われているエコロジカル・フットプリント計算の多くでは、原子力エネルギーを化石燃料に代替して計上している。放射性廃棄物の処分や管理に必要となる超長期的なエネルギー需要量や環境への影響を考慮すると、この方法は過小評価となっているとする批判もある。しかし、現状では、より優れた方法が考案されてはいないため、化石燃料代替法が次善の策と考えられている。

4）土地生産性（Productivity ＝収量＝ Yield）の差異をどう扱うか

　エコロジカル・フットプリント計算にあたって、生産物が実際に生産された土地固有の土地生産性を使うべきか、世界平均土地生産性の値を使うべきか。議論がある。

ア）同一土地カテゴリーの国別土地生産性の差異をどう扱うか
　～収量ファクター（Yield Factor、収量係数）の採用

　土地カテゴリー（たとえば耕作地）の土地生産性は土地毎に異なる。しかし、国内の平均値を出すことは可能である。それでも、国毎の平均土地生産性

についても各国ばらばらである。エコロジカル・フットプリントの国際比較を公平に行うためには土地生産性の違いを平準化する必要がある。すなわち、世界平均土地生産性を利用する必要がある。そのために、各国に固有の土地生産性を世界平均生産性に換算するための係数として、収量ファクター（Yield Factor、収量係数）が考案された。各国別各年別の収量ファクターを固有の土地生産性に乗じることで、世界平均土地生産性に換算することができる。すなわち、収量ファクターとは、各国別の同一土地カテゴリー（たとえば耕作地）の土地生産性の統一性を確保する＝世界平均生産性に換算するための係数である。

しかし、この方法についての問題も指摘されている。この方法では、個々の土地生産性向上のための努力や工夫を無視してしまうという欠点があるという指摘だ。そこで、各国特有の土地生産性を使うのか、世界平均の土地生産性を使うのかは、エコロジカル・フットプリント測定は何のために行うか、その目的によって使い分けるべきであろう。国際比較を行うことが主目的であれば、固有の土地生産性に収量ファクターを掛け合わせ、世界平均値に変換するべきであろう。逆に土地の技術向上努力や工夫の進み具合を見る場合には、土地固有の生産性を用いることが妥当であろう。

イ）土地カテゴリー別の世界平均値の差異をどう扱うか
〜等価ファクター（等価係数）の採用

土地の生産性の差は、同一カテゴリー内の差だけではない。たとえ、同一カテゴリー内の生産性を世界平均値に換算したとしても、耕作地、牧草地、森林地、海洋淡水域のそれぞれ別個の土地カテゴリー生産性世界平均値は異なっている（例：耕作地は高く、牧草地は低い）。生産能力の違う土地カテゴリー別面積をそのまま加算することに意味があるか。すなわち、耕作地1ヘクタールと牧草地1ヘクタールを加算して、土地2ヘクタールと表現したとしら問題が残るだろうということだ。身近な例でいえば、りんご1個とみかん1個を足して、「果物2個」と表現したとしてもはたして意味があるかという問題である。この問題を解決する手法として、等価ファクター（Equivalence Factor、等価係数）が考案された。生産性が高い土地カテゴリーほどこの係数

表1 収量ファクター(Yield Factor)と等価ファクター(Equivalence Factor)

カテゴリー＼国	収量ファクター（各国別・各年度別）						等価ファクター（年度別）
	A国	B国	C国	例：ペルー	X国	Y国	
耕作地（平均）				−			2.1
耕作地（肥沃）				0.9			2.2
耕作地（貧）				1.2			1.8
牧草地				1.1			0.5
森林地				1.1			1.4
海洋淡水域				3.4			0.4
生産能力阻害地				0.9			2.2
水力				−			1.0
二酸化炭素吸収地				1.1			1.4

・収量ファクター(Yield Factor)＝国固有の土地生産性を用いて計算されたエコロジカル・フットプリントを世界平均の土地生産性を用いた場合のエコロジカル・フットプリントに変換するための係数。
・等価ファクター(Equivalence Factor)＝カテゴリー別土地の間の調整を行い、カテゴリー別の土地の加算を意味のあるものとするための係数。等価ファクターで乗じられたエコロジカル・フットプリントの大きさは、グローバル・ヘクタール(gha)で表現できる。グローバル・ヘクタールとは、地球上に存在する生産性を有する土地と水域の平均生産性を有する仮想的な土地1ヘクタールを意味する。

は高く、土地生産性が低い土地は小さい。すなわち、土地生産性の高さに応じてウエイト付けされた土地面積の合計値を計算するための係数として等価ファクターが考案された。等価ファクターは、世界共通係数であり、毎年土地カテゴリー別に更新される（表1参照）。等価ファクターで乗じられたエコロジカル・フットプリントの大きさは、グローバル・ヘクタール（gha）で表現する。

ウ）グローバル・ヘクタールとグローバル・バイオキャパシティー（世界生物生産力）

グローバル・ヘクタールとは、地球上に存在する生産性を有する土地・水域の総計（114億ヘクタール）の世界的平均生産性を有する仮想的な土地1ヘクタールを意味する。以下に紹介する『生きている地球レポート』（2000年版、2002年版）では、このグローバル・ヘクタール単位が使用されている（2000年版『レポート』には、ユニット・エリア（unit area, UA）という用語が使用されているが、グローバル・ヘクタールと同義である）。この世界標準単位の採用により、エコロジカル・フットプリントの国際比較の公平性が確保され

た。

　グローバル・バイオキャパシティー（世界生物生産力＝Global Biocapacity）とは、土地カテゴリー毎の生産可能な土地水域面積に、それぞれの等価ファクターを乗じることによって算出される。すなわち、土地カテゴリー毎の土地生産性の違いに応じてウエイト付けされた生産可能な土地水域面積のことである。したがって、生産性の高い土地カテゴリーほど、実際の面積より、大きく評価される。つまり、土地生産性の高い土地ほどグローバル・バイオキャパシティーが大きいとされる。

　エコロジカル・フットプリント計算では、世界の生産可能な土地面積の総計を、114億ヘクタールと捉える。また、グローバル・バイオキャパシティーの総計も、114億グローバル・ヘクタール（gha）であり、一致する（ただし、以下の表のように、内訳に差が出る）。

　ところで、114億ヘクタールという面積は、地球の表面積の約4分の1に過ぎない。なぜならば、生産性が低い土地や水域、たとえば、砂漠、高山、氷河に覆われている地域、遠洋などはこの面積に含まれていないからである。たとえば、海洋の総面積は363億ヘクタールに上るが、その内343億ヘクタールを占める遠洋では、生物学的な生産が活発ではない。残りの沿岸部、大陸棚などにおいて、海洋の生物学的生産の95パーセントが行われているが、その面積は、20億ヘクタールに過ぎない。淡水域3億ヘクタールを加えて、生産可能な水域全体の面積は、23億ヘクタールと考えている。その内訳は、表2のとおりである。

5）コンパウンド法（合計値利用法）とコンポーネント法（部分積み上げ法）

　コンパウンド法とは、国（または地域）全体の統計データを用いてエコロジカル・フットプリントを計算する、いわばトップダウン的な方法である。この方法では、個々の財ごとのデータを峻別把握しなくても全体量が把握できれば充分である。たとえば、ある国の紙に関するエコロジカル・フットプリントを

表2 生産可能な土地水域面積(Global Area)・等価ファクター(Equivalence Factor)・世界生物生産力(Global Biocapacity)の関係

	生産可能な土地水域面積（カテゴリー別）（10億ha）	等価ファクター（gha/ha）	世界生物生産力（10億gha）
耕作地	1.5	2.1	3.2
牧草地	3.5	0.5	1.6
森林地	3.8	1.3	5.2
生産能力阻害地	0.3	2.2	0.6
海洋・淡水域	2.3	0.4	0.8
総計	11.4	1.0	11.4

(Wackernagel, et al. 2002)

推計する場合、紙の総消費量がわかればよい。コンポーネント法とは異なり、紙の使用目的などを把握する必要はない。

コンポーネント法とは、ある地域のエコロジカル・フットプリントを計測する際、エコロジカル・フットプリントの構成要素（部分＝部品＝コンポーネント）を足し上げてゆくアプローチである。いわば、ボトム‐アップ方式である。したがって、まず、財やサービス毎の消費量を把握することが必要である。さらに、個々の財・サービスの単位当たりの投入資源量や廃棄物発生量をライフ・サイクル分析（LCA）を用いて計算することも必要である。このアプローチは、精度に幅が生じやすいため信頼性はコンパウンド法より低いとされる。また、二重加算の危険性が高いことも問題である。

コンパウンド法では、国全体のEFの総面積を算出しやすい反面、政策別のエコロジカル・フットプリントを出すことが難しい。政策毎のEFを推計するためには、コンポーネント法が適している。すなわち、政策決定者にとっては、どの政策を採用すればエコロジカル・フットプリントが大きくなるか小さくなるかを、コンポーネント法では把握しやすいというメリットがあると指摘されている。

3. エコロジカル・フットプリントの世界の研究動向および政策への応用

1)『エコロジカル・フットプリント・オブ・ネーションズ』

　エコロジカル・フットプリントを使った国際的な比較研究の最初のものは、世界52カ国の比較を行った『エコロジカル・フットプリント・オブ・ネーションズ』(Ecological Footprint of Nations) である (Wackernagel, et al. 1997)。この報告書は、ワケナゲルが当時所属していたメキシコのハラッパ大学・持続可能性研究センターのチームがワケナゲルの指導の下に執筆し、地球サミット (1992年) から5年後のフォローアップ会議である「リオ・プラス5」という国際会議で発表したものである。この報告書によれば、52カ国 (世界人口の8割を占める) のエコロジカル・フットプリントは1993年の時点で地球上の生産可能な面積の1.33倍の広さになっていたという。

2) WWF, RP の『生きている地球レポート』

　ワケナゲルは、その後、メキシコからアメリカに移り、カリフォルニア州オークランドにある「リディファイニング・プログレス」(Redefining Progress [RP] =「進歩を再定義する」) という民間の環境研究機関に籍を置いた。この研究機関は、カリフォルニア大学バークレー校のキャンパスからさほど遠くないところに位置していて、バークレー校のエネルギー資源グループ教授であるリチャード・ノーガード氏 (Richard B. Norgard) も理事を務めている。ワケナゲルらのチームは、WWF International (「WWFインターナショナル」) と UNEP (国連環境計画) などと共同で世界の150カ国々のエコロジカル・フットプリントを計測し、2000年と2002年の2回にわたって『生きている地球レポート』を発行した (WWF, RP, et al. 2000, WWF, RP, et al. 2002)。日本語サイトは、WWFジャパンのサイトに掲載されている (http://www.wwf.or.jp/activity/lpr2002/efp.htm)。以下、最新版である2002年度版について解説したい。

『生きている地球レポート2002』では、エコロジカル・フットプリントの地域間比較・国際比較を公平に行うための工夫、すなわち、前出の「グローバル・ヘクタール（gha）」という概念を用いている。

ワケナゲルらの研究チームの計算によれば、世界のエコロジカル・フットプリント総計は1999年時点で、137億グローバル・ヘクタール（gha）と推計され、一人当たりに換算すると2.3グローバル・ヘクタール（gha）であった。この面積は、いわば、人類の自然資源に対する需要であるが、これを、供給側、すなわち世界生物生産力（グローバル・バイオキャパシティー）の総計と比較してみよう。後者、すなわち供給サイドの大きさは、およそ114億ヘクタールである。一人当たりに換算すると、1.9グローバル・ヘクタールである。これらの数字を比較してみると、人類による自然資源の総需要は、地球の生物学的限界をおよそ20%超過していることになる。

エコロジカル・フットプリントの世界総計は、1980年代以降、地球の限界（世界生物生産力）を超えて増え続け、その超過分、すなわち「生態学的赤字」をますます拡大し続けている（図1参照）。

『生きている地球レポート2002』の各国別の詳細な表を解説の最後に添付しているので、参照していただきたい。

3）ヨーロッパ連合（EU）のヨーロッパ共通指標プロジェクト（2001年〜）

近年、ヨーロッパでは経済的・政治的な統合が積極的に進められている。その中核を担うヨーロッパ連合（EU）は、各国のさまざまな状況を公平に比較するためには、共通の物差し（指標）が必要であると認識している。都市の環境負荷や持続可能性を測定する共通の指標の一つとして、エコロジカル・フットプリントも主要な検討対象となっている（Lewan and Simmons 2001）。

4）グローバル・フットプリント・ネットワーク（GFN）

グローバル・フットプリント・ネットワーク（GFN）は、エコロジカル・

図1　エコロジカル・フットプリントの世界総計

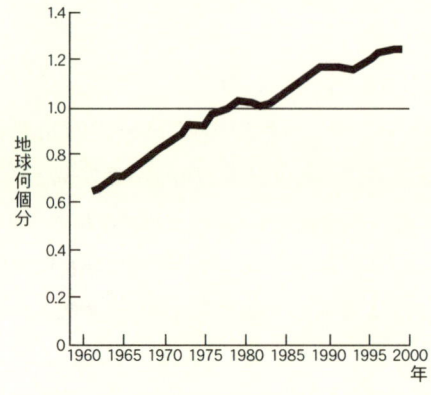

エコロジカル・フットプリントは地球何個分というかたちで表すことができる。エコロジカル・フットプリントが地球1個分である場合は、地球の生物生産力（供給能力）とエコロジカル・フットプリント（需要量）が一致しているという意味である。

人類のエコロジカル・フットプリント総計は、1961年から1999年の間に80％増加しており、1999年段階で地球の生物学的限界をおよそ20％上回っている（オーバーシュートの状態にある）。

自然資源の消費は、自然資本を取り崩すことで地球の生産能力を超えることができるが、無限に持続できるわけではない。

(*Living Planet Report 2002*、『生きている地球レポート 2002』」より)

トプリント計測方法の世界標準化を目指す研究者や実務家の世界的なネットワークとして2004年3月に発足した。ワケナゲルがRPから退職し、カリフォルニア州オークランド市に事務局を置いている（ホームページアドレスは、http://www.footprintnetwork.org/）。

5) 海外での地域レベルや政策レベルでの応用（イギリスを例として）

(1) イギリスでは、副首相官邸がエコロジカル・フットプリント指標に関する研究費を支給している（2003年）。ただし、イギリス全体でエコロジカル・フットプリントを計測するかについては未定である。

最近の動きとしては、全国的に2004年1月から "Ecological Budget UK" Projectが開始された。これは、イギリスを12の地域（super-regions）に分けて、マテリアルフロー分析（MFA）、物質バランス分析（MBA）を基礎に、エコロジカル・フットプリント分析を含むプロジェクト。政策決定者（行政、官僚）にとって使い勝手がよいコンピューターソフトの構築・改良もその一つである（現在、自治体用のコンピューターソフトはすでに存在しており、イギリス内の自治体に対し無料配布が予定されている。これは、Footprint for

Local Authorities Tool（FLAT）と呼ばれているが、イギリス政府は、さらに改良型を構築することを目指している）。

（2）イギリスのウェールズ議会は、エコロジカル・フットプリント指標を永続可能性指標のひとつとして採用することを承認した。ローディ・モーガン主席大臣（First Minister）は「われわれは、エコロジカル・フットプリント指標をウェールズ内の資源消費量を測定する指標として採用する」と宣言した（2002年4月17日）。2003年3月には、6,000万円のプロジェクトが開始。カーディフ市とバンガー市の2つでのパイロット・プロジェクトである。政治家、政府が、WWF, BFF, SEI-Y などの環境NGO／シンクタンクや研究機関、大学の学者などとパートナーシップ（運営委員会＝steering group）をつくって2つの都市での①エコロジカル・フットプリント測定ばかりでなく、②指標に対する理解向上（学びのプロセス）と、③測定技術の人材養成＝「キャパシティー・ビルディング」を目指している。他の自治体の行政官や市民、NGOに対する情報提供も将来的に計画している（Bond 2002）。

（3）ロンドン市のエコロジカル・フットプリント測定結果報告書。「City Limits London（2002年9月）」はヨハネスブルク・サミットでも評判に。（計測は3回目）その他、ヨーク市、リバプール市、ワイト島（Isle of Wight）、ジャージー島などでも計測されている。

（4）スコットランド政府内閣「スコットランド内のすべての自治体は、永続可能な発展の達成へ向けての貢献度を何らかの指標によって明示的に情報公開する義務を負う（法的義務）」（2003年）。エコロジカル・フットプリント指標もその選択肢の一つとして推奨されている（Vergoulas et al. 2003, Leighton, E. 2003）。

（5）スコットランド　5つの都市（エジンバラ市など）、アンガス・カウンシルブレッケン村等でのフットプリント計測プロジェクトは、小中学生を巻き込む環境教育的側面も持たせている（Vergoulas et al. 2003, Simmons et al. 2003, Manson 2003）。

（6）エコ・ツーリズム　旅行のエコロジカル・フットプリントを知るための

ソフトウェアがイギリスで開発されている（Holiday Footprinting-A Practical Tool for Responsible Tourism（WWF-UK））。

（7）住宅供給に関するエコロジカル・フットプリント

テームズ河の下流域、これは、ロンドンの東側に広がる地域であるが、テームズ・ゲートウェイと呼ばれている。この地域はロンドンの通勤圏でもあり、今後15年間に約70万人の人口増加が見込まれている。そのため大規模な住宅地域建設計画が持ち上がったが、持続可能性への市民意識の高まりから、環境共生型の住宅都市地域とすべきとする研究報告書が2001年に出版され、話題となった（ファルコーナー卿がこのためのイニシアティブをとった）。その後、この報告書の理念を具体化するために、より具体的な計画検討報告書が2003年に出版されている（James, et al. 2003）。この報告書では、持続的なコミュニティー計画とするために、エコロジカル・フットプリント指標により、さまざまな住宅タイプ別・都市密度別・交通モード別のシナリオの環境負荷を測定して比較している。

4．日本での動き

1）インターネットで見る認知度

エコロジカル・フットプリントの認知度は、欧米に比べれば格段に低いが、それでも、「エコロジカル・フットプリント」でインターネット検索をかけると、330ほどのヒット数がある（2004年6月時点で、'google' サーチ・エンジンを使用した場合）。ちなみに、英語のままでサーチすると、8万9,000件ほどのヒットがある。

2）日本のエコロジカル・フットプリント

日本の資源消費を支えるために必要となっているエコロジカル・フットプリ

表3　日本人の消費のエコロジカル・フットプリント（全体および一人当たり）

土地分類	日本人全体のエコロジカル・フットプリント 100万ha	国内現存面積 100万ha	対国内現存面積比 倍	一人当たりエコロジカル・フットプリント ha	世界平均一人当たり公平割当面積 ha
耕作地	28.1	4.4	6.4	0.23	
牧草地	21.5	0.8	26.9	0.17	
森林地	22.2	25.3	0.9	0.18	
二酸化炭素吸収地（国内排出分）	199.3	25.3	7.9	1.61	
二酸化炭素吸収地（海外排出分）	70.4	25.3	2.8	0.57	
生産能力阻害地	4.3	4.3	1.0	0.03	
陸地エコロジカル・フットプリント合計	345.8	-	9.2	2.80	1.51
海洋淡水域エコロジカル・フットプリント合計	234.5	-	6.2	1.90	0.51*
総計	580.3	37.8	15.4	4.70	2.02

(Wada 1999、おもに1990/91年値より。＊この数値計算は、和田およびS. Lathamによる)

ントは監訳者によって1999年に発表されている。その内容は、PhD論文（Wada 1999）に記載されているが、その計算結果は、表3に示してある。

　陸地エコロジカル・フットプリントは、3億4,600万ヘクタールであった。これは、国土面積（3,800万ヘクタール）の9.2倍にあたる。海洋淡水域エコロジカル・フットプリントは2億3,500万ヘクタールで、合計すると5億8,000万ヘクタールとなり、日本の国土面積の15.4倍である。日本人一人当たりの資源消費のエコロジカル・フットプリントは、東京ドームとほぼ同じ4.7ヘクタールであり、環境収容力を公平に割り当てた場合の2.3倍に達している。世界中の人々全員が日本人と同じ消費水準で生活しようとすれば、地球が2.3個必要になるのだ。地球の環境収容力の分配の公平性を達成しながら、かつ永続可能な地球環境を維持しようとするならば、日本人の資源消費量を平均的に少なくとも現在の2分の1以下に下げなければならないことを意味する。以上の計算は、途上国の経済発展を希求し、かつ地球生態系の永続性を保とうとするのであれば、日本はじめ先進諸国の過剰な資源消費レベルを大幅に減らす必要があると指摘している。

3）『環境白書』

環境庁（省）は、これまでに『環境白書』（1996年、1999年、2001年、2002年、2003年）でエコロジカル・フットプリントの概念と応用例について紹介している。上記の結果も1999年版に掲載されている。近年ではWWFの『生きている地球レポート』の計測結果の数値とその意味を記載している。

4）国内の研究者による研究

近年、日本でもエコロジカル・フットプリントについての計測を行う研究者が現れてきている。名古屋大学大学院環境学研究科の井村秀文教授らの研究チームは、国際産業連関表を用いて、日本の国内最終需要がどれだけの土地資源（農地、森林、製造業地）を必要としているのかを明らかにした（福田他2001年）。

国立環境研究所の肱岡靖明らの研究グループは、都市の人口規模別に、人口密度とエコロジカル・フットプリントの大きさとの関係を分析している（肱岡他2003年）。都市の高密度化は、一見エネルギー効率を高める可能性を直感できるが、逆に、エネルギーのエコロジカル・フットプリントや食料のエコロジカル・フットプリントは増加する可能性があることが示唆された。

宇都宮大学工学部の横尾昇剛らの研究グループは、建築物や都市のエコロジカル・フットプリントによる環境評価を精力的に行っている。

エントロピー学会では、現在各種の環境指標の多面的評価を行っており、エコロジカル・フットプリントも検討対象となっている。

5）国土交通省「資源消費水準あり方検討委員会」

国土交通省は、2003年度に「資源消費水準あり方検討委員会」（座長・植田和弘京都大学教授）」を立ち上げ、全国版（1980年、1990年、1995年、2000年）および都道府県版（1995年、2000年）のエコロジカル・フットプリントを算出した。富士総合研究所が実務を補佐し、監訳者も委員として参加した。日本の47都道府県のエコロジカル・フットプリントがはじめて試算されたということは、極めて意義が大きく、画期的な研究である。現在、国土交通省は

計測結果と計測手法を今後どのように国土計画、土地政策、都市・運輸交通政策へ応用してゆくべきかを検討中である。ただし、課題も残されている。この報告書には、漁業資源の消費に関するエコロジカル・フットプリント（海洋淡水域）は、計測しているものの、合計値に含めていない。国土交通省の管轄範囲を逸脱すると他の省庁から越権行為と非難されかねないという配慮が働いているものと見られる。また、この報告書では、日本人の消費に伴う二酸化炭素排出のうち、海外における排出分を含めていない。さらに、原子力エネルギーについても除外してある。海外のエコロジカル・フットプリント計算では、多くの場合、原子力エネルギー消費については、化石燃料に代替して計算することが多い。この研究においても本来参入すべきであったと、監訳者は考えている。課題がいくつか残されているが、この研究の意義は大きいと考えられる。

6）東京都『東京都環境白書2000』

東京都は、『東京都環境白書2000』において、東京都のエコロジカル・フットプリントを推計している。それによると、東京都のEFは都の面積の125倍の面積との数値が示されている。しかし、これは、日本人一人当たりのEFと東京都民一人当たりのEFが等しいという仮定のもとに計算がなされているだけで、実際の東京都民の資源消費量から求められたものではない。ちなみに、上記の国土交通省の推計では、東京都の2000年におけるエコロジカル・フットプリント面積は、都の総面積の276倍、国土面積の1.62倍にあたることが判明した。一人当たりでは、5.01ヘクタールと算出され、全国平均は3.87ヘクタールであるので、都民のエコロジカル・フットプリントは、全国平均の1.29倍に達している（以上の数値は、海洋のエコロジカル・フットプリントも含めた数値である）。その他、自治体としては、愛知県額田郡幸田町が『環境基本計画2003-2022』においてエコロジカル・フットプリントの概念を紹介している。

7）NHK-BS1『地球白書』

2000年にNHK-BS1で放映された『地球白書』においては、プロローグとエ

ピローグを含めた8回のうち、3回ほどエコロジカル・フットプリントを登場させている。これは、英語など数カ国語に訳されて世界各地で放映された番組である。

8）環境教育への応用

「環境教育ネットワーク」千刈キャンプにおいて、エコロジカル・フットプリントについての国内初のワークショップが開かれた（2001年1月）。その後、神奈川県川崎市の中原市民館市民講座やさっぽろ自由学校「遊」の市民講座などにおいて取り上げられている。

大学レベルでは、札幌大学、東京大学、日本大学、横浜市立大学、横浜国立大学、名古屋大学、滋賀大学、滋賀県立大学、同志社大学、京都精華大学などにおいて講義や演習で取り上げられている（ウェブサイト検索などによる）。

9）海外の関連書籍の翻訳

塚田幸三、宮田春夫らが、エコロジカル・フットプリントに関連する一般向け英文書籍を2冊翻訳して出版している（ジラルデッテ著、塚田訳、2003年、デサイ他著、塚田・宮田訳、2004年）。この2冊は、翻訳がたいへんしっかりしており、多くの方々に推奨したい書物である。

10）その他・国家試験

特殊な例としては、「消費生活アドバイザー資格試験」（2002年度）にエコロジカル・フットプリントの概念を問う問題が出題されている。

5．結語

経済規模の拡大に伴い、われわれは「地球の有限性」に突き当たり、地球規模でのオーバーシュートに直面しているといえよう。いい換えれば、「地球の

環境収容力」という限界に激突するという人類史上どの世代も経験したことのない未曾有の事態を今の世代は経験しつつある。まさに、地球環境における「無限パラダイム」から、「有限パラダイム」へのコペルニクス的転回を経験しつつある。従来のあらゆる政策や制度や国家の目標（＝経済政策、国土計画、産業政策、廃棄物政策、都市政策、運輸交通政策、福祉政策、教育目標など）は、「無限な地球」パラダイムに基づいて策定されていたといっても過言ではなかろう。現世代は、さまざまな制度・政策面を無限パラダイムから、有限パラダイムに立脚したものへと転換していかねばならないであろう。

約500年前の、天動説（プトレマイオス説）から地動説への転換の過程は、極めてスローであり、また、そこには多くの抵抗や迫害という悲劇も発生した。現在われわれも、無限から有限パラダイムへの転換プロセスには多くの心理的な拒絶や抵抗、制度的障壁に直面している。これを解決するためには、現実におこっている現象を正確に認識するためのツール、すなわち、経済活動が地球の自然資本の環境収容力と比べてどれだけオーバーシュートしているのか、オーバーシュートの程度を定性的だけでなく、定量的に明示化してくれる認識ツールが必要である。その意味で、エコロジカル・フットプリント指標に対する期待は大きいといえよう。ものの生産の拡大路線から、残り少ない有限な環境資源をだれもが公平に分かち合う、分配の公平さを追求する戦略へと乗り換えなければならない時代を生きる私たちにとっては、エコロジカル・フットプリントはなくてはならない指標であると思われる。

しかし、エコロジカル・フットプリント指標の計測手法については、さらなる改善が必要と考えられる。マテリアルフロー分析（MFA）、物質バランス分析（MBA）、ライフサイクル分析（LCA）、森林や海洋の二酸化炭素吸収能力、漁業資源の混獲率、エビ養殖によるマングローブ林の減少面積、鉱物資源の採掘による森林破壊面積等についての最新の研究成果を積極的に取り入れることにより、数値の信頼性がさらに高まるであろう。

邦訳版刊行にあたって

　この訳書を世に出すために多くの方々にお世話になった。翻訳の元原稿をつくってくださった池田真里さんにはたいへんお手数をおかけした。彼女の繊細な感性と機敏な筆はこびは、翻訳の完成におおいに貢献してくれた。翻訳の段階でメールによる問い合わせや資料送付の依頼に対しスピーディーに対応してくださったウィリアム・リース教授とマティース・ワケナゲル氏にも感謝する。お二人には1990年以来、学問の面だけでなく人生上のさまざまなアドバイスをいただくなどたいへんお世話になっている。原書のイラストを担当したフィル・テステメール（Phil Testemale）氏からもイラスト使用の快諾をいただいたことにお礼を申し上げたい。

　室田武氏、深田未来生氏、古沢広祐氏、末永國紀氏、佐々木建氏、佐々木佳代氏、張偉雄氏、田中優氏、中野桂氏、塚田幸三氏、宮田春夫氏からは、叱咤激励と適切なアドバイスをいただいた。原稿に目を通して適切なコメントをくださった方々、見満紀子氏、大久保絹氏、粟津原淳氏、小泉順子氏にお礼を申し上げたい。

　日本政府の地球環境研究総合推進費の支給をいただいたこともこの翻訳の完成に寄与している。この件では、独立行政法人・国立環境研究所の故森田恒幸氏および、同研究所の森口祐一氏にたいへんお世話になった。

　解題に、図表を使うことを快諾してくださったWWFジャパンにも感謝している。

　最近の研究動向については、WWFスコットランドのエリザベス・レイトン（Elizabeth Leighton）氏、アンガス・カウンシルのローズィ・マンソン（Rosie Manson）氏、オックスフォードにオフィスがある環境研究機関ベスト・フット・フォーワード（Best Foot Forward）のニッキー・チェンバース（Nicky Chambers）氏、クレイグ・サイモンズ（Craig Simmons）氏、ケビン・ルイス（Kevin Lewis）氏、ニコーラ・ジェンキン（Nicola Jenkin）氏、WWFウェー

ルズのスチュアート・ボンド（Stuart Bond）氏、カーディフ大学のアンドリュー・フリン（Andrew Flynn）氏、アンドレア・コリンズ（Andrea Collins）氏、ストックホルム環境研究所（ヨーク支所）のジョン・バレット（John Barrett）氏、トミー・ウィードマン（Tommy Wiedmann）氏、ニーア・チェレット（Nia Cherrett）氏にたいへんお世話になった。インタビューのテープ起こしの労を引き受けてくれたジャネット・マッキントッシュ（Janette McIntosh）氏、ジェフ・カイパーズ（Jeff Kuypers）氏、河野真理氏に感謝する。

なお、監訳者のカナダ留学に際しては、カナダ政府奨学金、国際開発高等教育機構（FASID）奨学金、ブリティッシュ・コロンビア大学大学院生奨学金、ロータリー財団奨学金の支給を得ており、本書の出版もこれらの浄財なしでは不可能であった。両国の納税者と政府機関、財団関係者に感謝したい。

合同出版編集部の坂上美樹さんに感謝する。彼女の熱意と情熱、そして最後まであきらめない精神力がなければ絶対にこの翻訳プロジェクトは完結しなかったであろう。出版が予定より大幅に遅れたのは、ひとえに監訳者の怠慢によるものである。出版社の寛大さに感謝するとともに、読者はじめ、関係者にも多大なるご迷惑をお掛けしたことを、この場をお借りしお詫び申し上げたい。

平和軍縮問題および環境問題解決に情熱を傾けつつも志なかばで、3年前に突然天国に逝った母・和田キエ子のために本書を捧げたい。

2004年9月
和田喜彦

[解題] 参考文献・資料
(著者名アルファベット順)

Barret, J. and Simmons, C. 2003. "An Ecological Footprint of the UK: Providing a Tool to Measure the Sustainability of Local Authorities." Stockholm: Stockholm Environment Institute.

Bond, S. 2002. "Ecological Footprint: A Guide for Local Authorities." Surrey: WWF-UK.

Catton, W. 1986. "Carrying Capacity and the Limits to Freedom." paper prepared for the Social Ecology Session. XI World Congress of Sociology. New Delhi, India, 18 August 1986.

デサイ、プーラン、スー・リドルストーン著、塚田幸三、宮田春夫訳。2004年。『バイオリージョナリズムの挑戦——この星に生き続けるために』群青社。

Dixon R. K., et al. 1994. "Carbon Pools and Flux of Global Forest Ecosystems." *Science*. 263. pp.185-190.

福田篤史、森杉雅史、井村秀文。2001年。「日本のエコロジカルフットプリント——土地資源に着目した環境指標に関する研究」『環境システム研究論文集』、Vol. 29、197-206。

ジラルデッテ、ハーバート著。塚田幸三訳。2003年。『ぐるぐるめぐりの創造的まち育て』特定非営利活動法人千葉まちづくりサポートセンター。

肱岡靖明、原沢英夫、川合史朗、三岡裕介、中尾理恵子。2003年。「持続可能なコンパクトシティ評価のための都市データベースの構築とその応用」日本計画行政学会 第26回全国大会（仙台2003.9）での発表。同要旨集 ,330

IPCC. 2001. *Climate Change 2001: The Scientific Basis*. Cambridge, UK: Cambridge University Press.

James, N. and P. Desai. 2003. "One Planet Living in the Thames Gateway-A WWF-UK One Million Sustainable Homes Campaign Report." WWF-UK: Surrey, UK.

Larsson J., C. Folke and N. Kautsky. 1994. "Ecological limitation and appropriation of ecosystem support by shrimp farming in Colombia." *Environmental Management*. 18: 663-676.

Leighton, E. 2003. スコットランドにおける個別聞き取り調査（11月25日実施）。

Lewan, L. and C. Simmons. 2001. "The use of Ecological Footprint and Biocapacity Analyses as Sustainability Indicators for Sub-national Geographical Areas: A Recommended Way Forward: Final Report 27th August 2001." Rome: Ambiente Italia (ECIP). (http://www.bestfootforward.com/downloads/Use%20of%20EF%20for%20SGA%20-%20Main%20Report.PDF).

Manson, R. 2003. スコットランドにおける個別聞き取り調査（11月25日実施）。

Pauly, D. 1996. "One Hundred Million Tonnes of Fish, and Fisheries Research." *Fisheries Research*. Vol. 25. pp. 25-38.

Pauly, D. and V. Christensen. 1995. "Primary Production Required to Sustain Global Fisheries." *Nature*. Vol. 374. pp. 255-257.

Pauly, D., V. Christensen, J. Dalsgaard, R. Froese and F. Torres, Jr. 1998. "Fishing Down Marine Food Webs." *Science*. Vol. 279. pp. 860-863.

Rees, W.E. 1995. "Achieving Sustainability: Reform or Transformation?" *Journal of Planning Literature*. Vol. 9, No. 4. pp. 343-361.

Rees, W. E. 1996. "Revisiting Carrying Capacity: Area-based Indicators of Sustainability." *Population and Environment: A Journal of Interdisciplinary Studies*. 17 (3).

Simmons, C. and N. Jenkin. 2003. "Brechin & Surrounds Household Footprint Survey." Oxford: Best Foot Forward, Ltd.

United Nations Environment Program (UNEP), United Nations Development Program (UNDP), World Bank, World Resources Institute. 2000. *World Resources 2000-2001*. New York : Elsevier Science.

Vergoulas, G. K. Lewis and N. Jenkin. 2003. "An Ecological Footprint Analysis of Angus." Oxford: Best Foot Forward, Ltd.

Wackernagel, M. and W. E. Rees. 1995 ［6］. Our Ecological Footprint: Reducing Human Impact on the Earth. Gabriola Island, B. C., Canada: New Society Publishers.

Wackernagel, M. et al. 1997. Ecological Footprint of Nations. (http://www.ecouncil.ac.cr/rio/focus/report/english/footprint/).

Wackernagel, M., Schulz, N., et al. 2002. "Tracking the Ecological Overshoot of the Human

Economy." *Proc. Natl. Acad. Sci.* 99 (14) . 9266-9271.

Wada, Y. 1993. "The Appropriated Carrying Capacity of Tomato Production: Comparing the Ecological Footprints of Hydroponic Greenhouse and Mechanized Field Operations." M. A. thesis. Vancouver, BC: The University of British Columbia School of Community and Regional Planning.

Wada, Y. 1994. "Biophysical Productivity Data for Ecological Footprint Analysis." An unpublished report submitted to the University of British Columbia Task Force on Healthy & Sustainable Communities.

Wada, Y. 1999. "The Myth of "Sustainable Development": The Ecological Footprint of Japanese Consumption." Ph. D. dissertation. Vancouver, BC: The University of British Columbia School of Community and Regional Planning.

Wada, Y. and S. Latham. 1998. "Ecological Footprint Analysis of the Japanese Consumption: Calculation Methods and Policy Implications." in M. Donnelly, ed. *Confidence and Uncertainly in Japan : Proceeding of Tenth Annual Conference of the Japan Studies Association of Canada, 1997.* Toronto : University of Toronto York University Joint Centre for Asia Pacific Studies. pp.18-27.

和田喜彦。1995年。「'エコロジカル・フットプリント'分析の考え方と日本への適用結果―日本人の資源消費水準は永続的か？」『産業と環境』第24巻12号。pp. 58～63.

和田喜彦。1998年a。「エコロジカル・フットプリント分析：生態学的に永続可能な地球環境をめざして」法政大学産業情報センター・ワーキングペーパーシリーズNo. 67。

和田喜彦。1998年b。「地球の環境収容能力」堀内行蔵編『地球環境対策-考え方と先進事例』有斐閣、pp. 111～129。

和田喜彦。2003年。「エコロジカル・フットプリント指標によるトマト生産の持続可能性評価：ハイテク農業は食糧問題解決の切り札か」『日本エネルギー学会誌』Vol. 82, No.1 。

WWF, RP, et al. 2000. *Living Planet Report 2000.* Gland, Switzerland: WWF International.

http://www.panda.org/downloads/general/lpr2000.pdf

WWF, RP, et al. 2002. *Living Planet Report 2002.* Gland, Switzerland: WWF International. http://www.panda.org/news_facts/publications/general/livingplanet/lpr02.cfm

資料1　国別一人当たりエコロジカル・フットプリント（1999年値）

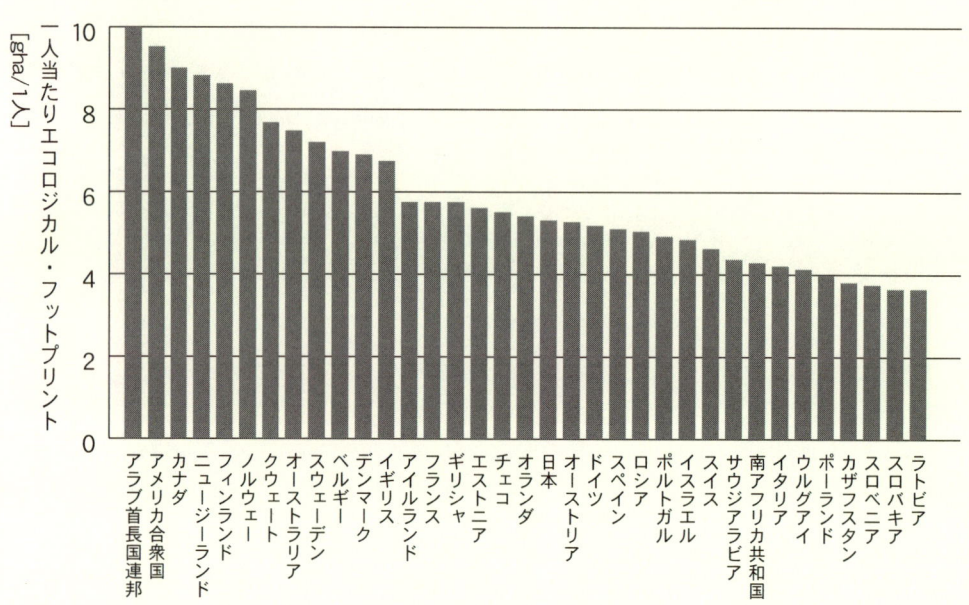

[gha/1人]　一人当たりエコロジカル・フットプリント

上段（左から右、降順）：
アラブ首長国連邦、アメリカ合衆国、カナダ、ニュージーランド、フィンランド、ノルウェー、クウェート、オーストラリア、スウェーデン、ベルギー、デンマーク、イギリス、アイルランド、フランス、ギリシャ、エストニア、チェコ、オランダ、日本、オーストリア、ドイツ、スペイン、ロシア、ポルトガル、イスラエル、スイス、サウジアラビア、南アフリカ共和国、イタリア、ウルグアイ、ポーランド、カザフスタン、スロベニア、スロバキア、ラトビア

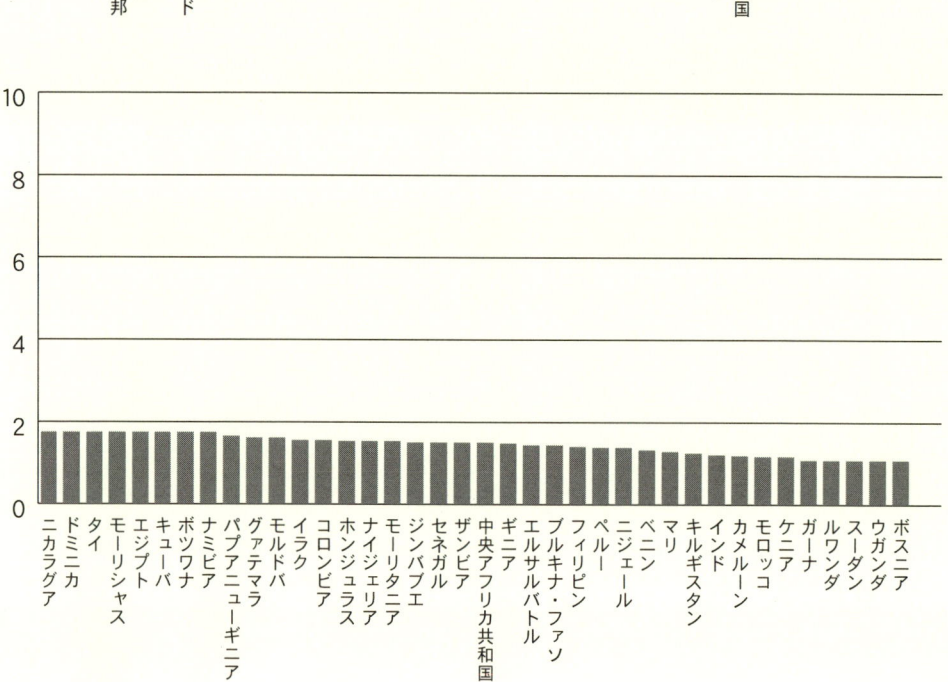

下段（左から右、降順）：
ニカラグア、ドミニカ、タイ、モーリシャス、エジプト、キューバ、ボツワナ、ナミビア、パプアニューギニア、グアテマラ、モルドバ、コロンビア、ホンジュラス、イラク、モーリタニア、ナイジェリア、ジンバブエ、セネガル、ザンビア、中央アフリカ共和国、ギニア、エルサルバドル、ブルキナ・ファソ、ペルー、フィリピン、ニジェール、ベニン、マリ、キルギスタン、インド、カメルーン、モロッコ、ケニア、ガーナ、ルワンダ、スーダン、ウガンダ、ボスニア

286

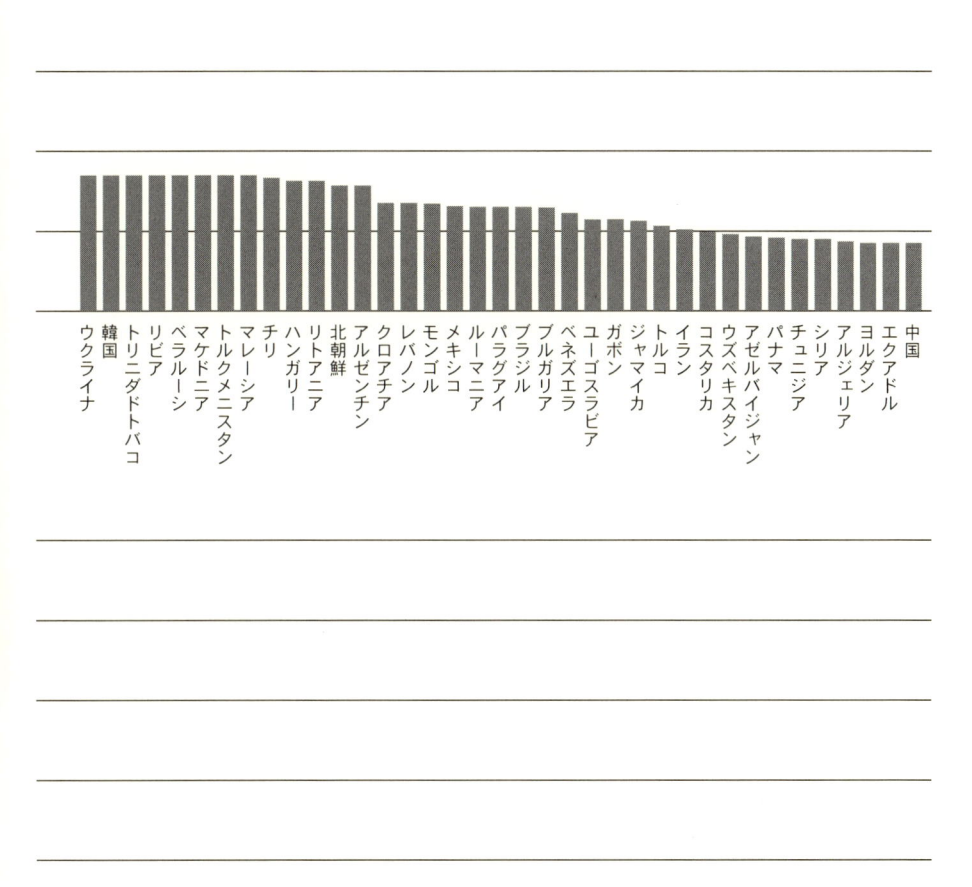

上段（左から右）：
ウクライナ、韓国、トリニダドトバコ、リビア、ベラルーシ、マケドニア、トルクメニスタン、マレーシア、チリ、ハンガリー、リトアニア、アルゼンチン、クロアチア、レバノン、モンゴル、メキシコ、ルーマニア、北朝鮮、パラグアイ、ブラジル、ブルガリア、ベネズエラ、ユーゴスラビア、ガボン、ジャマイカ、トルコ、イラン、コスタリカ、ウズベキスタン、アゼルバイジャン、パナマ、チュニジア、シリア、アルジェリア、ヨルダン、エクアドル、中国

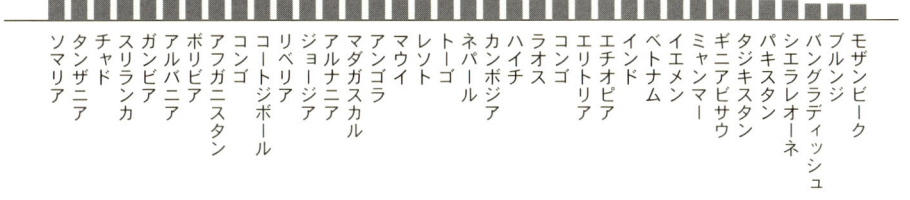

下段（左から右）：
ソマリア、タンザニア、チャド、ガンビア、スリランカ、アルバニア、ボリビア、アフガニスタン、コンゴ、コートジボール、リベリア、ジョージア、マダガスカル、アルメニア、アンゴラ、マウイ、レソト、ネパール、トーゴ、カンボジア、ハイチ、ラオス、コンゴ、エリトリア、エチオピア、インド、ベトナム、イエメン、ミャンマー、ギニアビサウ、タジキスタン、パキスタン、シエラレオーネ、バングラディッシュ、ブルンジ、モザンビーク

287

資料2 国別一人当たりエコロジカル・フットプリントと生物生産力(所得水準別・地域別)（1999年値）

	人口	合計	エコロジカル・フットプリント									生物生産力					水資源量	生態欠損率
			農地	牧草地	森林地(薪を除く)	海洋淡水域	化石燃料燃焼によるCO₂	燃料用薪	核エネルギー	水力	生産能力阻害地	取水量(2000年推計値)	合計	農地	牧草地	森林地	海洋淡水域	(海水の淡水化も含む)(2000年値)	(一符号が付いている国は、赤字)
	[100万人]	[一人当たりgha]	[一人当たりgha]	[一人当たりgha]	[一人当たりgha]	[一人当たりgha]	[一人当たりgha]	[一人当たりgha]	[一人当たりgha]	[一人当たりgha]	[一人当たりgha]	[一人当たり千m³/年]	[一人当たりgha]	[一人当たりgha]	[一人当たりgha]	[一人当たりgha]	[一人当たりgha]	[一人当たり千m³/年]	[一人当たりgha]
世界	5,978.7	2.28	0.53	0.12	0.27	0.14	0.99	0.06	0.08	0.00	0.10	0.49	1.90	0.53	0.27	0.86	0.14	7.96	−0.38
高所得国	906,505.0	6.48	1.04	0.23	0.70	0.41	3.40	0.03	0.42	0.01	0.25	0.99	3.55	1.13	0.71	1.10	0.37	9.45	−2.93
中所得国	2,940,977.0	1.99	0.49	0.13	0.20	0.13	0.86	0.06	0.02	0.00	0.09	0.44	1.89	0.47	0.35	0.84	0.12	9.02	−0.10
低所得国	2,114,187.0	0.83	0.30	0.03	0.16	0.03	0.17	0.08	0.08	0.00	0.06	0.34	0.95	0.30	0.08	0.44	0.06	5.90	0.11
アジア・太平洋	3,312.7	1.37	0.32	0.05	0.17	0.12	0.55	0.06	0.02	0.00	0.08	0.38	1.04	0.32	0.22	0.35	0.08	4.74	−0.32
Australia	18.9	7.58	1.64	0.62	0.60	0.25	4.31	0.02	0.00	0.00	0.11	0.79	14.61	4.38	4.94	2.30	2.86	18.21	7.03
Bangladesh	134.6	0.53	0.22	0.00	0.10	0.04	0.06	0.05	0.05	0.00	0.06	0.18	0.30	0.18	0.00	0.04	0.02	18.37	−0.23
Cambodia	12.8	0.83	0.34	0.05	0.22	0.03	0.02	0.12	0.02	0.00	0.05	0.05	1.36	0.34	0.05	0.82	0.10	44.45	0.54
China	1,272.0	1.54	0.35	0.09	0.22	0.10	0.64	0.05	0.02	0.00	0.09	0.36	1.04	0.33	0.44	0.14	0.03	2.19	−0.51
India	992.7	0.77	0.28	0.00	0.11	0.03	0.24	0.05	0.05	0.00	0.06	0.38	0.68	0.28	0.00	0.31	0.04	2.07	−0.09
Indonesia	209.3	1.13	0.29	0.02	0.14	0.18	0.30	0.14	0.00	0.00	0.06	0.08	1.82	0.29	0.03	1.17	0.27	11.90	0.69
Japan	126.8	4.77	0.47	0.06	0.28	0.76	2.53	0.00	0.51	0.01	0.16	0.72	0.71	0.13	0.01	0.28	0.13	4.33	−4.06
Korea, Rep.	46.4	3.31	0.47	0.04	0.14	0.59	1.70	0.00	0.23	0.00	0.13	0.59	0.73	0.15	0.00	0.18	0.27	1.41	−2.58
Korea, Dem People's Rep	22.1	3.04	0.23	0.00	0.11	0.16	2.43	0.04	0.00	0.01	0.07	0.59	0.81	0.19	0.00	0.47	0.08	2.80	−2.23
Laos	5.2	0.82	0.21	0.07	0.31	0.03	0.02	0.14	0.00	0.00	0.04	0.17	4.49	0.26	0.07	4.08	0.04	47.43	3.68
Malaysia	21.8	3.16	0.68	0.05	0.21	0.53	1.49	0.06	0.07	0.00	0.07	0.42	3.39	0.83	0.01	2.03	0.44	20.45	0.24
Mongolia	2.5	2.58	0.33	1.34	0.10	0.08	0.79	0.01	0.00	—	0.01	0.20	6.43	0.25	2.77	3.40	—	8.99	3.85
Myanmar	47.1	0.70	0.36	0.00	0.08	0.08	0.05	0.08	0.00	0.00	0.05	0.08	1.62	0.38	0.02	1.00	0.18	21.93	0.92
Nepal	22.5	0.83	0.23	0.02	0.34	0.00	0.03	0.16	0.00	0.00	0.05	0.11	0.58	0.22	0.02	0.28	0.01	6.98	−0.25
New Zealand	3.7	8.68	3.03	1.60	1.09	0.71	1.92	—	0.00	0.05	0.22	0.53	22.95	3.05	13.68	5.51	0.44	86.97	14.28
Pakistan	137.6	0.64	0.27	0.01	0.08	0.03	0.16	0.04	0.06	0.00	0.06	1.00	0.39	0.24	0.01	0.06	0.03	2.75	−0.25
Papua New Guinea	4.7	1.42	0.25	0.06	0.47	0.25	0.10	0.21	0.00	0.00	0.07	0.02	14.00	0.35	0.01	12.51	1.07	166.49	12.58
Philippines	74.2	1.17	0.24	0.03	0.22	0.29	0.25	0.10	0.00	0.00	0.05	0.39	0.56	0.21	0.02	0.20	0.10	4.30	−0.61
Sri Lanka	18.7	1.00	0.25	0.01	0.21	0.22	0.15	0.09	0.00	0.00	0.06	0.33	0.51	0.19	0.01	0.21	0.04	2.30	−0.50
Thailand	62.0	1.53	0.31	0.00	0.16	0.26	0.64	0.10	0.00	0.00	0.05	0.53	1.37	0.48	0.00	0.75	0.09	2.96	−0.15
Vietnam	77.1	0.76	0.24	0.00	0.18	0.05	0.11	0.07	0.00	0.00	0.10	0.36	0.84	0.30	0.00	0.31	0.13	4.67	0.08
中東・中央アジア	323.3	2.07	0.62	0.12	0.06	0.06	1.11	0.01	0.00	0.00	0.09	1.10	0.97	0.51	0.14	0.13	0.09	2.65	−1.10
Afghanistan	21.2	0.95	0.41	0.25	0.15	—	0.02	0.05	0.00	0.00	0.06	1.02	0.78	0.39	0.27	0.06	—	2.54	−0.16
Armenia	3.8	0.88	0.40	0.16	0.00	0.00	0.25	nd	0.00	0.00	0.06	0.80	0.50	0.23	0.14	0.05	0.02	2.87	−0.38
Azerbaijan	8.0	1.73	0.40	0.08	0.04	0.00	1.16	nd	0.00	0.00	0.04	2.11	0.90	0.32	0.08	0.11	0.36	3.87	−0.82

Georgia	5.3	0.91	0.39	0.15	nd	0.01	0.01	0.30	nd	0.00	0.01	0.05	0.64	0.92	0.29	0.15	0.40	0.01	11.68	0.01
Iran	69.2	1.98	0.61	0.10	0.01	0.08	1.08	0.00	0.00	0.00	0.10	0.92	0.89	0.47	0.10	0.14	0.09	1.80	−1.08
Iraq	22.3	1.38	0.32	0.01	0.00	0.02	0.99	0.00	0.00	0.00	0.03	1.85	0.23	0.14	0.01	0.04	0.00	4.18	−1.15
Israel	5.9	4.44	0.79	0.11	0.24	0.50	2.57	0.08	0.00	0.01	0.22	0.28	0.57	0.27	0.03	0.03	0.02	0.36	−3.86
Jordan	4.8	1.55	0.56	0.05	0.06	0.03	0.79	0.17	0.00	0.00	0.05	0.16	0.16	0.07	0.01	0.03	0.00	0.14	−1.39
Kazakhstan	16.3	3.58	1.12	0.53	0.02	0.01	1.87	0.00	0.00	0.01	0.03	1.99	3.33	1.60	1.10	0.25	0.36	6.48	−0.25
Kuwait	1.8	7.75	0.52	0.13	0.11	0.08	6.66	—	0.01	0.00	0.24	0.27	0.40	0.01	0.02	0.00	0.12	0.25	−7.35
Kyrgyz Republic	4.8	1.14	0.56	0.20	0.02	0.01	1.35	—	0.02	0.00	0.02	2.22	0.99	0.53	0.22	0.11	0.06	4.53	−0.15
Lebanon	3.4	2.61	0.69	0.05	0.21	0.09	0.84	0.02	0.00	0.01	0.05	0.39	0.50	0.28	0.00	0.02	0.01	1.47	−2.11
Saudi Arabia	19.6	4.07	0.92	0.08	0.07	0.08	2.71	0.08	0.03	0.03	0.19	0.79	0.98	0.49	0.07	0.11	0.16	0.20	−3.09
Syria	15.8	1.62	0.58	0.06	0.03	0.02	0.84	0.02	0.00	0.00	0.18	0.89	0.61	0.43	0.06	0.04	0.00	2.86	−1.00
Tajikistan	6.0	0.66	0.28	0.04	0.03	0.02	0.26	0.00	0.00	0.02	0.05	1.86	0.31	0.21	0.02	0.01	0.01	2.50	−0.35
Turkey	65.7	1.98	0.83	0.03	0.01	0.00	0.75	0.02	0.00	0.00	0.11	0.48	1.23	0.77	0.03	0.28	0.01	3.05	−0.75
Turkmenistan	4.6	3.18	0.60	0.43	0.01	0.01	2.07	—	0.00	0.00	0.06	5.31	2.02	0.62	0.59	0.01	0.73	5.52	−1.16
United Arab Emirates	2.6	10.13	1.15	0.19	0.36	0.54	7.72	0.02	0.00	0.02	0.16	2.32	1.26	0.15	0.00	0.19	0.76	0.38	−8.88
Uzbekistan	24.5	1.91	0.37	0.12	0.01	0.00	1.33	—	0.00	0.00	0.08	2.32	0.68	0.38	0.08	0.04	0.09	2.02	−1.23
Yemen	17.6	0.71	0.27	0.10	0.01	0.08	0.16	—	0.00	0.00	0.10	0.16	0.52	0.14	0.13	0.02	0.13	0.23	−0.19
アフリカ	774.3	1.36	0.40	0.17	0.23	0.05	0.27	0.11	0.01	0.00	0.12	0.19	1.55	0.36	0.26	0.71	0.10	6.62	0.18
Algeria	29.8	1.55	0.60	0.16	0.07	0.02	0.63	0.01	0.00	0.00	0.06	0.14	0.54	0.24	0.15	0.08	0.01	0.45	−1.01
Angola	12.8	0.87	0.27	0.13	0.20	0.04	0.11	0.08	0.00	0.01	0.03	0.04	5.88	0.21	1.65	3.53	0.46	14.38	5.01
Benin	6.1	1.15	0.39	0.03	0.35	0.05	0.06	0.17	0.00	0.01	0.09	0.02	1.05	0.41	0.03	0.46	0.05	4.16	−0.10
Botswana	1.5	1.48	0.39	0.41	0.41	0.03	nd	0.18	0.00	0.00	0.07	0.07	3.92	0.18	0.95	2.39	0.33	9.07	2.43
Burkina Faso	11.2	1.18	0.40	0.13	0.35	0.01	0.03	0.16	0.00	0.00	0.11	0.03	0.94	0.38	0.13	0.33	0.00	1.45	−0.24
Burundi	6.3	0.48	0.23	0.03	0.10	0.01	0.01	0.04	0.00	0.00	0.05	0.01	0.53	0.23	0.09	0.14	0.01	0.52	0.05
Cameroon	14.6	1.11	0.66	0.04	0.06	0.04	0.05	0.15	0.00	0.00	0.10	0.03	3.92	0.70	0.04	2.99	0.09	17.71	2.81
Central African Rep	3.6	1.25	0.67	0.26	0.08	0.01	0.02	0.14	0.00	0.00	0.08	0.02	6.20	0.65	0.28	5.19	—	38.74	4.95
Chad	7.6	1.02	0.49	0.27	0.11	0.04	0.01	0.03	0.00	0.00	0.05	0.02	1.68	0.45	0.34	0.69	0.12	5.91	0.65
Congo	2.9	0.92	0.21	0.02	0.06	0.18	0.19	0.16	0.00	0.00	0.10	0.01	9.05	0.11	1.31	7.37	0.16	279.19	8.13
Congo, Dem. Rep.	49.6	0.80	0.17	0.01	0.33	0.04	0.02	0.17	0.00	0.00	0.07	0.01	3.36	0.16	0.11	2.92	0.09	19.69	2.56
Cote d'Ivoire	15.7	0.92	0.38	0.04	0.12	0.07	0.07	0.13	0.00	0.00	0.10	0.05	2.00	0.73	0.44	0.68	0.05	5.13	1.08
Egypt	66.7	1.49	0.43	0.02	0.06	0.05	0.47	0.01	0.00	0.00	0.46	0.81	0.78	0.29	—	0.00	0.02	1.27	−0.71
Eritrea	3.5	0.79	0.22	0.10	0.22	0.00	0.05	0.11	0.00	0.00	0.08	—	0.75	0.15	0.10	0.30	0.12	nd	−0.03
Ethiopia	64.9	0.78	0.22	0.02	0.31	0.00	0.01	0.14	0.00	0.00	0.08	0.03	0.46	0.21	0.02	0.09	0.06	1.57	−0.32
Gabon	1.2	2.12	0.69	0.04	0.25	0.31	0.37	0.39	0.00	0.00	0.06	0.05	28.70	0.55	1.30	24.52	2.26	132.79	26.57
Gambia	1.3	1.00	0.44	0.05	0.16	0.12	0.07	0.07	0.00	0.00	0.08	0.02	0.93	0.31	0.05	0.18	0.32	6.43	−0.07
Ghana	18.9	1.07	0.32	0.02	0.23	0.15	0.05	0.19	0.00	0.00	0.10	0.02	0.89	0.40	0.10	0.21	0.09	2.66	−0.18
Guinea	8.0	1.21	0.29	0.05	0.43	0.11	0.05	0.19	0.00	0.00	0.09	0.01	2.01	0.25	0.22	1.07	0.39	28.75	0.80
Guinea-Bissau	1.2	0.70	0.30	0.03	0.17	0.03	0.05	0.06	0.00	0.00	0.09	0.01	4.19	0.34	0.03	1.56	2.2	22.88	3.49
Kenya	30.0	1.09	0.19	0.21	0.37	0.01	0.07	0.17	0.00	0.00	0.05	0.07	1.05	0.16	0.29	0.52	0.00	1.00	−0.04
Lesotho	2.0	0.86	0.24	0.16	0.27	0.01	nd	0.14	0.00	0.00	0.07	0.02	0.71	0.12	0.46	0.08	—	2.27	−0.15
Liberia	2.7	0.91	0.20	0.01	0.35	0.04	0.04	0.16	0.00	0.00	0.05	0.04	3.26	0.17	0.27	2.12	0.59	71.25	2.34
Libya	5.2	3.28	0.86	0.11	0.06	0.08	2.08	0.02	0.00	0.00	0.11	0.72	0.93	0.27	0.08	0.08	0.31	0.13	−2.34
Madagascar	15.5	0.88	0.23	0.17	0.21	0.05	0.02	0.12	0.00	0.00	0.07	0.94	1.86	0.23	0.42	0.90	0.23	19.37	0.99
Malawi	11.0	0.87	0.25	0.02	0.02	0.02	0.02	0.16	0.00	0.02	0.11	0.09	0.82	0.28	0.07	0.28	0.08	1.70	−0.05
Mali	11.0	1.14	0.53	0.16	0.30	0.02	0.02	0.16	0.00	0.00	0.09	0.11	1.42	0.56	0.17	0.55	0.06	5.33	0.28
Mauritania	2.6	1.33	0.39	0.10	0.01	0.14	0.33	0.00	0.00	0.00	0.07	0.63	2.65	0.16	0.83	0.10	1.48	4.42	1.32

	人口	合計	農地	牧草地	森林地(新たに描く)	海洋水域	化石燃料燃焼によるCO₂	燃料用薪	核エネルギー	水力	生産能力阻害地	取水量(2000年推計値)	合計	農地	牧草地	森林地	海洋水域	水資源量(海水の淡水化も含む)(2000年値)	生態的赤字(一年当たりについている国は、赤字)
	[100万人]	[一人当たりgha]	[一人当たりgha]	[一人当たりgha]	[一人当たりgha]	[一人当たりgha]	[一人当たりgha]	[一人当たりgha]	[一人当たりgha]	[一人当たりgha]	[一人当たりgha]	[一人当たり千m³/年]	[一人当たりgha]	[一人当たりgha]	[一人当たりgha]	[一人当たりgha]	[一人当たりgha]	[一人当たり千m³/年]	[一人当たりgha]
Mauritius	1.2	1.50	0.54	0.09	0.12	0.29	0.34	0.00	0.01	0.00	0.12	0.31	1.28	0.17	0.01	0.14	0.84	1.87	−0.22
Morocco	29.3	1.10	0.51	0.12	0.04	0.09	0.28	0.00	0.00	0.00	0.06	0.38	0.87	0.28	0.13	0.12	0.29	1.04	−0.24
Mozambique	17.9	0.47	0.20	0.02	0.03	0.02	0.02	0.16	0.00	0.00	0.02	0.03	1.87	0.19	1.14	0.49	0.03	11.04	1.40
Namibia	1.7	1.47	0.65	0.25	nd	0.23	0.24	nd	0.00	—	0.10	0.14	5.04	0.51	1.26	1.17	2.00	26.26	3.57
Niger	10.5	1.15	0.61	0.08	0.24	0.00	0.03	0.11	0.00	0.00	0.08	0.05	0.91	0.66	0.09	0.09	0.00	3.01	−0.24
Nigeria	110.8	1.33	0.52	0.07	0.34	0.04	0.10	0.15	0.00	0.00	0.12	0.03	0.88	0.51	0.13	0.10	0.16	2.17	−0.45
Rwanda	7.1	1.06	0.30	0.04	0.40	0.00	0.02	0.19	0.00	0.00	0.09	0.10	0.92	0.26	0.04	0.50	0.01	0.82	−0.14
Senegal	9.2	1.31	0.42	0.18	0.22	0.22	0.10	0.08	0.00	0.00	0.12	0.14	1.49	0.30	0.25	0.70	0.16	4.15	0.18
Sierra Leone	4.3	0.54	0.21	0.03	0.00	0.06	0.04	0.12	0.00	0.00	0.08	0.08	1.07	0.14	0.14	0.43	0.29	32.88	0.52
Somalia	8.4	1.05	0.11	0.42	0.31	0.01	0.01	0.15	0.00	0.00	0.06	0.07	1.06	0.08	0.46	0.43	0.04	1.37	0.02
South Africa	42.8	4.02	0.66	0.27	0.30	0.22	2.33	0.05	0.07	0.00	0.11	0.29	2.42	0.60	0.93	0.56	0.23	1.08	−1.60
Sudan	30.4	1.06	0.50	0.25	0.14	0.00	0.05	0.20	0.00	0.00	0.06	0.60	2.04	0.47	1.20	1.20	0.04	5.16	0.98
Tanzania	34.3	1.03	0.23	0.13	0.30	0.04	0.02	0.20	0.00	0.00	0.07	0.03	1.29	0.22	0.31	0.64	0.02	2.64	0.26
Togo	4.4	0.86	0.46	0.03	0.11	0.04	0.07	0.04	0.00	0.00	0.11	0.02	0.81	0.47	0.09	0.14	0.04	2.46	−0.05
Tunisia	9.4	1.69	0.72	0.10	0.16	0.08	0.50	0.05	0.00	0.00	0.08	0.31	1.00	0.55	0.11	0.06	0.21	0.42	−0.69
Uganda	22.6	1.06	0.47	0.03	0.31	0.02	0.01	0.12	0.00	0.01	0.07	0.01	0.89	0.48	0.03	0.21	0.04	2.46	−0.18
Zambia	10.2	1.26	0.61	0.06	0.29	0.03	0.06	0.14	0.00	0.02	0.10	0.19	2.67	0.56	0.83	1.17	0.07	12.70	1.41
Zimbabwe	12.4	1.32	0.28	0.12	0.24	0.02	0.47	0.13	0.02	0.00	0.04	0.10	1.42	0.26	0.45	0.66	0.01	1.61	0.11
ラテンアメリカ・カリブ海																			
Argentina	503.2	2.17	0.58	0.38	0.26	0.11	0.65	0.08	0.01	0.01	0.10	0.39	4.02	0.64	0.66	2.38	0.23	25.67	1.84
Bolivia	36.6	3.03	0.78	0.86	0.09	0.19	0.92	0.01	0.04	0.00	0.14	0.75	6.66	2.01	2.93	1.01	0.57	26.84	3.63
Brazil	8.1	0.96	0.31	0.13	0.09	0.02	0.32	0.03	0.00	0.01	0.06	0.15	6.39	0.33	0.14	5.80	0.06	36.02	5.43
Chile	168.2	2.38	0.64	0.55	0.43	0.07	0.46	0.12	0.00	0.01	0.09	0.22	6.03	0.73	0.65	4.44	0.10	41.08	3.65
Colombia	15.0	3.11	0.61	0.32	0.62	0.45	0.83	0.12	0.00	0.01	0.15	1.10	4.23	0.46	0.83	0.98	1.80	30.77	1.13
Costa Rica	41.4	1.34	0.28	0.26	0.15	0.09	0.36	0.07	0.00	0.01	0.11	0.14	2.53	0.24	0.50	1.65	0.02	27.50	1.19
Cuba	3.9	1.95	0.40	0.24	0.63	0.05	0.28	0.17	0.00	0.00	0.17	0.36	2.31	0.44	0.54	1.12	0.03	25.01	0.36
Dominican Republic	11.2	1.49	0.55	0.03	0.06	0.13	0.64	0.02	0.05	0.00	0.08	0.72	1.10	0.44	0.02	0.55	0.03	3.08	−0.39
Ecuador	8.2	1.53	0.44	0.14	0.09	0.17	0.59	0.01	0.01	0.01	0.08	0.35	0.74	0.31	0.14	0.18	0.03	2.35	−0.78
El Salvador	12.4	1.54	0.35	0.15	0.42	0.09	0.37	0.08	0.00	0.00	0.08	0.44	2.61	0.37	0.18	1.61	0.37	24.83	1.07
Guatemala	6.2	1.19	0.31	0.06	0.34	0.02	0.22	0.13	0.00	0.01	0.11	0.16	0.53	0.27	0.08	0.05	0.02	3.00	−0.67
Haiti	11.1	1.42	0.35	0.07	0.40	0.01	0.25	0.21	0.00	0.00	0.11	0.06	1.20	0.35	0.09	0.64	0.01	9.49	−0.21
Honduras	8.0	0.82	0.24	0.01	0.30	0.02	0.06	0.14	0.00	0.00	0.06	0.01	0.26	0.14	0.00	0.03	0.03	1.41	−0.56
Jamaica	6.3	1.34	0.51	0.09	0.25	0.04	0.18	0.19	0.00	0.00	0.08	0.23	1.56	0.48	0.09	0.84	0.06	12.86	0.22
Mexico	2.6	2.07	0.42	0.10	0.12	0.23	1.09	0.02	0.05	0.00	0.08	0.12	0.59	0.21	0.06	0.14	0.08	3.21	−1.49
Nicaragua	97.4	2.52	0.70	0.25	0.13	0.01	1.18	0.03	0.15	0.00	0.08	0.78	1.69	0.51	0.31	0.51	0.27	3.61	−0.83
Panama	4.9	1.53	0.97	0.12	0.02	0.23	0.18	0.02	0.00	0.00	0.10	0.19	3.09	0.93	0.39	1.46	0.11	37.28	1.56
Paraguay	2.8	1.72	0.48	0.30	0.16	0.01	0.18	0.45	0.00	0.06	0.08	0.46	3.09	0.37	1.95	2.13	0.11	50.42	1.37
Peru	5.4	2.51	1.14	0.56	0.23	0.17	0.45	0.06	0.00	0.00	0.21	0.08	6.67	1.71	0.00	2.68	0.06	57.13	4.16
Trinidad and Tobago	25.2	1.15	0.42	0.09	0.12	0.02	0.14	0.14	0.00	0.00	0.10	0.24	5.31	0.33	0.55	3.91	0.43	1.56	4.16
Uruguay	1.3	3.30	0.39	1.64	0.11	0.25	2.37	0.00	0.06	—	0.07	0.11	0.81	0.13	0.00	0.36	0.24	3.80	−2.49
Venezuela	3.3	3.79	0.57	0.06	0.61	0.16	0.46	0.23	0.00	0.02	0.10	0.20	4.57	0.82	2.73	0.39	0.52	37.87	0.78
	23.7	2.34	0.40	0.22	0.06	0.16	1.37	0.01	0.00	0.02	0.09	0.17	3.28	0.28	0.23	2.62	0.04	54.49	0.95

北米																		
Canada	310.9	9.61	1.55	0.32	1.26	0.30	5.26	0.05	0.49	0.02	0.37	1.66	6.15	1.94	1.26	1.99	0.59	17.32	−3.46
	30.5	8.84	2.18	0.31	1.12	0.19	4.19	0.03	0.45	0.08	0.31	1.43	14.24	3.46	1.25	7.24	1.91	94.56	5.40
United States of America	280.4	9.70	1.48	0.32	1.28	0.31	5.38	0.06	0.50	0.01	0.37	1.69	5.27	1.77	1.26	1.42	0.44	8.92	−4.43
西ヨーロッパ																			−2.84
Austria	387.4	4.97	0.84	0.20	0.46	0.38	2.45	0.02	0.41	0.01	0.21	0.62	2.13	0.79	0.28	0.69	0.16	4.90	−1.95
	8.1	4.73	0.71	0.26	0.80	0.18	2.37	0.08	0.16	0.03	0.14	0.30	2.78	0.68	0.35	1.57	0.00	10.89	−5.59
Belgium & Luxembourg	10.2	6.72	0.83	0.14	0.46	0.31	3.83	0.01	0.84	0.00	0.30	0.88	1.13	0.40	0.14	0.27	0.01	1.71	−3.33
Denmark	5.3	6.58	1.21	0.09	1.11	0.45	3.24	0.04	0.19	0.02	0.26	0.23	3.24	1.78	0.07	0.35	0.78	2.47	0.19
Finland	5.2	8.42	1.05	0.04	2.36	0.45	3.04	0.17	0.84	0.02	0.45	0.47	8.61	1.43	0.03	0.78	0.16	21.82	−2.38
France	59.0	5.26	0.98	0.19	0.45	0.37	2.09	0.01	0.96	0.00	0.23	0.59	2.88	0.70	0.34	7.00	0.10	3.35	−2.96
Germany	82.0	4.71	0.68	0.09	0.37	0.19	2.69	0.01	0.38	0.00	0.29	0.71	1.74	0.99	0.11	0.62	0.03	2.07	−2.76
Greece	10.6	5.33	1.06	0.38	0.28	0.27	2.89	0.02	0.12	0.00	0.07	0.57	2.34	1.57	0.85	0.18	0.24	5.54	0.81
Ireland	3.8	3.84	1.37	0.40	0.54	0.25	2.61	0.01	0.01	0.00	0.15	0.34	6.14	0.99	2.22	0.53	1.66	13.99	−2.67
Italy	57.5	4.81	0.81	0.18	0.30	0.27	2.10	0.02	0.08	0.01	0.07	0.98	1.18	0.59	0.16	0.29	0.05	2.92	−4.02
Netherlands	15.8	7.92	0.77	0.13	0.54	0.29	2.82	0.03	0.07	0.00	0.19	0.49	0.79	0.24	0.10	0.07	0.18	5.67	−1.98
Norway	4.4	4.47	0.89	0.05	0.97	2.62	2.68	0.03	0.26	0.20	0.22	0.46	5.94	0.60	0.06	2.72	2.13	88.95	−2.88
Portugal	10.0	4.47	0.91	0.17	0.40	1.01	1.75	0.01	0.07	0.00	0.21	0.74	1.60	0.46	0.14	0.71	0.08	7.11	−2.86
Spain	39.9	4.66	1.08	0.25	0.48	0.56	1.88	0.01	0.29	0.00	0.09	0.84	1.79	0.89	0.37	0.39	0.04	2.80	0.61
Sweden	8.9	6.73	1.21	0.12	1.37	0.34	1.49	0.13	1.53	0.05	0.48	0.33	7.34	1.13	0.15	5.37	0.15	20.23	−2.30
Switzerland	7.2	4.12	0.55	0.45	0.45	0.16	1.51	0.03	0.69	0.04	0.25	0.35	1.82	0.27	0.66	0.60	0.01	6.75	−3.70
United Kingdom	59.5	5.35	0.68	0.33	0.32	0.47	2.99	0.00	0.34	0.00	0.21	0.20	1.64	0.52	0.41	0.13	0.36	2.06	−0.67
中央・東ヨーロッパ																			
Albania	349.9	3.68	0.96	0.09	0.19	0.26	1.96	0.02	0.12	0.00	0.07	0.51	3.00	0.92	0.15	1.68	0.19	16.31	−0.21
Belarus	3.1	0.96	0.55	0.06	0.07	0.01	0.15	0.02	0.00	0.01	0.08	0.06	0.75	0.39	0.06	0.16	0.06	6.10	−0.71
Bosnia and Herzegovina	10.2	3.27	1.09	0.11	0.50	0.01	1.50	0.01	0.00	0.00	0.06	0.27	2.57	0.96	0.22	1.33	0.00	5.64	0.06
Bulgaria	3.8	1.05	0.45	0.11	0.01	0.01	0.40	—	0.00	0.00	0.06	—	1.11	0.27	0.11	0.67	0.00	nd	−0.52
Croatia	8.0	2.36	0.92	0.08	0.13	0.03	0.89	0.03	0.21	0.00	0.07	1.57	1.84	0.94	0.07	0.72	0.04	24.68	−2.50
Czech Republic	4.7	2.69	0.89	0.08	0.28	0.14	1.16	0.04	0.00	0.01	0.09	0.27	2.13	0.80	0.14	0.82	0.27	nd	−0.56
Estonia	10.3	4.82	0.90	0.06	0.48	0.10	2.88	0.01	0.25	0.00	0.13	0.27	2.32	0.97	0.12	1.09	0.01	5.71	−0.79
Hungary	1.4	4.94	1.27	0.08	0.37	0.26	2.81	0.09	0.01	0.01	0.05	0.11	4.15	1.01	0.18	2.71	0.19	9.03	−1.33
Latvia	10.0	3.08	0.84	0.02	0.19	0.11	1.51	0.03	0.26	0.00	0.11	0.69	1.75	1.06	0.04	0.54	0.00	12.23	1.14
Lithuania	2.4	3.43	1.43	0.11	0.60	0.11	0.93	0.13	0.04	0.01	0.07	0.12	4.56	1.38	0.23	2.79	0.09	14.77	−0.05
Macedonia	3.7	3.07	1.39	0.06	0.29	0.24	0.96	0.05	0.04	0.00	0.07	0.07	3.02	1.43	0.14	1.37	0.01	6.75	−1.79
Moldova Republic	2.0	3.26	0.80	0.10	0.21	0.63	1.38	0.06	0.04	0.00	0.09	—	1.46	0.67	0.08	0.62	0.00	nd	−0.56
Poland	38.6	1.38	0.69	0.02	0.04	0.00	0.58	0.00	0.00	0.00	0.05	0.66	0.82	0.68	0.04	0.04	0.01	2.62	−2.07
Romania	22.5	3.70	0.98	0.03	0.27	0.18	2.13	0.02	0.00	0.00	0.10	0.32	1.63	0.93	0.05	0.54	0.01	1.45	−1.15
Russian Federation	146.2	2.52	0.71	0.05	0.12	0.04	1.42	0.01	0.08	0.00	0.05	1.16	1.37	0.75	0.10	0.40	0.03	9.24	0.35
Slovak Republic	5.4	4.49	1.09	0.15	0.19	0.48	2.36	0.02	0.13	0.01	0.11	0.53	4.84	0.97	0.22	3.17	0.41	30.77	−1.08
Slovenia	2.0	3.44	0.75	0.07	0.17	0.12	1.93	0.01	0.27	0.01	0.05	—	2.35	0.74	0.14	1.35	0.01	5.73	−1.34
Ukraine	50.0	3.58	0.72	0.24	0.31	0.10	2.07	0.02	0.01	0.00	0.11	0.51	2.24	0.27	0.25	1.60	0.01	nd	−1.90
Yugoslavia	21.1	2.14	0.74	0.05	0.10	0.10	1.06	0.00	0.00	—	0.09	0.37	1.21	0.71	0.07	0.33	0.01	11.13	−0.93

注
nd = no data（データ入手不可）
水の取水量および水資源量の推定値の出典は、P.H. Gleick, 1998, "The World's Water 1998-1999" (Island Press, Washington, DC), downloaded from http://www.worldwater.org/waterData.htm
High income countries are Australia, Austria, Belgium, Canada, Denmark, Finland, France, Germany, Greece, Ireland, Israel, Italy, Japan, Korea, Rep., Kuwait, Netherlands, New Zealand, Norway, Portugal, Slovenia, Spain, Sweden, Switzerland, United Arab Emirates,United Kingdom, United States Middle income countries are Algeria, Argentina, Belarus, Bolivia, Botswana, Brazil, Bulgaria, Chile, China, Colombia, Costa Rica, Croatia, Cuba, Czech Republic, Dominican Republic, Ecuador, Egypt, El Salvador, Estonia, Gabon, Georgia, Guatemala, Hungary, Indonesia, Iran, Iraq, Jamaica, Jordan, Kazakhstan, Korea, Dem. Rep., Latvia, Lebanon, Libya, Lithuania, Macedonia, Malaysia, Mauritius, Mexico, Morocco, Namibia, Panama, Papua New Guinea, Paraguay, Peru, Philippines, Poland, Romania, Russian Federation, Saudi Arabia, Slovakia, South Africa, Sri Lanka, Syria, Thailand, Trinidad and Tobago, Tunisia, Turkey, Ukraine, Uruguay, Uzbekistan, Venezuela,Yugoslavia.Low income countries are Afghanistan, Albania, Angola, Armenia, Azerbaijan, Bangladesh, Benin, Bosnia and Herzegovina, Burkina Faso, Burundi, Cambodia, Cameroon, Central African Republic, Chad, Congo, Dem. Rep., Cote d'Ivoire, Eritrea, Ethiopia, Gambia,Ghana, Guinea, Guinea-Bissau, Haiti, Honduras, India, Kenya, Kyrgyz Republic, Lao PDR, Lesotho, Liberia, Madagascar, Malawi, Mali, Mauritania, Moldova, Mongolia, Mozambique, Myanmar, Nepal, Nicaragua, Niger, Nigeria, Pakistan, Rwanda, Senegal, Sierra Leone, Somalia, Sudan, Tajikistan, Tanzania, Togo, Turkmenistan, Uganda, Vietnam, Yemen, Zambia, Zimbabwe.Table includes all countries with populations greater than one million, except Bhutan, Oman and Singapore, for which insufficient data were available to calculate the ecological footprint and biocapacity figures

資料3　世界主要国の１人当たりの生態学的赤字（資料2の表より抜粋）

	人口	エコロジカル・フットプリント	生物生産力	生態学的赤字または黒字
	[100万]	[1人当たりグローバルヘクタール]	[1人当たりグローバルヘクタール]	[1人当たりグローバルヘクタール]
世界総計／平均	5,978.7	2.3	1.9	-0.4
アルゼンチン	36.6	3.0	6.7	3.6
オーストラリア	18.9	7.6	14.6	7.0
ブラジル	168.2	2.4	6.0	3.6
カナダ	30.5	8.8	14.2	5.4
中国	1,272.0	1.5	1.0	-0.5
エジプト	66.7	1.5	0.8	-0.7
フランス	59.0	5.3	2.9	-2.4
ドイツ	82.0	4.7	1.7	-3.0
インド	992.7	0.8	0.7	-0.1
インドネシア	209.3	1.1	1.8	0.7
イタリア	57.5	3.8	1.2	-2.7
日本	126.8	4.8	0.7	-4.1
韓国	46.4	3.3	0.7	-2.6
メキシコ	97.4	2.5	1.7	-0.8
オランダ	15.8	4.8	0.8	-4.0
パキスタン	137.6	0.6	0.4	-0.2
フィリピン	74.2	1.2	0.6	-0.6
ロシア	146.2	4.5	4.8	0.4
スウェーデン	8.9	6.7	7.3	0.6
タイ	62.0	1.5	1.4	-0.2
イギリス	59.5	5.3	1.6	-3.7
アメリカ	280.4	9.7	5.3	-4.4
上記22カ国合計／平均	4,048.6	2.5	1.9	-0.6

出典： WWF International, Redefining Progress, and UNEP WCMC, 2002, *Living Planet Report 2002*, Gland Switzerland.
最右列の数字にマイナスが付いている場合は"生態学的赤字"を意味し、付いていない場合は"黒字"を意味する。
注：数値は四捨五入しているため、各国別合計または平均化しても世界総計／平均、22カ国合計／平均と必ずしも一致しない（データは1999年値）。

マティース・ワケナゲル（Mathis Wackernagel）● 著
「グローバル・フットプリント・ネットワーク」（GFN）代表理事

1962年スイス・バーゼル生まれ。スイス連邦工科大学修士号取得後、太陽光発電建築の設計・施工の仕事に従事。1994年カナダ・ブリティッシュ・コロンビア大学大学院コミュニティー地域計画学研究科博士課程修了。博士号（Ph.D.）取得。アース・カウンシル（コスタリカ）、リディファイニング・プログレス（アメリカ）などの研究機関で主任研究員などを経て、2003年よりエコロジカル・フットプリント計算の標準化と世界への普及を目指す環境シンクタンク「グローバル・フットプリント・ネットワーク」の代表理事に就任。2012年、旭硝子財団「ブルー・プラネット賞」をウィリアム・リース氏と共同受賞。

ウィリアム・リース（William E. Rees）● 著
ブリティッシュ・コロンビア大学名誉教授

1943年カナダ・マニトバ州ブランドン生まれ。1973年トロント大学大学院動物学研究科博士課程修了。博士号（Ph.D.）取得。カナダ・ブリティッシュ・コロンビア大学大学院コミュニティー地域計画学研究科専任講師、助教授を経て、1990年教授に就任。1994年〜1999年まで研究科長。現在は教授職を辞し、2012年1月よりブリティッシュ・コロンビア大学名誉教授。カナダ・エコロジー経済学会の創設メンバーであり、会長を歴任。長年の研究教育活動に対する功績が認められ、2000年ブリティッシュ・コロンビア大学より、上級キラム賞を授与される。講演活動等、世界的に活躍している。

和田喜彦（わだ・よしひこ）● 監訳・解題
同志社大学経済学部教授

1960年長野県生まれ。横浜市立大学文理学部国際関係課程卒。財団法人国際開発センター勤務等を経て、カナダ・ブリティッシュ・コロンビア大学大学院コミュニティー地域計画学研究科に留学。1999年博士課程修了。博士号（Ph.D.）取得。札幌大学経済学部助教授、同志社大学准教授等を経て、2010年4月より同志社大学経済学部教授。

池田真里（いけだ・まり）● 訳
フリーライター

1980年代半ばより環境、消費者、人権問題や運動を国際的な視点から追い続けている。最近の訳書に、『世界は変えられる』（七つ森書館、共訳）、『バグダッド・バーニング』（アートン、共訳）。平和をめざす翻訳者たち（TUP）会員。

エコロジカル・フットプリント
地球環境持続のための実践プランニング・ツール

2004年　9月10日　　第1刷発行
2014年　1月30日　　第3刷発行

著　者◉マティース・ワケナゲル
　　　　ウィリアム・リース

監訳者◉和田喜彦

訳　者◉池田真里

発行者◉上野良治
発行所◉合同出版株式会社
東京都千代田区神田神保町1-44
郵便番号 101-0051
電話 03 (3294) 3506
FAX 03 (3294) 3509
振替 00180-9-65422
http://www.godo-shuppan.co.jp/
カバーデザイン◉六月舎＋佐藤　健
印刷・製本◉新灯印刷株式会社

■刊行図書リストを無料送呈いたします。■落丁乱丁の際はお取り換えいたします。
本書を無断で複写・転訳載することは、法律で認められている場合を除き、著作権及び出版社の権利の侵害になりますので、その場合にはあらかじめ小社あてに許諾を求めてください。

©Yoshihiko WADA, 2004 ISBN4-7726-0323-9